D0708271

STORM OVER 'DE RITTER'

Anke de Graaf

Storm over 'De Ritter'

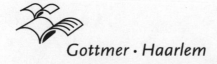

Gottmer · Haarlem

ISBN 90 257 3339 5 / NUGI 340

Hoofdstuk één

Maaike Timmer keek naar haar dochter, die met de rug naar haar toe voor het raam van de kamer stond en naar buiten keek.

Marianne was de tweede van de drie dochters van Kees en haar. Een meisje van zeventien met dik, blond haar, dat wel krulde, maar echte krullen waren het niet. Oma Timmer noemde het 'gewillig haar'. Marianne had de helderblauwe ogen van de Timmerfamilie.

Anneke, hun oudste, die vernoemd was naar de moeder van Kees – ze heette officieel ook Annetje –, leek niet op de Timmers. Annekes haren waren donker en steil en haar ogen waren bruin. Ze leek meer op de Botmannen, Maaikes familie. Beide meisjes waren lang en slank. Anneke was twintig.

Esther, de jongste, was weer een echte Timmer. Een kleiner evenbeeld van Marianne om te zien, maar anders van natuur. Marianne was gevoelig, een droomstertje, vond Maaike. Kees noemde haar soms 'een denkstertje'. De twaalfjarige Esther was vrolijk, meestal blij en vol grappen, en ze was dol op spelletjes.

Het was een prachtige dag in het voorjaar, het liep tegen het einde van de maand april. Het gras van het weiland, dat zich ver uitstrekte achter hun kleine achtertuin, kleurde heldergroen in het felle zonlicht. Er graasden koeien, de zwartwitte van boer Evertsen; rustig, stap voor stap schoven ze met gebogen koppen verder, het gras in hun bekken vermalend met hun grote tongen. En op het veld daarnaast – tussen het weiland en het veld liep een smal slootje – scharrelden schapen met hun kleine, wollige lammetjes. Als speelgoedbeestjes, dartelend en springend.

Marianne draaide zich om naar haar moeder, die aan de tafel bezig was met kleine naaiwerkjes: een knoop aanzetten, een losgeraakt naadje van een broekje of hemd weer vastzetten, een zoom inleggen.

'Mam, soms vind ik dat ons dorp op een oase lijkt. Als je het van bovenaf zou zien, vanuit een vliegtuig bijvoorbeeld, dat heel langzaam over Wennebroek vloog. Een oase van rust en veiligheid en groen, want er is veel groen in ons dorp. Een oase te midden van weilanden en de donkere grond van de akkers. Nu is die grond nog donker, maar als over een paar weken de aardappelplanten op het land van Bakker zijn gegroeid, is het loof groen. En daarna komen de witte bloemetjes van het soort dat Tinus Bakker verbouwt, dan is het dorp toch een oase? Nee, eigenlijk zeg ik het niet goed, want een oase ligt midden in de kale woestijn. Voor de mensen die door zo'n onherbergzaam land trekken is een oase een heerlijke plek om te bezoeken: er is water en je hebt de schaduw van bomen als bescherming tegen de felle zon. Maar,' ze lachte een heldere lach, 'ik zag een plaatje van het dorp te midden van de landerijen; vindt u het raar dat ik dit zeg?'

'Nee, liefke, zeker niet. Het is ook zo, Wennebroek is een prachtig dorp.' Ze kon er mooie woorden aan wijden, maar wilde haar dochter niet overtroeven.

'Ja,' ging de jonge stem verder, 'ik vind Wennebroek mooi. De dorpsstraat slingert prachtig langs de huizen, dat zal van bovenaf ook een mooi gezicht zijn. De bomen in de bermen, en de grote boerderijen – want er zijn heel grote boerderijen bij, zoals die van boer Groteman en de hoeve van Jongert en van Van Weelden... En er staan ook grote huizen langs de dorpsweg, bijvoorbeeld het huis van dokter Hopstra. Maar in dat pand zijn ook de spreekkamer en de wachtkamer, en er is een vertrek waar dokter pilletjes en poedertjes heeft staan. En het huis waarin Wieneke woont....' Ze was intussen aan de tafel tegenover haar moeder gaan zitten. 'Het is heel mooi bij Wieneke thuis. En groot. Hun huiskamer is wel twee, misschien wel drie keer zo groot als onze kamer! Er staan drie banken in. Twee brede banken, daar kun je breeduit met drie mensen op zitten en dan zit je nog niet met je billen tegen je buurman aan, en dan nog één bank voor twee. En mooie losse stoelen. Meneer Van Rittervoorden heeft zijn eigen stoel met een hoge rugleuning. Als hij zijn hoofd even naar achteren laat zakken, kan hij zo een slaapje doen. In die stoel mag een ander, denk ik, wel zitten, maar dat doet nooit iemand. Ik zou het wel eens willen doen, maar ik durf het niet.'

Maaike knikte alleen. Ze zei niets, omdat ze het gevoel had dat

Marianne haar iets wilde vertellen. Daarop duidde de onzekere blik in haar blauwe ogen.

'Achter die grote kamer is ook nog een prachtige serre. Helemaal ingericht zoals de serres in meubelreclames, met rotanstoelen met dikke kussens op de zittingen, in felle kleuren, zonnig en vrolijk. En er hangt een kleed over de ronde tafel, het golft er soepeltjes overheen, u snapt wel wat ik bedoel. En er hangen mooie gordijnen voor de ramen. Soms ontbijt de familie in de serre, dan staat er een prachtig servies op de tafel, en gekookte eitjes in dopjes met warmertjes van gele wol eroverheen.' Marianne lachte: 'Ja, ik denk soms aan een plaatje uit een film! Ik kwam altijd graag bij Wieneke thuis – we kennen elkaar immers al vanaf de eerste klas bij juffrouw Smidt – maar de laatste tijd is het niet zo leuk meer om naar "De Ritter" te gaan, want Wienekes moeder is niet meer zo aardig tegen mij, en op die momenten ook niet tegen Wieneke. Het is alsof ze wil uitdrukken: Nu heb je dat kind alweer meegenomen.... Misschien denkt u dat ik me het maar verbeeld, mevrouw Van Rittervoorden kan natuurlijk om andere dingen een beetje chagrijnig zijn en kortaf, maar dat is niet zo. Daarvoor voel ik het te vaak.

Een paar jaar geleden was ze altijd vriendelijk tegen me – nooit héél aardig, maar toch aardiger dan nu. Een paar weken geleden zei ik er iets over tegen Wieneke, en die gaf meteen toe dat het zo was. Het was dus geen verbeelding van me. Wieneke zei dat haar moeder het niet prettig vindt dat wij nog vriendinnen zijn. Maar we zijn bijna de hele dag bij elkaar: we fietsen in de groep naar school, naar Hoorn, we zitten naast elkaar en na schooltijd fietsen we weer terug, en daarna komt Wieneke hier of ik ga naar haar toe. Toen we kleiner waren, op de school hier in het dorp, vonden haar vader en moeder het prima, want we speelden altijd leuk met elkaar. Ik weet niet of Wienekes vader er ook iets over heeft gezegd. Die man is er bijna nooit als ik er ben; door de week is hij op zijn werk, en op zondag is hij wel thuis, maar dan leest hij de krant, of vaktijdschriften. Maar goed, haar moeder vond het toen juist fijn dat we zo leuk met elkaar speelden. Maar nu we in de vijfde van het atheneum zitten, vindt haar moeder dat we te veel verschillen van achtergrond, u snapt wel hoe ze dat bedoelt, om nog vriendinnen te zijn.' Er was teleurstelling en boosheid in haar stem.

Maaike glimlachte even en zei toen: 'Met "achtergrond" bedoelt mevrouw Van Rittervoorden natuurlijk het standsverschil. "Stand" is voor veel mensen heel belangrijk, en blijkbaar ook voor mevrouw Van Rittervoorden. Voor kleine, lief spelende meisjes is dat verschil geen probleem, maar op jullie leeftijd kunnen de jongelui waarmee je omgaat belangrijk zijn. De Van Rittervoordens zijn rijke mensen. Meneer leidt met zijn vader een groot en winstgevend bedrijf, er komt veel geld in het laatje. Ze hebben een schitterend huis, hij rijdt in een slee van een wagen – ik weet het dure merk niet eens – en mama heeft haar eigen auto op het pad staan. Ze hebben een heel ander leven dan wij. Jouw vader is schildersknecht bij Witteveen: witte overalls vol verfvlekken, grote werkschoenen en op het fietsje naar de baas of de klus waarmee hij bezig is. Een vast inkomen, elke maand hetzelfde bedrag. Er zit nooit een gulden tussen de kwartjes verstopt, die we er glunderend tussenuit halen – zo van: jongens, een extraatje! Dit huis is in de ogen van de Van Rittervoordens vast een eenvoudige arbeiderswoning, maar hoewel het niet groot is, is het voor ons ruim genoeg en wij zijn er tevreden mee; we wonen hier goed. Maar toch moeten we, ik vooral, elke week de guldentjes tellen om rond te komen. We kunnen niet zeggen als we voorbij een kunsthandel lopen: wat een prachtig schilderij, dat zal het goed doen tegen de vlakke muur, dat kopen we. Of: kijk eens wat een leuke mantel, die neem ik mee! Zulke dingen kunnen de Rittervoordens zich wel permitteren.'

Marianne knikte. 'Maar over deze dingen zei Wieneke niets. Over kopen bedoel ik. Ze zei dat haar ouders andere interesses hebben dan jullie. Mevrouw speelt goed piano. Er staat een prachtige, diepzwarte vleugel in een grote kamer, de muziekkamer. Nu en dan komen er "genodigden" om te luisteren naar het spel van mevrouw Van Rittervoorden. Emiel en Wieneke zijn allebei op pianoles. Daarvoor moeten ze naar Hoorn, want in ons dorp hebben we geen pianoleraar. En Wienekes moeder gaat vaak naar toneelavonden, muziekuitvoeringen en ballet en dat soort dingen in Amsterdam, meestal alleen of met een vriendin. Als hij tijd heeft gaat haar vader mee, maar meestal heeft hij het te druk met vergaderingen en besprekingen. Maar misschien vindt hij er niet zoveel aan en zit hij tijdens het spel stilletjes te rekenen of te denken aan een lastige klant. Meneer Van Rittervoorden is wel een aardige man.

De vriendin met wie mevrouw vaak naar al die evenementen gaat, heet tante Helga. Het is een excentrieke vrouw, zo praten ze over haar: tante Helga is zó apart, zó excentriek... Ik vind dat dat excentrieke zich voornamelijk uit in de kleren die ze aantrekt. Rare, lange, wijde jurken en daaroverheen jasjes die drie maten te groot zijn en om haar heen slobberen. En die jasjes passen er wat kleur betreft absoluut niet bij, het is niet in harmonie. Maar volgens Wieneke is dat juist het bijzondere van tante Helga. Ze maakt zich ook veel te veel op; ze kan bijna niet lachen, want dan knapt de crèmelaag op haar wangen en smelt de mascara rond haar ogen. Maar ze is erg aardig, ik mag haar wel.

Wieneke zegt dat haar ouders geïnteresseerd zijn en weten van dingen waarvan pap en u geen notie hebben. Bijvoorbeeld van economie en hoe de onderlinge toestanden in de wereldbevolking zijn ontstaan en hoe ze nu liggen.' Ze keek haar moeder met een lach in haar ogen aan. 'U bent maar een dom burgervrouwtje in de ogen van de Van Rittervoordens. Wieneke lachte er eerst om, maar nu denk ik soms: jij begint in de richting van je moeder te denken. En daarom vinden haar ouders het niet goed dat wij met elkaar omgaan, niet omdat ze meer geld hebben dan wij. Tenminste, daarover heeft Wieneke het nooit.'

Maaike glimlachte stilletjes, maar ze had een vervelend gevoel in zich. Marianne zweeg. Ze had tijdens het praten de naaidoos opgeruimd. De losse draadjes rond de garenklosjes gewonden en de klosjes weer op de pennetjes gezet, de naalden in het daarvoor bestemde doosje gedaan en de centimeter opgerold.

'Ik vind het echt vervelend,' zei ze toen. 'Wieneke zegt wel dat ze zich er niets van aantrekt en dat ze het dom vindt van haar moeder, want het is voornamelijk haar moeder die met deze zotte dingen komt. Ze zegt dat we toch vriendinnen blijven, maar ik vind het niet leuk. Wieneke vindt het ook niet leuk, maar mam, ik merk wel dat ze door de gesprekken van haar moeder in die richting draait. Ik kom nu niet graag meer bij haar thuis.'

'Mevrouw Van Rittervoorden vindt het blijkbaar beter dat de vriendenkring van Wieneke, en dat zal ook voor hun zoon gelden, bestaat uit jongelui van hun stand. Maar ik begrijp eigenlijk niet dat ze zich daar nu al druk over maakt, jullie zijn nog op het atheneum. Voor de leeftijd daarna kan het wel belangrijk zijn, want uit die vriendschappen kunnen blijvende contacten voor de toekomst ontstaan. Als Wieneke na het atheneum naar de universiteit gaat kan het nuttig zijn dat ze vrienden en vriendinnen heeft waarvan de ouders invloedrijke mensen zijn. Ik noem maar wat op: een vriendin met als vader bankdirecteur. Hij kan haar helpen aan een goede baan op die bank om in de richting van de handel door te gaan, tenminste als ze voor de studie economie kiest. En als haar vader chirurg is in het ziekenhuis, kan die haar op weg helpen als ze geneeskunde doet. Vrienden helpen elkaar later als in hun studietijd een fijne band is gelegd en gegroeid. Het is logisch dat ze dat doen, het ene vloeit uit het andere voort.' Maaike lachte. 'Stel dat er bij Witteveen een schildersmaatje nodig is en jij kent een jongen die zo'n baan zoekt, dan praat je over die knul met papa...'

'O mam,' lachte Marianne opeens luid, 'misschien doelt mevrouw Van Rittervoorden helemaal niet op Wieneke, maar op Emiel! Emiel vindt mij aardig. Dat weet ik zeker. Hij studeert volgend jaar af als bedrijfseconoom aan de universiteit van Amsterdam. De keuze voor die studie is hem vast en zeker aangepraat door zijn vader, want het staat vast dat Emiel in de toekomst het bedrijf van opa en pa zal overnemen. Hij is tenslotte de enige kandidaat. Emiel heeft een appartementje in Amsterdam. Zijn vader heeft het gekocht, de jongen moet toch rust en ruimte hebben om te studeren.' De stem klonk gemaakt hoog. 'Als hij op "De Ritter" is – zo zeggen ze dat, je bent niet in "De Ritter", maar op "De Ritter" – blijft hij genoeglijk bij ons zitten. Gezellig babbelen, wat drinken... Het is een aardige jongen. Ook leuk om te zien. Groot en breed, zoals papa, echt een kerel, zal ik maar zeggen. Hij heeft geen poespas zoals mama Van Rittervoorden.'

'Is er iets tussen Emiel en jou?' vroeg Maaike en meteen schoot het door haar heen dat ze die vraag niet had moeten stellen. Marianne was pas zeventien en in haar ogen nog een kind, maar een meisje van zeventien kon over jongens dromen, fantasieën hebben, denken verliefd te zijn...

'Ik vind het een aardige jongen, maar meer is het niet. Hij is de broer van Wieneke. Omgaan met Wieneke als vriendin is iets heel anders dan het vriendinnetje zijn van Emiel!'

Het antwoord bevredigde Maaike niet. Er was iets in de toon waarop het kind dit antwoord gaf. Alsof ze het onmogelijke van een vriendschap met Emiel inzag, maar er stilletjes toch over dacht...

Maaike besloot er verder niet op in te gaan.

Kees had 's avonds na het eten zijn stoel een beetje schuin voor het raam geschoven zodat hij het weinige verkeer over de dorpsweg kon gadeslaan. Maaike grijnsde even; Kees had óók zijn eigen stoel, het was een eenvoudige stoel met twee armleuningen. Hij had zijn voeten, in door haar gebreide sokken, op een voetenbankje gelegd. Na een hele dag staan, dikwijls op een ladder, zat hij graag zo. Maaike keek naar hem. Kees was een grote, stevige man met stug, blond haar, een smal gezicht en blauwe ogen; Maaike kreeg een warm gevoel als ze hem zo zag. Hij had een geblokt overhemd aangetrokken en een manchester broek. Hij zag eruit als een arbeider na een lange werkdag, heel anders dan Lodewijk van Rittervoorden, de directeur van het grote bedrijf in bouwbenodigdheden: de firma Van Rittervoorden, iedere dag gekleed in een keurig en duur kostuum, bijpassend overhemd en dure, zijden stropdas. Waarom trok ze nu een vergelijking tussen deze twee mannen? Als ze een vergelijking trok tussen Caroline van Rittervoorden en zichzelf? Zij in haar rok en jumpertje en Caroline; wat zou ze vanavond dragen? En waar zou ze zijn? Maaike glimlachte om haar gedachten.

Kees was ontspannen en rustig. Hij pakte het koffiekopje van de tafel, dronk een paar slokjes, keek toen over de rand van het kopje naar haar en zei: 'Ik drink bij veel klanten koffie, maar zo lekker en pittig als dit krijg ik het vrijwel nooit. Veel vrouwen kunnen na jaren oefenen nog geen goed bakkie zetten. Het is te slap of te sterk.'

'Ze vinden hun eigen brouwsel waarschijnlijk lekker.'

Kees knikte. Ja, dat zou wel zo zijn.

'Vanmiddag vertelde Marianne me dat mevrouw Van Rittervoorden de laatste tijd niet meer zo blij is met de vriendschap tussen de meisjes.'

Kees knikte bedachtzaam. 'Vroeger kwam het haar heel vaak goed uit dat de kinderen bij kameraadjes speelden. Het jochie was dikwijls bij Maarten en Leida Beemsterboer. Een leuk ventje met een dikke bos krullend haar. Een boerderij biedt veel ruimte en mogelijkheden aan kleine jongens om te spelen. En Leida Beemsterboer stuurde het manneke niet naar huis als ze niet zeker wist dat zijn moeder thuis was. Sterker nog: mevrouw Van Rittervoorden zei dikwijls dat ze geen idee had hoe laat ze terug kon zijn; mocht Emiel misschien... En dan schoof Emiel aan de Beemsterboerse keukentafel en at mee. En hoe vaak was Wieneke niet hier? Mama Van Rittervoorden kon naar de stad rijden om haar muziekleraar op te zoeken of een partijtje tennis te spelen of op haar gemak te winkelen. Heerlijk als je kinderen leuke kornuitjes hebben.' Kees praatte op een rustige toon. 'En als ze nog klein zijn maakt het niet uit of het vriendje het zoontje is van een veehouder en de vader van het vriendinnetje een armzalige huisschilder. Maar als kinderen van rijke mensen groter worden is het goed dat ze met jongelui uit hun eigen kringen omgaan. Voor de ouders telt niet in de eerste plaats de gezelligheid en het plezier dat de kinderen samen beleven. Belangrijk is dat de kinderen, in hun studietijd, omgaan met jonge mensen waarmee ze een vriendschap opbouwen die in de toekomst voor goede zakelijke relaties kan zorgen.

Ik denk over deze dingen wel eens na onder mijn werk, als ik met de verfkwast in de weer ben. Daar heb ik dan alle tijd voor, dat ding zegt niets tegen me. Ik dacht een paar weken geleden nog over het leven van Lodewijk van Rittervoorden. Laat ik voorop stellen,' hij keek Maaike recht aan, 'dat ik het geen onsympathieke vent vind. Hij werd – hoe oud zal Lo nu zijn, een jaar of vijf, zes ouder dan ik, achtenveertig ongeveer – in de wieg gelegd bij een vader die Andreas heet, de naam van de moeder ken ik niet. En die Andreas was weer de zoon van ene Emiel van Rittervoorden. Officieel was het nog mooier, hij heette Emilius Andreas. Dat heeft Wieneke eens verteld toen we over namen spraken en ik haar vroeg waar de naam van haar broer vandaan kwam. We gaan ver terug in de tijd, meer dan honderd jaar geleden, laten we zeggen begin 1900. Toen begon die Emilius van Rittervoorden een klein, eigen handeltje. Zoontje Andreas werd zoon Andreas en hielp hem. Ze werkten heel hard samen – je kunt het gerust ploeteren noemen – maar het bedrijfje groeide en toen Andreas een jonge kerel was, was het een heel aardig bedrijf geworden.

Intussen was de Eerste Wereldoorlog achter de rug en ook de Tweede hadden ze overleefd. De weg lag open voor de Van Rittervoordens, want veel gebouwen hadden onder de oorlog geleden. Er was ook grote behoefte aan nieuwbouw.

In die laatste oorlog werd Lodewijk, de vader van Emiel en Wieneke, geboren. Dat zal rond 1942 zijn geweest, ik ben van 1947.

In de volgende jaren groeide niet alleen het jongetje Lodewijk, maar ook het bedrijf. En vader Van Rittervoorden kweekte behoedzaam en geleidelijk liefde voor het bedrijf bij het kind. Hij nam hem mee naar de opslagterreinen en de loodsen, hij mocht in de cabines zitten van de toestellen – hijskranen – en een stukje meerijden in de cabine van de grote vrachtwagens. Welke kleine jongen vindt dat niet prachtig?! En op die grote vrachtwagens stond met grote letters hun naam: "Van Rittervoorden." Papa en mama leerden hem dat het een mooi en groot bedrijf was en dat er geld werd verdiend waarmee ze een autoped voor hem konden kopen en een speeltent in de tuin. De jongen vond het prachtig. Vader Andreas wist waarvoor hij werkte. Een solide en winstgevend bedrijf opbouwen om het over te kunnen dragen aan zijn zoon. Ik heb wel eens gehoord,' Kees grijnsde, 'maar misschien is het wel een roddel geweest, dat het echtpaar het bij dit ene kind wilde laten om in de toekomst een verdeling van de erfenis te voorkomen. Stel dat er nog een zoon werd geboren die ook in het bedrijf wilde werken; dat bracht mogelijk andere ideeën met zich mee en kon het afbrokkelen betekenen van wat zij hadden opgebouwd. En wat als het tweede kind een dochter was die haar erfdeel terecht opeiste als het zover was, welk bedrag moest er dan uit het bedrijf gelicht worden? Het bleef dus bij Lodewijkje. Het bedrijf groeide en groeide, want Lodewijk heeft een uitstekende opleiding gevolgd om zo'n groot bedrijf te kunnen leiden. Hij verzamelde en verzamelt nog steeds mensen om zich heen die voor hun taak berekend zijn en hij betaalt ze goed. Vader Andreas heeft zich uit de zaak teruggetrokken; hij zal dik in de zeventig zijn. En Lodewijk heeft nu een zoon die begonnen is aan een studie om over enige jaren, met zo'n opleiding gaan toch wel vijf, zes jaren heen, met hem samen te werken. Zo rollen de levens van grote zakenmensen door.' Kees glimlachte even. 'En soms, Maaike, ben ik een beetje jaloers. Mensen als Lodewijk van Rittervoorden hebben een doel voor ogen en vechten ervoor, ze streven het na, ze werken ernaartoe, ze praten erover. Ze zitten de ene tijd in de problemen en de andere tijd kan het allemaal niet op. In mijn verbeelding zie ik de heren aan de vergadertafel schuiven, hoofden vol plannen, hun woorden en argumenten prima op orde, gedachten aan geld verdienen. Het lijkt me spannend als je er ook een spelelement in kunt vinden. Ze leven veel intensiever dan jij en ik. Onze levens glijden stilletjes voorbij. Van de ene dag naar de andere dag, alle dagen zijn bijna hetzelfde. Begrijp me niet verkeerd, ik ben er gelukkig mee. En het ligt nu eenmaal zo. Bij ons thuis – en ook bij jou thuis – was geen geld om de kinderen te laten studeren. Daaraan werd niet eens gedacht! Na de ambachtsschool moest je meteen bij een baas beginnen. Het had voor mij ook een loodgieters-bedrijf kunnen worden of ik was terechtgekomen bij een autospuiter, die op dat moment een knechtje kon gebruiken, maar het werd een schildersbedrijfje.' Hij zweeg even en zei toen: 'Ik ben een gelovig mens en ik weet dat God onze levens bepaalt. Hij heeft mij tot een gelukkig, tevreden man gemaakt. Ik heb jou en we hebben drie prachtige dochters, we zijn alle vijf recht van lijf en leden en gezond. Daarvoor dank ik Hem elke dag in mijn gebeden. Ik heb een goede baan, ik doe het werk met plezier. We wonen hier fijn in een rustige, vertrouwde omgeving.

Het is inderdaad vreemd dat mama Van Rittervoorden de vriendschap van de meiden niet langer goedkeurt. Waarom zou ze? Volgend jaar doen ze eindexamen, dan vertrekt Wieneke naar Utrecht, Groningen of Amsterdam om een universitaire studie te beginnen en Marianne zoekt een baan hier of in Hoorn. Ze zullen elkaar niet veel meer zien.'

Maaike weifelde, zou ze nu vertellen wat Marianne had gezegd over Emiel? Maar waarom niet?

'Ik opperde dat vanmiddag ook tegen Marianne en die barstte opeens in lachen uit. Mam, zei ze, misschien is ze niet bang voor de vriendschap tussen Wieneke en mij, maar voor een vriendschap tussen Emiel en mij! Hij vindt me aardig!'

Kees lachte. 'Dat zou een mop zijn! Maar daar zie ik voor maatje Van Rittervoorden geen gevaar in. Heb jij al iets gemerkt van aandacht van die knaap voor onze dochter?'

'Nee. Ze zei vroeger wel eens dat Emiel haar aardig vond, maar het waren alle drie nog kinderen. Dus het is eigenlijk alleen de opmerking van vanmiddag. Ze lachte er schaterend om. En ik heb ook bij Marianne nooit iets in die richting gemerkt.'

Vijf mei, de dag van de bevrijding, werd in Wennebroek uitbundig gevierd. Kort na de bevrijding was een oranjevereniging opgericht en vrijwel alle dorpsbewoners waren lid. Het enthousiaste bestuur zorgde elk jaar voor een gezellig en feestelijk programma. De mensen versierden hun huizen met rood, wit, blauw en oranje vlaggetjes en vaantjes, de schoolkinderen zongen 's morgens voor het kleine gemeentehuis vaderlandse liedjes, waarnaar het bestuur van de oranjevereniging, staande boven op de stoep, luisterde. Dan hield de voorzitter een kort woordje om vooral de kinderen op het grote goed van de vrijheid te wijzen. Vervolgens kregen ze ieder een sinaasappel en wat snoepgoed en werden er spelletjes gedaan op het land van Joost van Diepen.

In het dorpshuis 'De Zwarte Roos' werd 's avonds een toneelstuk opgevoerd door de leden van de toneelvereniging Het Bosviooltje. Na afloop was er bal met meestal muziek van de band Hocus Pocus uit Schagen.

15

De laatste jaren ging het groepje jongelui, dat iedere dag samen uit Hoorn fietste, samen naar het feest.

Anneke en haar vriend Theo Klaver gingen er ook heen. Esther was nog te jong voor het bal.

Mieke Terpstra, Roos Winter, Ted Blokker en Frans Hofstede, die langs het huis van de Timmers reden op weg naar 'De Zwarte Roos', stopten luid bellend voor de deur. Ja, ja, Marianne was er klaar voor. Ze stapte op haar fiets, Kees riep nog: 'Niet te laat thuis, hoor!' en Maaike zei: 'En kijk uit wat je drinkt', maar toen was ze allang naar buiten gestoven. Lachend en pratend reed het groepje weg.

Tegen half twaalf kwamen Anneke en Theo luidruchtig de huiskamer binnen, Anneke met een vuurrood hoofd. 'Hè, hè, wat een herrie in die tent! Die lui van Hocus Pocus rammelen er maar op los! En vol, niet te geloven! We zijn gevlucht, hè Theo?'

'Jullie zijn die tijd misschien al te boven,' lachte Kees, 'stevige verkering.'

'Ja, dat zal het zijn,' stemde Theo in, 'het dansen stelt ook weinig voor. Dicht tegen elkaar aan schuifelend op een vierkante decimeter. Maar het geeft het voordeel dat je je meisje dicht tegen je aan kunt houden.'

Maaike vroeg: 'Marianne vermaakt zich wel?'

'O ja. Die hele club zat zoals gewoonlijk bij elkaar, druk pratend en vaak gierend van de lach en weet je wie er ook bij zat? Emiel van Rittervoorden! Hij schoof steeds een stoel op in de richting van Marianne!!! Ik lette er niet op, maar Theo wel. Hij zei het tegen me en ja hoor, kwam er naast hem een stoeltje vrij omdat die persoon naar de dansvloer ging, dan schoof die blonde krullenbol een plaatsje dichter naar mijn zus toe.'

Maaike en Kees keken met een blik van verstandhouding naar elkaar en glimlachten.

Theo bleef nog een poosje babbelen, nog een biertje om het af te leren, maar toen stond hij op. 'Het is morgenochtend weer vroeg dag, ik ga naar huis.'

Anneke liep met hem mee de gang in. Ze gaven elkaar een kusje en hielden elkaar even vast, nog één kusje en even later sloeg de voordeur achter hem dicht.

'Ik ga ook naar bed,' zei Anneke, terug in de kamer. 'Toon Bartels verwacht me morgenochtend om acht uur in de winkel.'

Maaike en Kees bleven in de kamer zitten wachten tot Marianne thuiskwam. Om half een fietste er een groep jongelui voorbij. Maaike dacht de stem van Frans Hofstede te herkennen, maar als dit de fietsgroep was was Marianne er niet bij, want de achterdeur ging niet open.

Drie kwartier later stapte hun dochter binnen met een warm, rood snoetje en stralende ogen.

'Laat hè, ik weet het, maar het was zo gezellig en zo leuk! En pap zegt altijd dat je een gezellige avond volledig moet beleven! Er zijn meer saaie avonden dan prettige avonden in je leven, ja toch, pap, dat zeg jij wel eens!'

'Je bent niet met de club naar hier gereden...'

'Nee. Roos had een afspraakje met Mark Overdie, van boer Overdie, u weet wel, ze wonen aan het andere eind van het dorp, aan de andere kant van "De Zwarte Roos" zal ik maar zeggen. Emiel was er ook. Hij kwam naast me zitten. Toen ik weg wilde om met de club mee te gaan vroeg hij of ik nog even wilde blijven, hij zou me wel thuis brengen. Ik ken hem natuurlijk al heel lang, hij is Wienekes broer tenslotte, maar hij was vanavond zo anders. En hij had zulke leuke verhalen! We hebben vreselijk gelachen, de hele tafel kwam niet meer bij. Het was echt feest. Eddy Greveling is trouwens ook een enig joch. Vroeger was hij zo stilletjes, maar nu... Hij moet als cabaretier de planken op!'

Ze babbelde door en noemde de naam van Emiel terloops. Ze dronk nog een glas water en kondigde toen aan dat ze doodmoe was en naar bed ging.

'Wij ook, vrouw, de meiden zijn veilig thuis, de bevrijding van ons land is herdacht.' Hij liep naar de schemerlamp in de hoek van de kamer en knipte hem uit.

In bed lachte Kees zachtjes in zichzelf. 'Toevallig dat we vanavond over Emiel van Rittervoorden hebben gesproken. Hij heeft haar nu wel thuis gebracht, maar ik geloof niet dat we er iets achter moeten zoeken. Het bevrijdingsbal is elk jaar een druk feest, iedereen is er, iedereen lacht en praat met elkaar. En de jongens laten de meisjes niet alleen over de dorpsweg naar huis fietsen. Dat was vroeger ook al zo. Er gebeurde nooit iets, maar je liet een meisje nu eenmaal niet alleen gaan.'

Maaike knikte, maar had stilletjes toch allerlei vragen.

De volgende dagen regen zich kalm aaneen. Anneke werkte in de winkel van Bartels, Marianne was naar Hoorn vertrokken, Esther zat bij meester Overduin in de bank en maakte sommen. Kees schilderde het pand van de familie Riemersma en Maaike zorgde voor de was en de warme maaltijd voor die avond.

Zaterdagmiddag rinkelde de telefoon. Maaike nam op. Een heldere, jonge stem zei: 'Mevrouw Timmer, u spreekt met Emiel van Rittervoorden, is Marianne thuis? Ja? Fijn. Mag ik haar even aan de lijn?'

'Natuurlijk, ik roep haar. Een ogenblikje.'

Die avond wandelden Marianne en Emiel langs de dorpsweg en zo begon de vriendschap tussen hen.

Die eerste avond zou Marianne haar leven lang niet vergeten. Ze was zenuwachtig, maar ook blij en stilletjes vrolijk: hier liep ze nu met Emiel... Ze kon met de jongens van het dorp en met de jongens van school uitstekend opschieten, maar wat men met 'een vriendje' bedoelde, dat was een jongen hebben die zei dat hij je aardig vond, aardiger dan de andere meisjes om hem heen, zo'n jongen was er tot nu toe nog niet geweest. Ze had wel eens over Jeroen gedacht en gefantaseerd. Ze vond hem leuk om te zien en hij was aardig, maar verliefd op hem was ze niet. Ook naar Joost Venema waren haar gedachten wel eens uitgegaan, maar het stelde niet veel voor. Die jongens waren ook niet extra attent voor haar en voelden dus ook niet meer dan de vriendschap die er allang was.

Nu liep ze naast Emiel over de dorpsweg. Naast elkaar, maar niet zo dicht naast elkaar dat hun handen elkaar konden raken. Gisteravond in 'De Zwarte Roos' keek hij steeds naar haar en hij lachte naar haar. Ze was er nerveus van geworden, ze wist dat ze daardoor soms overdreven lachte en te luid praatte. Emiel schoof steeds een stoel op in haar richting en eindelijk zat hij naast haar. Maar hij zei niets speciaals, pas toen het al laat was en de jongelui waarmee ze was gekomen besloten op te stappen, had hij gezegd: 'Blijf nog even, Marianne, het is zo gezellig. Ik breng je straks naar huis.' En dat was ook gebeurd. Voor hun huis, zij naast haar fiets en hij naast zijn fiets, had hij gezegd dat hij zaterdagmiddag naar huis kwam en dat hij haar die avond graag weer wilde zien. Wilde zij hem ook zien? Ze had een beetje verlegen geknikt, want ze wilde het wel en toen zei hij: 'Ik bel je. Welterusten.' Daarna was hij zonder haar te zoenen, wat volgens Roos het eerste was wat jongens van een meisje wilden, op zijn fiets gestapt. Zij liep met een te snel kloppend hart met het karretje aan de hand om het huis heen en reed hem het schuurtje in. Voor de achterdeur bleef ze nog even staan om op adem te komen en de rode kleur op haar wangen iets te laten wegzakken, want anders zagen pa en ma direct dat er iets met haar aan de hand was. Maar ze zouden het toch wel goedvinden dat ze door een jongen werd thuisgebracht? Natuurlijk, ze was zeventien, dan was het niet abnormaal. Anneke was vijftien toen ze haar eerste vriendje had, Tom de Ridder. Die verliefdheid duurde maar heel kort, en daarna kwam Joop en daarna Klaas en daarna Theo en met hem was ze nog steeds. Ze durfde de naam van Emiel niet goed te noemen omdat ze kort geleden met mama had gesproken over de gedachten die mevrouw Van Rittervoorden had over standsverschil. Achteraf had ze er helemaal niets over moeten zeggen, ook niet over de vriendschap tussen Wieneke en haar, want nu ging moeder erover nadenken, maar ze kon het nu eenmaal niet meer terugdraaien.

Eenmaal in bed voelde ze hoe moe ze was na de drukte en warmte van de avond. Toch kon ze de slaap niet vatten, omdat ze aan Emiel wilde denken. Zou hij zaterdag écht bellen? Het was een knappe jongen, hij had mooie ogen en hij lachte zo lief... Hij was groot, meer dan een kop groter dan zij en dat vond ze prettig.

Nu liep ze dan naast hem. 'We kuieren, zoals ze dat in Westfriesland noemen, de dorpsstraat af. Bij het bosje aan het Westereind staat een bank en als die vrij is,' hij lachte, 'gaan wij er zitten. Gelukkig is het niet koud, jij hebt het toch niet koud?'

'Nee. Dit is een lekker warm jack.'

'We kunnen in ons dorp geen knus tentje binnen stappen, aan een tafeltje schuiven, wat drinken bestellen en lekker samen babbelen, want dergelijke tentjes zijn hier niet. Als we nu naar "De Zwarte Roos" gaan is er altijd wel iemand die ons ziet en dan weet morgen het hele dorp dat jij en ik samen aan de wandel zijn geweest. Niet dat ik dat erg vind, maar ik heb het gevoel dat jij het nog niet nodig vindt dat iemand ons ziet. In Amsterdam is dat heerlijk. Er zijn zoveel kleine cafeetjes en restaurantjes waar je zonder dat iemand je herkent naar binnen kunt gaan.'

Ze knikte.

'Ik vind je al heel lang aardig, Marianne. Je kwam vaak met Wieneke mee. Ik was voor jou alleen Wienekes broer, je zag me eigenlijk niet eens, maar ik zag jou wel. En gisteravond dacht ik: nu wil ik met haar praten...'

'Weet je wel, Emiel, dat je ouders, in elk geval je moeder, hier niet blij mee zullen zijn?'

Emiel stond stil om haar recht in de ogen te kunnen kijken.

'Wat zeg je nou?'

'Ja.' Langzaam zetten ze er de pas weer in en Marianne begon te vertellen. 'Wieneke heeft me al een paar keer gezegd dat je moeder het niet goed vindt dat wij nog vriendinnen zijn, maar we zijn al vanaf de klas van juffrouw Smidt vriendinnen! Het is omdat Wieneke een dochter is van rijke ouders en mijn ouders zijn maar eenvoudige mensen. Waarom ze dat voor Wieneke een bezwaar vindt is ons allebei niet duidelijk, ja, we snappen het wel, zo dom zijn we niet, maar we zien het zelf niet als een bezwaar. Wieneke maakt zich er ook niet druk over. Misschien vindt je moeder het niet goed dat jij mij aardig vindt.'

Emiel haalde al wandelend zijn schouders op. 'Het kan me niet schelen wat mijn moeder ervan vindt. Ik ken haar ideeën natuurlijk wel, zoals haar opvatting over standsverschillen en culturele verschillen, ook zo belachelijk. Kort geleden nog, voor Pasen, wilde mama met mijn vader naar de uitvoering van de Mattheüs Passion in de Westerkerk in Amsterdam. Een geweldig orkest, een prachtig koor en goede solisten.

Als je daar heen gaat heb je gevoel voor prachtige muziek, hoe zal ik het noemen, dan tel je mee bij de groep uitverkorenen die van zoiets kunnen genieten. Het grote volk doet dat niet, denkt mijn moeder. Maar als jouw ouders op de televisie een uitvoering van de Mattheüs horen en ervan genieten horen ze dezelfde kwaliteit als in de Westerkerk. Ik vind het dom gezwam, maar mijn moeder is daar nu eenmaal erg op gesteld. Ze wordt er thuis soms ook mee geplaagd hoor!'

'Heb je gezegd dat je met mij wilde wandelen?'

'Nee, dat niet. Dat hoeft ze toch niet te weten? Ik ben gewoon de deur uit gegaan. Ik kan naar Otto zijn of naar Lukas. Ik denk niet dat ze daarover nadenkt en het kan me ook niet schelen. Het is toch onzin? Ik vind jou aardig, ik wil met je praten, wat is daarop tegen?'

'Nee, dat zie ik ook niet, maar je ouders kunnen er anders over denken.'

Ze waren aan het einde van de dorpsweg gekomen, bij het bosje dat Emiel bedoelde. Er zat niemand op de bank en ze maakten het zich gemakkelijk.

'Ik wil daar nu liever niet meer over praten,' zei Emiel, 'het maakt me een beetje nijdig dat mama dat tegen Wieneke heeft gezegd. En dat zal ze wel gezegd hebben, want daarover liegt Wiene niet. Dat verzint ze niet en waarom zou ze ook! Het zal mij verder een zorg zijn. Ik wil weten hoe het met jou op het atheneum gaat. Volgens Wieneke sta je er goed voor. Weet je al wat je na het examen gaat doen?'

'Ik zoek een leuke baan, het liefst op een kantoor. Ik weet wel dat de atheneumopleiding daarvoor niet echt een geschikte opleiding is met te veel vakken die ik op een kantoor niet nodig zal hebben, maar ik kan avondcursussen volgen of een schriftelijke cursus. Handelskennis, bedrijfsadministratie en noem maar op. Als ik eenmaal op een kantoor zit weet ik wat ik nodig heb aan extra vaardigheden.'

'Dat is beslist zo,' knikte Emiel.

Het gesprek verliep niet echt vlot. Over het algemeen wisten ze allebei hun mondje wel te roeren, maar nu was er een nieuw gevoel tussen hen dat hen een beetje bedeesd maakte. Twee toch nog jonge mensen en hier was een nieuw gevoel. Liefde konden ze het niet noemen, maar er was een trilling in hen, een zich tot elkaar aangetrokken voelen, waar ze voorzichtig mee wilden omgaan, vooral Marianne. De woorden van Wieneke klonken steeds in haar na en haar lach, bij moeder aan tafel, de naaidoos en de naaiwerkjes tussen hen in, 'Mam, mevrouw Van Rittervoorden zal toch niet bang zijn dat Emiel een oogje op mij heeft? Ik weet dat hij me aardig vindt...'

Emiel voelde ook spanning. En lichte boosheid tegenover zijn moeder zat hem dwars. Hij begon te vertellen over het leven in Amsterdam aan de universiteit en de studiegenoten waarbij een paar toffe jongens waren. Zijn appartement was niet groot, maar groot genoeg voor hem alleen. Hij kon er rustig studeren, want hij hield wel van feestjes, maar hij besefte waarvoor hij deze studie wilde volgen. Het studiemateriaal interesseerde hem ook, hij wilde er meer van weten.

Marianne luisterde aandachtig. Ze knikte af en toe. Met een omweg kwamen toch de ouders weer terug in het verhaal van Emiel. 'Je kent mijn vader wel van gezicht na al die jaren, maar verder ken je hem wellicht niet zo goed. Het is een hele fijne vent. Hij heeft het vreselijk druk, want ons bedrijf is een groot bedrijf en nu grootpa eruit is gestapt draagt hij de volledige verantwoordelijkheid op zijn schouders en dat valt soms niet mee, maar mijn vader is een goed zakenman. Daarvoor heeft hij geleerd. Daarnaast is het een kwestie van geaardheid, een kwestie van inzicht hebben. Vader heeft een uitstekende en betrouwbare boekhouder aangesteld. Die man heeft weer hulp van een jongeman en twee of drie meisjes, dat weet ik niet precies. De hele administratie loopt op rolletjes. Rekeningen gaan snel de deur uit, het geld komt op tijd binnen. Geen achterstallige akkefietjes, nee, het is een goed geoliede machine op het kantoor. Ook in de rest van het bedrijf werken goede en bekwame mensen, want daar moet het echt gebeuren: in de loodsen en op het opslagterrein en in het vervoer en noem maar op. Het trekt me enorm aan daar over een paar jaar ook mee bezig te zijn. Het is wat men noemt "een dynamisch bedrijf", maar het geeft mijn vader veel kopzorg, daarvan ben ik overtuigd.'

Marianne knikte begrijpend. Een dynamisch, groot bedrijf, dat, zoals moeder zei, veel geld in het laatje bracht.

Daarna vertelde zij over hun gezin. Over Anneke, die verkering had met Theo Klaver – kende hij Theo wel – ja, een broer van Piet Klaver, die in 'de buurt' woonde. En over Esther, haar kleine zusje, zo noemde ze haar soms, maar daarvan was Esther de laatste tijd niet meer gediend.

Het praten ging vlotter, er groeide vertrouwelijkheid tussen hen.

'We moeten teruggaan, Emiel. Ik wordt een beetje koud van het zitten. En ik wil niet te laat thuiskomen. Niet dat mijn ouders daarvan iets zouden zeggen, maar toch...'

Ze wandelden terug. Emiel kwam dichter naast haar lopen, pakte haar hand en legde zijn hand er omheen. Een grote, warme hand.

Voor het huis legde hij zijn handen op haar armen. Ze voelde hun kracht door de dikke mouwen van haar jack heen. Toen boog hij zich naar haar toe en kuste haar op de mond. 'Onze eerste kus, Marianne... Ik heb het gevoel dat er nog velen zullen volgen. Niet dat ik wil zeggen dat ik heel veel van je houd,' even brak er een glimlach door, 'daarvoor kennen we elkaar nog niet goed genoeg, maar van mijn kant is er een gevoel dat jij veel voor mij gaat betekenen. Ik vraag je niet hoe jij daarover denkt.' Weer lachte Emiel en hij liet haar voorzichtig los. 'Wanneer zie ik je weer? Volgende week? Ik heb veertien dagen geleden mijn rijbewijs gehaald en vader en ik hebben in een garage een geschikt karretje uitgezocht. Dan hoef ik niet meer met de trein naar Amsterdam op en neer. Dichtbij mijn flatje is een parkeergarage. Daar kan het wagentje slapen en dan kunnen wij samen ergens heen gaan, jij en ik.'

Ze kusten elkaar nog eens en toen zei Marianne: 'Welterusten, Emiel. Het was een fijne avond. Een beetje vreemd, dat zal jij ook gevoeld hebben, maar erg prettig. Tot volgende week...'

'Denk af en toe aan me. Ik weet zeker dat ik dat zal voelen: nu denkt Marianne aan me... Het maakt me beslist blij...'

In de huiskamer keek moeder haar met een lachje aan, vader liet de krant even zakken. 'Hoe was het, meiske, de eerste avond in je leven op stap met een vrijertje... Nee, zoet maar, ik plaag je alleen, maar het is toch zo?'

'Ja, het is zo.' Ze trok haar jack uit en bleef ermee in haar handen staan.

'Emiel is een aardige jongen. We hebben gezellig gepraat. Ik mag hem graag, maar er is iets wat me tegenhoudt, waar ik steeds aan moest denken. Het is het verschil tussen zijn leven en mijn leven. Nu valt het nog wel mee, nu we allebei leren, maar de toekomst ziet er voor hem en mij toch heel verschillend uit. Als ik slaag – dat zal wel lukken want ik sta er goed voor – zoek ik een baan. Ik wil een leuke kantoorbaan. Emiel wordt in de toekomst eerst mededirecteur van hun bedrijf en later, als pa Lodewijk uit de zaak stapt, is hij de directeur. Een groot, duur huis, een druk leven, deftige kennissen, geld genoeg...'

'Dat maakt toch niet uit, meisje, het gaat erom wat je voor elkaar voelt. Er worden veel grappen gemaakt en er wordt mee gespot, maar het enige wat tussen een man en een vrouw telt is de liefde, die je voor elkaar voelt. Neem dat van mij aan, want het is de waarheid. Jullie weten nog niet wat je voor elkaar voelt. Jij vindt Emiel een aardige jongen, maar misschien ontpopt hij zich als je hem beter leert kennen wel als een mopperpot, of hij is vreselijk eigenwijs en daar houd jij niet van. Of hij vindt dat jij te veel kleine, rare plannetjes hebt of bedenk zelf maar wat.' Vader lachte, 'ik kan geen nadelen van mijn dochter opnoemen, maar je begrijpt wel wat ik bedoel. Dan is het voorbij tussen jullie en je bent een ervaring rijker. Je kunt er niets aan verliezen. Als je na Emiel nog drie of vier keer met een vriendje langs de dorpsweg wandelt weet je wat jou het meeste in een jongen aantrekt!'

Marianne lachte. 'Dat is zo, wijze vader. Ik breng eerst mijn jack weg. Ik sta hier maar met dat ding in mijn armen.'

Toen ze weer in de kamer was schoof ze een stoel bij aan tafel. 'Het komt door wat Wieneke vertelde over haar moeder. Mama Van Rittervoorden is de laatste tijd niet blij met onze vriendschap, maar met een nieuwe liefde tussen Emiel en mij zal ze zeker niet blij zijn! Een burgermeisje, dat moet sparen om een nieuwe fiets te kunnen kopen! Niets nieuw; een knappe tweedehands kan ook wel toe! Vader en zoon Van Rittervoorden hebben tussen de bedrijven door zomaar een auto uitgezocht voor de jongen. Hij heeft een wagen nodig om naar Amsterdam te rijden. Met de bus naar Hoorn en dan een uur in de trein rammelen, dat hoeft Emiel niet. Wieneke lacht om de uitspraken van haar moeder en zegt dat ze zich er ook niets van aantrekt, maar het gevolg is toch merkbaar, want nu ik het weet stap ik minder vrij "De Ritter" binnen. Wieneke dringt er niet op aan dat ik kom om geharrewar te voorkomen. Misschien trekt Emiel zich er ook niets van aan, maar ik wil geen gezanik met zijn familie. Ook al is Emiel nog zo aardig en lief, ik wil onze vriendschap niet voortzetten.

Ik denk opeens aan wat oma Botman een poosje geleden tegen me zei: "Je ontmoet een jongen, je vindt hem aardig, maar als je na een paar zoentjes, om welke redenen dan ook denkt dat het beter is het niet verder te laten komen, groeit de liefde niet. Je kunt tot dat besluit komen omdat hij te veel bier drinkt, of je vindt hem te grof in de mond of wat dan ook." Ik vond het een vreemde uitspraak van oma en ik lachte erom. Ze voegde er toen een beetje snibbig aan toe dat liefde niet groeit als je de kans ertoe niet geeft. Zo zal het tussen Emiel en mij gaan als ik voel dat zijn ouders bezwaren tegen me hebben. Dan kap ik ermee. Ik vind hem aardig, maar ik ben nog niet dolverliefd.'

'En als je hartje een liedje van verlangen blijft zingen?' vroeg vader.

'Nee. Oma zegt dat dat liedje niet verder zingt als ik dat niet wil.'

Zaterdagavond belde Emiel aan de voordeur. Marianne was boven, Maaike slofte op haar pantoffels naar de voordeur.

'Dag mevrouw Timmer, ik ben Emiel van Rittervoorden. Ik heb een afspraakje met Marianne.'

Maaike zag een grote, stoere jongen met een dikke bos blond, krullend haar, een open, vriendelijk gezicht en naar haar lachende blauwe ogen. Het was niet echt een knappe jongen, maar heel aantrekkelijk. Marianne had al tegen haar gezegd, dat hij wel iets van papa heeft en dat was ook zo.

'Kom binnen,' nodigde ze vriendelijk, 'Marianne is nog even in haar kamer.'

Marianne had zijn stem gehoord. Ze luisterde bij de kamerdeur die op een kier stond; moeder liet hem binnen. Ja, wat moest ze anders, ze kon hem niet op de stoep laten staan, maar waarom wachtte hij niet bij het bruggetje van Homan op haar? Het was pas de tweede avond dat ze een afspraakje hadden. Nu al bij haar thuiskomen, dat deden de jongens van het dorp niet. De vriendjes van Anneke wachtten ook altijd bij het bruggetje; pas als je allebei vond dat het goed ging kwam je bij elkaar over de vloer.

Ze aarzelde nog even voordat ze de trap afliep. In de kamer zat Emiel op zijn gemak op een stoel aan tafel en praatte met haar ouders over het weer. Hij stond op toen ze binnenkwam, zag haar verwarring en lachte daarom. 'Ik heb me aan je ouders voorgesteld. Ze moeten toch weten met wie hun dochter aan de wandel is.'

Toen ze buiten stonden vroeg Emiel: 'Vond je het niet goed dat ik aanbelde? Ik wilde me aan je ouders voorstellen.'

'Dat was toch nog niet nodig? We lopen voor de tweede keer met elkaar, het stelt nog niets voor.' Ze hoorde dat het bits klonk en ook 'lopen met elkaar' was een uitdrukking van het dorp, maar Emiel reageerde er niet op.

'Voor mij stelt het wel iets voor, want ik ken je beter dan jij denkt. Als je met Wieneke bij ons was vond ik je mooi en aardig. Mijn zusje had mijn belangstelling op een gegeven moment door en toen ze me vroeg of ik verliefd op je was gaf ik dat meteen toe. Ze heeft daverend de loftrompet over je uitgestoken!' Op een andere, zachtere toon ging hij verder: 'Wieneke vertelde je dat mijn moeder niet echt blij is met jullie vriendschap, maar ik wil je uitleggen hoe Wieneke daar zelf over denkt. Jullie zijn vanaf de dorpsschool vriendinnen, die elkaar door en door kennen. Veel geheimpjes zijn samen gedeeld, ook hebben jullie samen gehuild over verdrietige dingen. Wieneke is erg op je gesteld en ik weet zeker dat ze ervoor zorgt dat jullie elkaar niet uit het oog verliezen. Maar als het enigszins kan wil ze daarover geen onenigheid. Als ze straks in Amsterdam studeert zijn er mogelijkheden genoeg om het contact met jou te onderhouden zonder dat onze ouders daarvan weten. Ze zoekt een leuke kamer en jij kunt daar zo vaak komen als jullie allebei willen en ze kan ook naar jouw huis komen zonder dat dat bij ons thuis bekend hoeft te zijn. Zo ziet Wieneke het. Moeders verlangen dat mijn zusje met jou breekt zou een fijne en hechte

26

vriendschap verbreken; dat is toch verschrikkelijk en daarom wil Wieneke er geen aandacht aan schenken. Als het zonder veel herrie thuis gaat is dat de beste weg, ja toch? Wieneke en ik hebben er vorige week over gepraat en hierover zijn we het roerend met elkaar eens.' Marianne knikte alleen, ze zei er niets op. Maar er was een blij gevoel vanbinnen om de woorden over de vriendschap tussen Wieneke en haar; zo dacht Wieneke er dus over, het maakte haar gelukkig.

'En wat mijn moeder betreft...' Emiel ging langzamer lopen en Marianne paste haar stappen daarbij aan. Hij hield nu haar hand vast.

'Mijn moeder is een lieve en een aardige vrouw, Marianne, dat moet je van me aannemen. Ze is een fijne moeder, ze houdt van ons en wij houden van haar. Ze houdt van mijn vader en die twee hebben een goed huwelijk. Ze geeft aandacht aan hun vrienden en kennissen en ze wil het beste voor ons, maar,' hij keek haar even van opzij aan, 'dat willen alle goede ouders voor hun kinderen. Ze heeft echter over bepaalde dingen een denkwijze waarmee Wieneke en ik niet blij zijn, omdat die denkwijze in onze ogen overdreven is. Voor moeder is het belangrijk dat een mens mensen van hetzelfde niveau om zich heen heeft, ik zou bijna zeggen "verzamelt". Het gaat haar niet in de eerste plaats om materiële rijkdom, dat speelt niet echt mee, hoewel het je plaats in het leven mede bepaalt, maar het gaat voor moeder om kennis van en gevoel voor de dingen die het leven rijker en gelukkiger maken die je boven de kleine zorgen van alledag uittillen. Kunst, schoonheid, muziek, de natuur...

Ik zal je vertellen hoe dat denken in mijn moeder is gegroeid. Ze is de dochter van bijzondere ouders. Haar moeder, mijn oma Adriënne, was schilderes van prachtige miniatuurtjes. Je hebt ze waarschijnlijk in onze woonkamer in de vitrinekast zien staan: kleine kunstwerkjes, die ze met heel dunne penseeltjes tot stand bracht in tere, zachte kleuren. Ze maakte portretjes van bloemen en vlinders en kindergezichtjes. Ieder lijntje maakte er deel van uit en was belangrijk in het schilderijtje. Onze oma was een bijzondere vrouw en niet alleen om haar werk. Het bezig zijn met dat kleine, scheppende werk, vormde haar. Ze was dromerig en stil, sloot zich vaak op in haar atelier, boven in het grote huis temidden van de bossen van de Veluwe, even buiten Ermelo. Voor haar kinderen – mijn moeder heeft één broer, je hebt hem wel eens ontmoet, oom Boudewijn – was oma een lieve en een goede moeder. Voor de dagelijkse werkzaamheden in het huis was er een huishoudster en een, hoe noem je dat, dienstmeisje. Die werkzaamheden vond grootma wel belangrijk, want het huis moest schoon zijn, de kleren en alle andere dingen helder in de kasten, de maaltijden op tijd op tafel, maar zij hoefde die bezigheden niet uit te voeren. Dat konden anderen beter dan zij, omdat haar handen er te klein voor waren. Die handen konden beter de dunne penseeltjes vasthouden. Mijn moeder had een grote verering voor haar moeder en ik begrijp dat, want grootmoe straalde een bijzondere warmte uit, heel veel rust, ook vrede. "Ze heeft de goede stilte om zich heen," zoals Wieneke het eens noemde.

Oma bracht haar gevoelens voor mooie dingen op haar kinderen over. Jij hebt oma nooit ontmoet,' hij keek naar Marianne, die haar hoofd schudde, 'Oma hield niet van reizen. Ze vond de rit van Ermelo naar Wennebroek al erg lang. Voor mijn ouders was het geen probleem naar hen toe te rijden en Wieneke en ik waren graag in het bos, maar je hebt beslist over oma Adriënne gehoord.'

'O ja, Wieneke vertelde dikwijls over haar. En ik herinner me de dag waarop het bericht kwam dat ze plotseling was overleden. Wieneke huilde en ik huilde, om haar verdriet, met haar mee. We waren toen tien jaar.'

Emiel knikte instemmend. 'Het was een moeilijke tijd. Opa Nicolaas was leraar Nederlandse taal en letterkunde aan een hogere school in Amersfoort. Daarnaast was hij geïnteresseerd in de wereldgeschiedenis en wat hem ook bijzonder bezighield was de Griekse mythologie. Daarover vertelde hij ons prachtige verhalen. Deze twee mensen leerden hun dochter Caroline Constance, zoals mijn moeder officieel heet en hun zoon, Boudewijn Christiaan, dat het belangrijk is mensen om je heen te hebben waarmee je kunt praten over alles wat je bezighoudt. Over datgene wat gelukkig maakt en je geestelijk laat groeien en je verrijkt. Daarmee begonnen ze toen de kinderen nog jong waren. Ze bezochten musea en tentoonstellingen, vertelden over de levens van schilders, leerden hun kinderen luisteren naar mooie muziek, om te dwalen door bos en heide, de geluiden van de zingende vogels te herkennen en hoe de wilde bloemen heten. Het heeft zich, om het overdreven te zeggen, maar dan begrijp je hoe ik het bedoel, het heeft zich in het brein van mijn moeder vastgezet en ze is er altijd van overtuigd gebleven dat het belangrijk is. Oom Boudewijn verdiept zich in literatuur en schilderkunst, maar hij ziet de druk daartoe niet als een erfenis van zijn ouders, zoals het, zo voel ik het, voor mijn moeder is geworden, een erfenis die ze wil doorgeven aan haar kinderen.'

Ze waren aan het einde van de dorpsstraat, bij het bosje en de bank.

'Het is een ernstig gesprek geworden,' lachte Émiel, 'kom dicht naast me zitten. Heb je het koud? We blijven niet lang hier, maar ik moet hierover praten, Marianne, je moet het begrijpen.'

'Ik begrijp je verhaal wel. Dergelijke dingen komen in onze familie niet voor. Mijn grootouders, van beide kanten, ploeterden elke dag om hun kinderen te eten te geven, het huis schoon te houden, rond te komen met het weinige geld dat ze in handen kregen. Aan zich verdiepen in kunst kwamen ze niet toe. Mijn grootmoeder had geen tijd om een boek te lezen. Ze moest 's avonds sokken stoppen en kleren naaien. En de grootvaders kwamen pas van het land als het donker was geworden. Moe in een stoel hangen en dan naar bed, veel meer was er niet bij. De volgende morgen liep de wekker weer vroeg af. Ze wisten amper wat kunst was. Het was een andere groep mensen die daarmee leefde, zoals jouw grootouders. Maar mijn moeder, die het financieel weer veel beter heeft dan haar ouders, houdt van muziek en ze leest veel. Je moet haar, en ook mijn vader, niet als domme, achterlijke mensen beschouwen.'

'Dat doe ik ook niet, Marianne! Ik praat ook niet over hen, maar over mijn moeder. Ik wil dat jij een idee hebt hoe het in mijn moeder is geschonken, om een variatie op de uitdrukking "met de paplepel ingegeven" te gebruiken. Het groeide in haar, ze nam het door de jaren heen met zich mee en ze voelt het nog steeds zo. Het heeft een plaats in haar denken, ze vindt het belangrijk.'

Kees en Maaike zaten in de kamer. Anneke was naar het verjaardagsfeestje van een broer van Theo en Esther ging naar een buurmeisje.

'De uitspraak van Emiels moeder zit Marianne dwars,' zei Maaike. 'Ze heeft er wel vrede mee dat het contact met Wieneke in de toekomst minder zal worden, maar ze zal het moeilijk kunnen verwerken als Wieneke naar de woorden van haar moeder luistert.'

'Dat doet Wieneke niet. Ze geeft de vriendschap met ons meisje daarvoor niet op. Ik geloof ook niet dat dat het is wat Marianne dwars zit, het is wat ze voelt voor Emiel. Trouwens,' hij lachte, 'het is een innemende jongeman! Ik begrijp dat ze hem leuk vindt en hij onze Marianne natuurlijk! Maar, zonder dollen, ik heb het gevoel dat er echt iets groeit tussen die twee. Het is een goed contact, zo voel ik het. Er branden kleine vlammetjes in hun harten. Het is geen liefde op het eerste gezicht, want ze kennen elkaar al meerdere jaren. Emiel is haar in de voorbije maanden anders gaan zien dan het vriendinnetje van zijn zus. Marianne ziet hem nu niet meer als de broer van Wieneke. Na wat Wieneke heeft verteld is ze bang, dat mama Van Rittervoorden ontdekt dat Emiel iets in haar ziet. Dat zal mama niet zinnen, want als er wél iets groeit tussen die twee gaat het veel verder dan alleen een vriendin van hun dochter, want dan kan ze in de familie komen, een schoondochter worden, de dochter van een schildersknecht, een kantoorjuffie en dat zal mevrouw Van Rittervoorden niet zinnen! Ik begrijp heel goed dat Marianne daar bang voor is.'

'Het is sneu voor allebei de jonge mensen, maar ik denk toch dat het beter is, Kees, dat het voorbij gaat tussen hen. De verschillen zijn te groot. Marianne zal zich nooit in die kringen thuis voelen, er écht op haar gemak zijn, ook al zou ze na veel praten en ruzies tussen Emiel en zijn ouders tenslotte geduld worden.'

Kees Timmer knikte. 'Ik ken de natuur van Emiel niet. Als hij iets van de aard van zijn vader en zijn grootvader heeft is het een vasthouder, een doorbijter en als de liefde voor Marianne voor hem belangrijk is, – en dat is het als het echte liefde is –, zal hij niet buigen, maar als hij op zijn moeder lijkt ligt het mogelijk anders. Leida Beemsterboer heeft wel eens iets over haar verteld en na die verhalen kreeg ik de indruk dat ze een ietwat zweverig persoontje is. Praten over muziek en mooie kleren en vakanties in Spanje. Leida glimlachte daarom, maar ik vond het een beetje dom geklets van zo'n madame tegen een eenvoudige boerin, die via de radio luistert naar "muziek terwijl u werkt", blij is met haar kleurige mantelpakje in de kast, maar vrijwel elke dag een rok en een truitje aan heeft en als het gezin met vakantie gaat duurt die pret niet langer dan een paar dagen omdat er een plaatsvervanger op de hoeve moet zijn. Ze komen niet verder dan Callantsoog, maar ze genieten daar wel.'

Kees zweeg even en voegde er toen aan toe: 'Als ik de jongen zo zie lijkt hij me meer een Van Rittervoorden. Een stevige knaap met een open blik in de ogen. Daar houd ik wel van.'

'Ja,' zei Maaike alleen. Haar gedachten waren bij Marianne en razendsnel speelde zich in haar brein een filmpje af over de nare dingen die het kind door deze vriendschap – werd het liefde? – zou kunnen overkomen.

'Het is, denk ik, Maaike, het beste dat we ons er niet te veel mee bemoeien. Ik bedoel daarmee natuurlijk niet dat we niet naar Marianne moeten luisteren. Het kind moet haar verhalen kwijt en bij ons een klankbord vinden, maar we beïnvloeden haar niet. Noch naar de ene, noch naar de andere kant, want als er werkelijk liefde in het spel is, is die liefde sterker dan alle argumenten die wij van onze kant aanvoeren en de argumenten van de ouders van Emiel aan de andere zijde. Het klinkt,' hij glimlachte even, 'alsof er al een strijd is ontbrand en zover is het nog lang niet. Ze wandelen pas de tweede avond de dorpsstraat op en neer met elkaar. Maar wij zijn ouder, hebben meer gehoord en gezien, we zijn in deze ervaren toeschouwers.'

De achterdeur sloeg met een klap dicht. Esther kwam opgetogen thuis. 'Dag, hier ben ik weer! We hebben gesjoeld! Die grote bak op de strijkplank met een riem vastgezet en de plank op de hoogste stand, dat ging fantastisch! Buurvrouw Jobsen deed ook mee en zij kan zo goed sjoelen! Ik dacht dat het een kwestie van geluk was, je gooit de stukken roets over de baan en je hoopt dat ze in een vakje schuiven, maar zo is het niet! Buurvrouw kan het heel goed. En Willem ook.'

Ze keek naar de pendule op de schoosteenmantel. 'Ik ga naar bed. Ik moet nog wat voor school nakijken. Ik heb dorst, ik neem een glas drinken mee naar boven. Welterusten.'

'Ja, welterusten, lieverd. En houd je dat glas recht, zorg je dat je dat zoete spul niet over de vloer knoeit? Doe het glas maar niet te vol.'

'Dan heb ik te weinig. Ik gier van de dorst,' en weg was ze.

Tegen half elf stapte Marianne binnen.

'Hallo! Het is koud buiten. Het is jammer dat er in het dorp geen plekje is waar je met z'n tweetjes kunt praten. In Amsterdam, vertelde Emiel, is dat anders. Daar barst het van de kleine cafeetjes waar je kunt zitten en niemand je kent. Stel je voor dat wij samen bij "De Zwarte Roos" binnenstappen, gesteld dat de zaak al open is, dan weet morgen het hele dorp dat de zoon van Van Rittervoorden en een dochter van Kees Timmer met elkaar aan de wandel zijn geweest. En dan weten pa en ma Van Rittervoorden het ook gauw.' Kees en Maaike knikten allebei, maar ze zeiden aanvankelijk niets. In de toon van Mariannes woorden lag licht ongenoegen. Maar toen het stil bleef vroeg Maaike: 'Hebben jullie gezellig gepraat?'

'Ja, dat wel. Of gezellig, gezellig is eigenlijk het woord niet. Ik had Emiel verteld wat Wieneke zei en nu wilde hij zijn moeder in een goed daglicht zetten. Ze is de dochter van ouders die goed in hun geld zaten, maar dat wist ik allang, want Wieneke vertelde vroeger over de villa van opa en oma Steggerda. Emiel wilde me duidelijk maken waarom zijn moeder zo gehecht is aan de waarde van kijk hebben op en omgaan met kunstzinnige dingen. Dat komt dus door die ouders. Haar moeder, Emiels oma, was schilderes van miniatuurtjes. Ze maakte inderdaad mooie dingen, want ik heb er in het huis van de Van Rittervoordens verschillende zien staan en ze zijn werkelijk prachtig. Bij Wieneke op de kamer staat zij als klein kind door haar oma afgebeeld en dat is een schitterend portretje.

Opa Steggerda was leraar op een hogere school in Apeldoorn en daarnaast was hij erg geïnteresseerd in de geschiedenis van de aarde en in de Griekse mythologie. Wij hebben daarover op het atheneum ook het een en ander gehoord en ik kan me voorstellen dat als je eenmaal daardoor geboeid bent, je meer erover wilt lezen en meer wilt weten. Die grootouders hebben, vanaf dat Emiels moeder een jong meisje was, haar voorgehouden dat kunst bijzonder belangrijk is in het leven, niet alleen architectuur, maar ook schilderkunst en klassieke muziek.

Daar ging bijna het hele gesprek van vanavond over en ik kreeg even het gevoel dat Emiel me een dom kind vond dat nergens weet van heeft, maar nee, dat is het toch ook weer niet.' Ze glimlachte. 'Ik heb echt wel wat geleerd op het college en ik heb er ook belangstelling voor. U, mama, luistert graag naar mooie muziek. Niet te zwaar, maar toch prachtige muziek, zoals de Peer Gynt-suite en Chopin en Rachmaninov. Maar,' ze lachte even, 'het komt erop neer, dat Emiel begrip bij mij wil kweken voor zijn moeder. Och, ik begrijp het wel, maar ik vind het zo overdreven. Wat zijn die mensen cultureel!!! Maar,' weer een lachje, 'het werd een beetje anders toen het meisje Caroline Steggerda Lodewijk van Rittervoorden ontmoette. Tot dan was ze, zo stel ik me voor, een zweverige jonge vrouw met het hoofd in de wolken, deinend tussen Mozart en Bach en Jan Steen, maar toen ze Lodewijk ontmoette sprong er een vonk over. Ik weet niet in hoeverre zijn financiële achtergrond daarbij een rol heeft gespeeld, maar goed, die twee voelden zich tot elkaar aangetrokken. In het begin van het huwelijk heeft mevrouw geprobeerd Lodewijk ook op het pad van de kunst te zetten. En dat lukte, want toegegeven: het is een prachtig terrein en er is veel te genieten. Maar de manier waarop erover gepraat wordt vind ik overdreven. Het ligt me niet. Ik lees graag de gedichten van Henriëtte Zadelberg en de vertalingen van Hedwig Flowerson, maar over poëzie heb ik niet veel gehoord. Maar goed, moeder Van Rittervoorden wilde, in navolging van haar ouders, Emiel en Wieneke inwijden in de kunst en ze weten er veel van hoewel ze allebei het nuchtere bloed van de Van Rittervoordens in hun aderen hebben. Het komt erop neer dat het moeilijk zal zijn voor Emiel mij als "zijn meisje" naar voren te schuiven in de familie. Dat zei hij niet letterlijk, maar ik kon het uit zijn toon opmaken. Voor zijn moeder om de kunst, mijn hemel, ik word zo langzamerhand gek van dat woord! Geniet er gewoon van als je het mooi vindt en ga er verder niet zo diep op in! En voor vader Van Rittervoorden; ja, misschien ziet hij liever dat Emiel een dochter van rijke ouders trouwt; het is altijd gemakkelijk een achterdeurtje te hebben, je weet niet wat er met zo'n bedrijf kan gebeuren. Emiel, dat zeg ik nogmaals, heeft hierover geen woord gezegd, maar ik ben niet zo dom dat ik dat niet zelf kan bedenken. Ik weet dus niet hoe het verder zal gaan tussen ons. Ik moet toegeven dat ik Emiel heel aardig vind, ik ben echt verliefd op hem en hij is al een poosje verliefd op mij, maar nu begint het serieuze vormen aan te nemen. Of het nog verder zal komen betwijfel ik, want ik wil absoluut geen narigheid en drukte. De hele familie Van Rittervoorden over me heen, nee, dat lokt me niet. En misschien pas ik ook wel niet bij hem en hebben ze gelijk.'

Ze bleven alle drie even stil zitten, in gedachten verzonken. Kees en Maaike omdat ze het gevoel hadden dat het kind nog verder wilde praten, Marianne omdat ze aarzelde verder te gaan. Uiteindelijk deed ze het toch, omdat vader en moeder mochten weten hoe ze erover dacht.

'Er werd dikwijls over oma Adriënne gesproken bij Wieneke thuis en ik kreeg de laatste jaren het gevoel dat het voor haar moeder tot een overdreven verering was uitgegroeid. Dat heeft Emiel vanavond met andere woorden enigszins bevestigd. Oma was een kunstenares en zo'n lieve, zachte vrouw... Dat verheerlijkte in de toon, weet u wel. Maar oma's leven verliep, behalve haar te vroege dood dan, zoals zij het graag wilde. Haar ouders hadden de middelen om haar aan de kunst-academie te laten studeren. In het huis werd een kamer voor haar ingericht waarin het buitenlicht ruim en precies van de goede kant, door grote ramen naar binnen viel. Dat was nodig voor het schilderen van die priegelwerkjes. Het klinkt oneerbiedig, maar zo bedoel ik het niet, want wat ze maakte is echt mooi. Ze trouwde met Nicolaas Steggerda, ook afkomstig uit een familie met geld. Ze kon al haar tijd aan haar hobby besteden; het was niet echt "werken", want ze verkocht er weinig van. Een enkele maal ging een miniatuurtje naar goede vrienden, maar daarvoor kreeg ze geen geld. Ze wilde graag alles wat ze maakte zelf houden omdat ze eraan gehecht was. Opa Steggerda was leraar, met veel vakanties en geld genoeg om in mooie hotels in het buitenland te logeren. Wat Emiel vanavond "een huishoudster" noemde, is jarenlang voor de kinderen "tante Janna" geweest. Ze woonde bij de familie, ze zorgde voor alles in en rond de woning. Ik bedoel,' Marianne keek van haar vader naar haar moeder, 'ze leefde haar leven zoals ze dat graag wilde. Ze was bezig met mooie dingen en de dingen die ze graag deed. Ik kan me voorstellen dat je dan een lieve, tevreden vrouw bent. Opa Nicolaas hield van haar, dochter Caroline vereerde haar. De moeder nam de dochter mee naar culturele avonden en daar werden beiden met zwier ontvangen. Verhalen daarover werden meer dan eens verteld. Moeder Caroline bracht ze als heerlijke herinneringen; ze vertelde ze dikwijls als ik aan tafel zat, bij het theedrinken bijvoorbeeld. Mogelijk maakte ze ze ook steeds mooier dan ze in werkelijkheid waren. Als ik alles op een rijtje zette zag ik die oma en haar leven voor me en ik kreeg, naar mijn gevoel, een goed beeld van haar. Nu Emiel vanavond praatte over zijn moeder, die de mooie ideeën van haar moeder heeft meegekregen, geloof ik dat ze het te dweperig ziet, te zweverig en wat ik al zei: als een eerbetoon aan haar moeder. Dat staat los van de waarheid dat weten van de mooie dingen in het leven het leven verrijkt. Alleen bezig zijn met het verven van kozijnen en deurdrempels, met stofzuigen, overhemden strijken en de keukenvloer schrobben maakt je niet echt gelukkig.'

Hoofdstuk twee

Twee weken later stopte aan het begin van de middag de donkerblauwe wagen van mevrouw Van Rittervoorden voor het huis. Enige jaren geleden reed mevrouw in een rode wagen, daarmee werd Wieneke meer dan eens voor de deur afgezet of weer opgehaald, maar nu was het een donkerblauwe auto.

Mevrouw stapte uit. Maaike zag haar vanachter de vitrage langzaam over het korte tuinpaadje lopen. Ze zag Maaike en belde aan. Maaike opende de deur.

'Dag mevrouw Timmer,' het klonk vriendelijk, 'ik wil even met u praten.'

'Komt u binnen.'

Mevrouw Van Rittervoorden droeg een lichtgrijs mantelpakje, daaronder een mooie, zachtroze blouse. Maaike voelde zich daar povertjes bij afsteken in de gebloemde zomerjurk; had ze maar iets anders aangetrokken, maar ze kon toch niet weten dat ze bezoek zou krijgen en nu was het te laat. Ze vergat te vragen of mevrouw het jasje aan de kapstok wilde hangen. Het was zacht, prachtig lenteweer en een beetje warm in huis, maar mevrouw was al doorgelopen naar de huiskamer.

'Gaat u zitten.'

Caroline liet zich in een gemakkelijke stoel zakken.

'Ik val meteen met de deur in huis. Waarschijnlijk begrijpt u de reden van mijn komst wel. Mijn man en ik hebben vernomen dat Emiel enige malen met Marianne heeft gewandeld en gepraat en op zich schuilt daar geen kwaad in. Marianne kwam in het verleden meer dan eens bij ons thuis omdat Wieneke en zij schoolvriendinnetjes waren. Emiel voegde zich dan wel eens bij hen, hij kent Marianne. De meisjes konden goed met elkaar opschieten en Marianne is ook een aardig meisje.' Ze lachte even naar Maaike. 'Daar gaat het ook niet om, maar ze hebben nu allebei de leeftijd bereikt waarop ze voor de toekomst hun pad moeten uitstippelen en u begrijpt dat hun wegen sterk uiteen zullen lopen. We maakten ons derhalve geen zorgen over een verder contact tussen Wieneke en Marianne. Het zal zich volgend voorjaar, na het eindexamen, vanzelf oplossen. Wieneke gaat aan de universiteit van Amsterdam studeren en zal een kring van medestudenten om zich heen verzamelen. Marianne zoekt waarschijnlijk een baan in een winkel of op een kantoor en ontmoet daar jonge mensen met wie ze bevriend raakt. De schoolperiode is voorbij. Het was een prettige tijd voor de meisjes waarop beiden met plezier terugkijken.'

Maaike knikte instemmend. Ze dacht even: ga nu maar verder... Zeg nu maar wat je wilt zeggen...

'Nu heeft Emiel ons verteld dat hij een paar avonden met Marianne uit is geweest en u zult het met me eens zijn dat we daar zo snel mogelijk een einde aan moeten maken omdat die twee totaal niet bij elkaar passen.'

'Daarvan ben ik niet overtuigd.' Maaike hoorde dat haar stem een beetje hautain klonk in navolging van de woorden van mevrouw Van Rittervoorden. Ze bleef rustig, ze zou duidelijk zeggen hoe zij erover dacht en vreemd genoeg had ze zelfs een klein binnenpretje. 'Emiel is een goede en aardige jongen en Marianne is een goed en aardig meisje.'

Caroline van Rittervoorden schudde haar hoofd over zoveel onbegrip. 'U begrijpt toch dat het niet bij elkaar past? Uw gezin en ons gezin!! Emiel zal zich hier niet thuisvoelen en Marianne zeker niet bij ons. Inderdaad, ze is als schoolmeisje bij ons binnen geweest; de kinderen speelden over het algemeen buiten of in de kamer van Wieneke. Marianne nam geen deel aan het leven in ons gezin. Dat zal anders zijn voor het meisje waarmee Emiel in de toekomst omgang heeft. Zij moet in onze familie passen en dat zal bij Marianne nooit het geval zijn. Ze heeft een aardige opleiding gehad, dat geef ik toe, maar ze zal niet verder studeren. Hier stopt haar ontwikkelingsniveau; Emiel gaat verder. Marianne zal hem in de toekomst onmogelijk kunnen volgen. Hij wil praten over de zaken die hem bezighouden, maar hij zal dat met haar nooit kunnen doen omdat ze hem niet begrijpt. Dat is haar niet kwalijk te nemen, haar niveau reikt niet hoger.'

Maaike knikte en vroeg: 'Kunt u uw man volgen in alle woorden over de gebeurtenissen in het bedrijf?'

Even glimlachte mevrouw Van Rittervoorden en zei op een besliste toon: 'Ja,' om direct verder te gaan, 'naast deze nuchtere werkelijkheid spelen de gevoelens van culturele waarden, die wij onze kinderen hebben meegegeven, een grote rol. Uw man en u interesseren zich voor een voetbalwedstrijd, een film op het televisiescherm en een eenvoudig muziekavondje. Zo is uw leven en dat is goed, daarmee bent u gelukkig en Marianne zal dat ook zijn, ze is ermee opgevoed, maar onze kinderen kennen andere waarden.'

Maaike knikte in een gebaar: u zult wel gelijk hebben. Ze wilde hierover geen discussie opzetten. Ze vroeg: 'En als blijkt dat tussen Emiel en Marianne gevoelens van liefde zijn gegroeid?' Meteen de knuppel maar in het hoenderhok. Ze ergerde zich aan Caroline van Rittervoorden.

Er klonk een honend lachje. 'Ach kom, mevrouw Timmer, we weten allebei dat er van liefde tussen die twee nog geen sprake kan zijn. Ze wandelden hooguit drie of vier keer samen. Als ze elkaar niet meer zien is het snel voorbij. En wij, u en uw man en mijn man en ik moeten daarom ter wille van de kinderen ingrijpen.'

'Mijn man en ik hebben daarover niet gedacht en niet met elkaar gesproken, maar ik weet zeker dat hij het met me eens zal zijn als ik nu zeg dat wij niets zullen ondernemen en zeker niet zullen ingrijpen. De jongelui hebben de leeftijd om hun eigen pad te gaan. En uw zoon is verstandig genoeg om te weten welke vrouw in zijn leven past.'

Even keek Caroline van Rittervoorden haar met ingehouden verbazing aan; was het om de goede woordkeuze of alleen om de inhoud? 'U geeft uw dochter geen raad? Beseft u niet hoe ongelukkig ze wordt als ze omgang heeft met een jongen die in intellectueel opzicht ver boven haar staat?'

'Ik weet niet of Emiel in dat opzicht ver boven haar staat.'

'Och kom nou toch?! Dat beseft u toch wel? Denk eens aan het verschil in milieu!'

'Dus dát speelt voor u een rol.'

'Ja,' viel Caroline nu op een boze toon uit, 'natuurlijk speelt dat een rol! Niemand kan het u kwalijk nemen dat u geen geld hebt; wij hebben het wel. Wij kijken niet op u neer, – het is een kwestie van "in welk huis word je geboren" –, maar u en wij leven in aparte werelden en als die werelden in elkaar overlopen komen er problemen uit voort voor allebei de partijen! De één voelt zich niet thuis bij de ander en dat zal voor Emiel zo zijn en voor Marianne. Om hen dat verdriet en die teleurstelling te besparen moeten we met verstandige woorden een einde aan hun contacten maken voor er nare dingen plaatsvinden.'

Maaike haalde haar schouders op. Ze wist dat ze hiermee Caroline van Rittervoorden irriteerde.

'U wil het niet begrijpen,' klonk het scherp.

'Begrijpen mogelijk wel, het is maar hoe je het bekijkt, maar ik denk dat het beter is deze jonge mensen hun eigen weg te laten gaan. En,' voegde ze eraan toe, ze keek de vrouw tegenover haar recht aan, 'als er echte liefde tussen hen is kunnen wij daar niet tussen komen.'

Toen mevrouw Van Rittervoorden met driftige pasjes over de kleine steentjes van het paadje was weggelopen, de tas over de schouder, de autosleutels in de hand, sloot Maaike de deur en liep langzaam terug naar de kamer. Aan de ene kant had ze het gevoel dat de hele toestand van vanmiddag veel te overdreven was. Caroline hoorde het bericht... verdikkeme, Emiel met dat kind van Timmer, dat mag niet... ik moet er meteen iets aan doen en gaan praten met moeder Maaike. Wat een paniek! Aan de andere kant besefte ze dat uit een situatie als deze veel narigheid kon voortkomen.

Ze liep naar de keuken, pakte een glas water en ging terug naar de kamer. Nu rustig gaan zitten, langzaam en met kleine slokjes van het water drinken. Proberen het geheel rustig te overzien, rustig te over-denken. Het was geen drama. Een jongen wandelde met een meisje, maar het kon een drama worden als de fantasie van Marianne ermee op hol sloeg. En dat wilde Maaike niet.

Ze besloot haar hele gezin over het bezoek te vertellen. Er niet apart over te praten met Kees of met Marianne praten, dat zou alleen maar meer spanning geven, maar ook Anneke en Esther erbij betrekken.

Toen de schalen voor de avondmaaltijd op tafel stonden en alle vijf op hun stoelen zaten zei ze: 'Ik heb vanmiddag bezoek gehad.'

Ze zag de opgeheven gezichten, verbazing bij Esther, zoals mama dit aankondigde, – zeker een bijzonder iemand –, al iets van vermoeden in de blik van Kees en lichte angst in Mariannes ogen. 'Als jullie me eerst laten vertellen en er dan pas iets op zegt...'

Ze vertelde. Toen ze zweeg zei Kees: 'Ik vind dat je haar het juiste antwoord hebt gegeven. Hun zoon en onze dochter moeten zelf beslissen wat ze willen.'

'Maar zo simpel ligt het niet,' ging Marianne er meteen op door, 'en dat weten jullie ook. Emiel en ik willen met elkaar blijven omgaan, maar bij de Van Rittervoordens ontketent dat lawines van tegenwerking. Dat komt de bloei van een liefde niet ten goede.' Ze hield haar kopje schuin en glimlachte even om haar woorden.

'Ik dacht,' Esther legde haar mes en vork neer, 'toen mama het bezoek zo plechtig aankondigde, dat er een notaris op de stoep had gestaan met een voor ons gunstig testament in de handen, maar nee, er kwam wel een geldscheepje voorbij varen, maar jij mag er niet instappen, Marianne.'

Marianne grijnsde. Esther kon het soms leuk zeggen, maar direct daarop viel ze heftig uit: 'Ik wíl er niet eens instappen. Het gaat mij niet om het geld! Het zou prettiger zijn als Emiel een arme jongen was! Nou ja, arm, dat is ook weer overdreven, maar dat er in elk geval veel minder geld in zijn familie zou zijn. Dan hadden we dit gedoe allemaal niet. En we zouden het heus wel redden in het leven. We kunnen allebei werken. Maar de Van Rittervoordens hebben veel geld op de bank en er is veel geïnvesteerd in kantoren, opslagruimten en noem maar op. Moeder Caroline maakt zich nu al compleet overstuur over een vreemde eend in de bijt, terwijl we niet meer dan oppervlakkig met elkaar hebben gebabbeld, maar misschien is voor zakenmensen een onschuldig praatje al genoeg om in de verdediging te gaan. En wat is de reden? Niet dat ik op hun geld uit zou zijn, dat geloof ik niet, maar het verschil in stand. Mevrouw Van Rittervoorden is bezeten van stand en afkomst. Ze was altijd aardig tegen me, ze vond het fijn dat Wieneke zo'n leuk vriendinnetje in mij had gevonden, dat zei ze af en toe zelfs tegen me. Ik heb me jarenlang op mijn gemak gevoeld in "De Ritter", maar toen stond Carolines plan toch al vast dat ze me tegen het einde van het atheneum aan de kant zou schuiven. Wieneke naar Amsterdam, uit zicht dus, alles oké! En nu gaat Emiel zich met de dochter van de schildersknecht bemoeien!! En dat nog wel op een heel gevaarlijke leeftijd! Als dat wicht hem het hoofd op hol brengt, wat dan?'

De maaltijd was allang afgelopen, maar het hele gezin bleef aan tafel zitten. Kees zei: 'Ik denk, en dat zeg ik vooral tegen mama en Marianne, jullie zijn toeschouwsters,' Esther trok een lipje, maar ze knikte wel begrijpend, want papa had gelijk, 'ik denk dat we voorlopig alles op zijn beloop moeten laten. De ouders Van Rittervoorden maken zich zorgen over een vriendschap tussen Emiel en jou, mijn meisje, wij hebben totaal geen moeite met die vriendschap. Emiel is een aardige jongen, jij mag met hem praten, hij mag bij ons binnenkomen. Het is het probleem van de Van Rittervoordens.'

Marianne glimlachte een flauwtjes. Vader stelde het simpel en in zijn woorden klonk het goed, hier, in hun huis, aan hun eigen tafel had hij gelijk. Het was een probleem van Emiels ouders, niét van haar ouders. Maar het ging voor de toekomst in de allereerste plaats Emiel en haarzelf aan. Als er iets groeide tussen hen, hoe moest zij dan leven in zijn familie als ze zo vijandig tegenover haar stonden? Emiel was de opvolger van het bedrijf en hij wilde graag die opvolger zijn, hij wilde met zijn vader samenwerken; waar was dan háár plaats? Hoe kon zij daartussen leven als de tegenwerking nu al zo groot was?

Die nacht viel ze heel laat in slaap. Ze hoorde de klok drie uur slaan en ook half vier. Gedachten van grote wanhoop, geen oplossing zien, het onderspit moeten delven en het zou ook voor Emiel een moeilijke, zo niet onmogelijke weg worden. Ze zag de liefde tussen hen beiden , die nacht, als onmogelijk.

Een paar dagen later, op vrijdagavond stopte een zachtgele auto voor huize Timmer. Een kort getoeter, Marianne keek op. 'Mam, Emiel met zijn auto!!'

Ze liep direct naar buiten, Emiel stond al met een stralend gezicht naast de wagen. Hij drukte een dikke zoen op haar wang. 'Dag, mijn meisje.

Hoe vind je hem, is het geen mooi karretje? En hij rijdt zo goed! Stap in, dan gaan we een rondje rijden.'

Marianne stapte in. De zachte stof van het stoeltje sloot warm en zacht om haar heen, ze zat veilig en prettig naast Emiel. Maaike stond bij de voordeur te zwaaien en keek lachend toe toen de wagen wegreed.

'We tuffen de hele dorpsstraat af, snel langs "De Ritter". Stel dat mama voor het raam staat en jou naast me ziet, ha, ha, dan breekt de hel los want dan heb jij eerder in het karretje gezeten dan zij...'

'Toe Emiel, doe er niet kinderachtig over.'

'Nee lieverd, sorry, het ontschoot me gewoon. Hoe vind je dat hij rijdt?'

'Heerlijk.'

'En hoeveel mogelijkheden geeft het ons! We kunnen naar het strand gaan, naar Amsterdam, naar Alkmaar en noem maar op!'

De zomer bracht prachtige, zonnige dagen en dagen waarop dikke wolken de zonnestralen tegenhielden. Af en toe viel er een kletterende regenbui, gewoon een typisch hollandse zomer.

Eind augustus bereidde Marianne zich voor op haar laatste studie-periode van de atheneumopleiding – volgend voorjaar zou ze eindexamen doen – en Emiel begon een week later aan zijn laatste studiejaar aan de universiteit.

Maaike Timmer zat aan de huiskamertafel. Het was stil in huis. Kees schilderde aan de voorpui van de boerderij van Sloterman, Anneke hielp in de winkel van Toon Bartels, Marianne was in de vroege morgen naar Hoorn gefietst, Esther was vanmorgen in de auto van Tina Mantel naar Hoorn gereden. De dochter van Klaas en Tina Mantel was een klasgenootje en vriendinnetje van Esther. De meisjes hadden de lagere school achter zich gelaten en waren net begonnen aan de Havo-opleiding. Omdat de meisjes nog zo jong waren, wilde Tina ze met de auto naar Hoorn brengen en ze na de schooluren weer ophalen. Hoe lang ze dat zou volhouden wist Maaike niet, het was toch een hele opgave, maar voorlopig was het voor Esther een prettige oplossing. Als het anders werd loste dat zich ook wel weer op... Tenslotte waren

Marianne en Wieneke ook altijd, in de groep, naar en van school gefietst.

Allerlei gedachten kwamen in haar op. Ze moest denken aan het bezoek van mevrouw Van Rittervoorden. De manier waarop mevrouw die middag haar huis had verlaten, zich ervan bewust dat haar missie was mislukt; de nijdigheid en ingehouden woede sprak uit de manier waarop ze in de wagen stapte. Maaike voelde nog steeds een binnenpretje als ze eraan dacht, maar van binnen groeide de angst voor de toekomst van hun dochter. Kees had die avond gesproken over het belangrijkste tussen man en vrouw, de liefde die je voor elkaar voelt. Ondanks alles er omheen was dat de grote waarheid, maar ze bleef piekeren over de problemen die voor hun kind steeds dichterbij kwamen. Lieverd, Marianne, wat is een goede oplossing...

Die avond stond in de woonkamer het televisietoestel aan. Kees, Anneke en Esther keken naar een luchtig programma en moesten af en toe hartelijk lachen.

'Mam,' vroeg Marianne, 'zullen wij in de keuken gaan zitten; ik wil met je praten.'

'Natuurlijk kind. En jullie blijven hier.'

Kees riep: 'Staat de koffiepot binnen en de suikerpot en de melkkan?' en Esther vulde ondeugend aan: 'En de koektrommel? Ja? Ga dan maar, we zullen jullie niet storen.'

Moeder en dochter zaten tegenover elkaar aan de ronde keukentafel.

'Ik heb niets nieuws te vertellen, maar ik wil graag praten over Emiel en mij. U denkt misschien dat hij over het hele probleem geen zorgen heeft omdat hij er weinig tegen jullie over zegt, maar dat is beslist niet zo. Ook tegen mij zegt hij niet veel, maar ik weet zeker dat zich regelmatig heel vervelende taferelen afspelen op "De Ritter". Het houdt hem erg bezig. En mij ook, want het is op deze manier niet leuk om verkering te hebben. Emiel vertelt me soms wat bij hen thuis gebeurt en dat komt neer op steeds weer verhalen van zijn ouders, en vooral van zijn moeder, maar zijn vader doet ook duidelijk duiten in het zakje over het feit dat wij niet bij elkaar passen.

En een beetje hebben ze daarin wel gelijk, mam. Die mensen leven in een andere wereld dan wij. Hun huis is mooi en groot en ze hebben geld om dingen te kopen en dingen te doen die het leven aangenaam maken. Van veel van die dingen weet ik wel iets af, zo onnozel ben ik niet, maar het is ook niet meer dan er "iets van weten". Het is mijn leven niet, ik heb er geen deel aan.

Papa zei de avond na het bezoek van mevrouw Van Rittervoorden dat het een probleem is van Emiels ouders en dat is ook zo. Emiel zegt dat ze er een probleem van maken. Als ze mij accepteren omdat Emiel van me houdt en, zoals hij het zegt,' ze lachte nu even, 'in de toekomst alleen mij tot zijn vrouw wil hebben. Als ze dat accepteren en me in hun leven toelaten is er niets aan de hand. Want ik ben dan wel de dochter van mensen die niet veel geld hebben, maar ik ben niet dom of achterlijk. Emiel zegt dat ik lief en vriendelijk ben en me beslist zal kunnen aansluiten bij hun leven. Ze zijn tenslotte niet van koninklijke bloede en ze wonen niet in een paleis!!

Maar tot nu toe zijn zijn ouders niet bereid die weg in te slaan. Ze houden vol, ze duwen door en ze willen bereiken dat hij mij loslaat omdat dat beter voor hem zou zijn, omdat hij met mij niet gelukkig zal worden omdat we verschillen van milieu. Maar Emiel voelt dat probleem niet zo. Hij denkt dat het het beste is het een poosje op zijn beloop te laten. Hun houding verandert mogelijk als ze in de gaten krijgen dat hij bij zijn standpunt blijft: hij trouwt met Marianne Timmer. Als ze hem niet willen verliezen zullen ze moeten bijdraaien. En, verwacht Emiel, dat bijdraaien zal in elk geval zijn vader op een gegeven moment doen als hij merkt dat hij zijn zoon en opvolger anders zal verliezen.'

'Marianne,' riep Maaike geschrokken, 'zo ver wil Emiel het toch niet doordrijven?!!'

'Wie drijven door en ja, dit wil Emiel. Hij zegt dat hij al vier, vijf jaar verliefd op me is, maar ik was vier jaar geleden nog een giechelend schoolkind, Emiel is vijf jaar ouder dan ik. Hij keek toen al naar me, volgde me, wilde graag in mijn buurt zijn. Hij had in de tussentijd een vriendinnetje in Amsterdam, een aardig meisje, maar hij wist dat zij niet de ware voor hem was. Hij noemde thuis haar naam meer dan eens om voor zijn ouders te verbergen dat hij als het maar even mogelijk was bij Wieneke en mij kwam zitten en toen al met verliefde blikken naar me keek, want hij kende de ideeën van zijn moeder. En, dat is misschien grappig, nou nee, grappig natuurlijk niet, maar daarop lijkt het een beetje, Emiel neemt deze periode in acht om zijn ouders aan de waarheid van een huwelijk tussen ons te laten wennen. Hoogstwaarschijnlijk doen zijn ouders hetzelfde tussen de stekelige opmerkingen door. Ze redeneren: laat die jongen maar even gaan, het is een kalverliefde, dat gaat vanzelf over. Emiel wil het ook op deze manier aanpakken omdat hij in de tussentijd zijn studie kan afmaken, daarvoor betaalt papa tenslotte. Als hij afgestudeerd is kan hij doen wat hij wil en ik maak intussen het atheneum af. Nu Emiel een auto heeft maken we fijne ritjes in het weekend. Daarover wil ik nog meer zeggen.'

Ze legde haar handen op de handen van haar moeder. 'Fijn, mam, dat ik zo goed met jou kan praten. Met papa kan dat ook, we brengen hem straks samen verslag uit, maar met jou alleen is het heerlijk. Zal ik een glas frisdrank voor ons inschenken? Ik ga nu liever niet naar de kamer om de koffiepot op te halen, dan denken ze dat de audiëntie is afgelopen en dat is niet zo. De frisdrank staat in de koelkast. Maar we hebben hier alleen van die ordinaire keukenglazen,' ze lachte opeens, 'mevrouw Van Rittervoorden zou er nog geen slokje water uit willen drinken!'

'Misschien,' vulde Maaike ook lachend aan, 'als ze een aspirientje wil innemen omdat ze een barstende hoofdpijn heeft. Nood breekt wetten tenslotte!'

Drinkend van het frisse sap kwam Maaike terug op hun gesprek. 'Het is geen prettige gang van zaken. Het moet in huize Van Rittervoorden veel spanning geven.'

'Dat geeft het ook. Emiel komt elk weekend naar Wennebroek. Hij komt hier en thuis beginnen zijn ouders de laatste weken geen lange gesprekken meer over onze vriendschap. Het blijft bij vervelende opmerkingen. Emiel gaat daar niet op in. En onze liefde groeit, ondanks de narigheid die eraan vast zit. Aan de ene kant weet ik dat ik gelukkig ben, want dat ben ik echt wel, want ik houd van Emiel, maar aan de andere kant komt een donker, duister en moeilijk verdriet op me af, misschien is noodlot een beter woord. Het wacht op me, het staart me soms aan. Het is onzichtbaar, maar ik weet dat het er is. Het zal voor mij heel moeilijk worden met zijn familie om te gaan als Emiel in de zaak is opgenomen. En dat is wat hij graag wil. Als hij thuis is, zit hij al dikwijls op de zaak, op zaterdagmorgen bijvoorbeeld, met zijn vader op kantoor praten over de werkzaamheden, de orderportefeuille, samen over de terreinen lopen, over het werk praten. Hij vertelt mij er ook over. Ik snapte er in het begin niet veel van, er waren termen en uitdrukkingen waarvan ik niets wist, maar zo langzamerhand raak ik erin thuis en ik weet zeker dat het een heel interessant bedrijf is. We praten ook over andere kanten van het werk dan alleen de orders binnenhalen en de opdrachten uitvoeren, zoals het belang van een goede band tussen baas en knecht, zo noem ik het maar even. Dan voel ik me weer helemaal de dochter van de arbeider. Emiel lacht dat gevoel weg, maar tevreden werknemers en betrokken werknemers zijn zeker goed voor een bedrijf.

Emiel gaat dus in die zaak werken en waar sta ik dan? Hoeveel gesprekken worden er in de huiselijke kring van de Rittervoordens gevoerd over "de zaak"? Het zal vader en zoon bezighouden, dat kan niet anders. En kan ik daarbij zijn, word ik geduld in de salon? Kijkt mijn schoonmoeder me met de nek aan en zal Emiel op den duur naar zijn ouderlijk huis teruggaan? Als ik er alleen al over nadenk voel ik me ongelukkig. Emiel kan zeggen dat hij gelooft dat het na een periode van gewenning beter zal gaan, nou ja, het zal meer zijn: "we accepteren die meid", maar dat stelt me niet gerust.

Ik heb gezegd dat ik niet weet hoe het verder moet tussen ons en dat het beter is een einde aan onze vriendschap te maken. We houden van elkaar, dat is waar, maar we zijn jong genoeg om over een verbroken liefde heen te komen. Daar wil Emiel niets van weten. Dat zal gebeuren als een van ons er een einde aan wil maken, of allebei, dat is nog beter,' Marianne lachte even, 'maar omdat zijn ouders dat willen zijn liefde opgeven, nee, dat doet Emiel niet.'

'Je moet een verbroken liefde niet onderschatten, Marianne. Ik heb het nooit meegemaakt, Kees Timmer was mijn eerste en enige liefde, maar ik heb verhalen gehoord over mensen die er geestelijk totaal door in de vernieling zijn geraakt.'

Marianne knikte. 'Ik kan het me voorstellen. Als ik Emiel zou moeten loslaten om zijn familie, ik weet niet hoe ik daar overheen zal komen.' Ze zweeg even, draaide het lege glas om en om en zei toen: 'Ik wil nog ergens over praten, mam, het is een heel ander onderwerp. Ik weet zeker dat u, en ook papa, daar niet echt blij mee zult zijn, maar ik heb er goed over nagedacht en ik wil het doen zoals ik van plan ben.'

'Zo, dat klinkt vastbesloten. Het wordt dus... een mededeling.'

'Ja.' Ze keek haar moeder aan met haar heldere blauwe ogen.

'Het gaat over seksualiteit. Ik weet dat u het voor jonge mensen het beste vindt om met seksualiteit te wachten tot ze getrouwd zijn. Zo ging het vroeger en dat zal ook wel goed geweest zijn, dan liep een vrouw tenminste niet de kans zwanger te raken voor ze keurig netjes getrouwd was. Ik ken de verhalen van vriendinnen van u van vroeger en van uw nichtjes Marry en Trudy. Zij hadden elk een vriendje. Eigenlijk wilden die jongens de verkering wel uitmaken, dat hoorden de meisjes later, maar ja, het was ook heerlijk om met haar in bed te kruipen als haar ouders een avondje niet thuis waren. Dat zou de jongeman dan moeten missen en daarom hield hij de verkering aan. Het kwam zelfs tussen Trudy en Herman zo ver dat ze tóch met elkaar getrouwd zijn. Het was niet echt een ongelukkig huwelijk, maar bepaald niet ideaal.

Tussen Emiel en mij, dat zeg ik nu maar meteen, is op dat terrein nog niets voorgevallen. We zoenen en knuffelen elkaar, verder gaat het niet. In dit huis gaan we niet met z'n tweetjes naar mijn slaapkamer,' ze lachte, 'en in huize "De Ritter" is het totaal onmogelijk met Emiel de trap op te lopen naar zijn kamer! Op de dorpsweg nodigen de bermen er ook niet toe uit. Emiel heeft een auto en daarmee gaan we er samen opuit. We zijn al verschillende keren naar het strand geweest, heerlijk als het mooi weer was en prachtig als het stormde. We kozen tussen Callantsoog en Egmond aan Zee. Ik vind Egmond gezelliger dan Callantsoog. Er is een mooie boulevard en het is een leuk dorp.' Ze praatte over de strandwandelingen om moeder de tijd te geven na te denken over de seksuele verhouding tussen Emiel en haar.

'We gaan ook naar Alkmaar, gezellig winkeltjes kijken en koffiedrinken in een restaurant. Hoorn is ook een doel en we zijn nu enkele malen naar Amsterdam gereden. Naar wat Emiel noemde "mijn kamer". Maar dat is wel erg simpel uitgedrukt. Hij heeft een ruime kamer, een slaapkamer, een keukentje, een eigen douche en toilet. Een complete woonruimte dus.'

Maaike Timmer knikte. Ze wist natuurlijk al welke richting dit gesprek uitging en ze moest toegeven dat ze er gemengde gevoelens over had. 'Het kan er vandaag of morgen van komen dat de liefde tussen ons ontvlamt, zo zal ik het maar zeggen, dan weet u wat ik bedoel. Emiel is drieëntwintig, al een man in zijn lichamelijke gevoelens, zo is het toch? Hij houdt van me en hij is verliefd op me. En ik houd van hem en ik weet nu al wat er zal gebeuren als de liefde tussen ons op dat terrein openbreekt. Hoe zeg ik dat?'

'Keurig, meisje.'

'Ik heb er goed over nagedacht. Als het zover komt wil ik dit tussen Emiel en mij niet uit de weg gaan, maar ik wil ook niet het risico lopen zwanger te raken. In de eerste plaats omdat ik nu nog geen baby wil en in de tweede plaats omdat ik Emiel niet voor het dilemma wil stellen dat we zouden moeten trouwen. Hij zou zeker met me trouwen, daarvan ben ik overtuigd, maar de herrie in de familie... En die familie zal dan zeker vaststellen dat ik dit plannetje heb gesmeed om hem tóch te krijgen. Ik wil gewoon nog geen zwangerschap. Daar zijn we nog niet aan toe. Daar zijn onze omstandigheden niet naar. Ik wil dat we vrij tegenover elkaar staan en vrij zijn om beslissingen te nemen. Als ik toch moet breken met Emiel omdat ik met een grote angst leef dat mijn verdere leven met hem, door de familie en de omstandigheden, te zwaar wordt. In elk geval, dat ik niet gelukkig zal zijn. Dan, dat heb ik me voorgenomen, dan maak ik er tóch een eind aan. Een mens kan verliefd zijn en veel van iemand houden en ik houd beslist veel van Emiel, maar ik moet ook mijn verstand gebruiken. Als ik nu al kan zien dat ik mijn verdere leven niet echt gelukkig zal zijn begin ik er niet aan. Bovendien kunnen dergelijke omstandigheden een liefde ondermijnen en kapotmaken. Het is treurig dat dat dan zal komen door de houding van zijn ouders, maar van hun kant hebben die ouders de overtuiging dat zij in het belang van hun zoon handelen door verbeten te blijven vechten tegen een huwelijk. En daarom,' ze bleef haar moeder aankijken, '... wat een lange rij van woorden, maar ik wil dat u me begrijpt... en daarom ga ik komende dinsdag naar dokter Hopstra en praat ik met hem over een anti-conceptiemiddel.'

Maaike knikte. 'Ik begrijp je. En ik geloof dat je in dit geval gelijk hebt. Het is goed vrij te blijven. Maar ik ben ook bang dat jonge vrouwen, die met anti-conceptiemiddelen op zak lopen er eerder toe overgaan met een jongen of een man naar bed te gaan.'

Opeens lachte Marianne. Ze boog zich wat verder over de tafel en keek haar moeder met een twinkeling in de ogen aan: '... en is dat slecht, mam, als je van die jongen houdt...'

'Och nee, kind,' Maaike schudde haar hoofd, 'ik ben een beetje een ouderwetse moeder. Ik ben opgevoed met de waarschuwing: kijk uit voor mannen, ze zijn gevaarlijk! Zo zei mijn moeder het niet echt, maar die waarschuwing zat er toch wel een beetje bedekt in en ik weet zeker dat het vroeger veel jonge liefdes heeft doen bekoelen. Het allebei wel graag willen maar de angst voor een zwangerschap hield het tegen.'

Maaike legde haar handen op de tafel en keek haar dochter aan. 'Ik vraag je, Marianne, of je van plan bent Emiel te vertellen dat je straks pillen hebt die de kans op een zwangerschap wegnemen.'

'Zoals ik er nu voor mezelf tegenaan kijk, mam, nee, dat zeg ik hem nog niet omdat ik graag wil dat híj me zegt dat hij zo graag meer wil dan alleen knuffelen en zoenen.' Ze lachte opeens. 'Een beetje naar het aloude gevoel dat een man wil overwinnen en een vrouw overwonnen wil worden, ha, ha...'

De herfst kwam met mooie, rustige dagen. Met de zon op de prachtige kleuren van de struiken en heesters in het kleine tuintje achter hun huis en op de kruinen van de bomen langs de dorpsstraat. In november waren er echte, heftige najaarsstormen en er viel veel regen.

Enkele malen namen Wieneke, Marianne en de andere scholieren uit Wennebroek de bus naar Hoorn omdat het weer te slecht was om te fietsen.

Daarna volgde een kwakkelige winter. Het was niet echt koud geweest, er kwam geen ijs in de sloten tussen de weilanden. Esther vond dat erg jammer, want ze hield van schaatsen. Wel sneeuwde het een paar dagen. Het uitzicht vanuit hun woning bood een prachtig winters plaatje met een wit tapijt dat ongeschonden over de velden lag uitgespreid.

Vreemd genoeg, eigenlijk onbegrijpelijk bij wat er speelde tussen Marianne en Emiel en zijn ouders, verliepen de volgende maanden redelijk rustig. Maar schijn bedriegt. Marianne had het al gezegd: 'Het is of een groot verdriet langzaam op me toe sluipt.' Ze gebruikte toen andere woorden, die Maaike zich niet precies herinnerde. Dat hinderde ook niet, dit was wat haar dochter bedoelde. Emiel zei eens: 'In ons huis hangt een gewapende vrede in alle vertrekken. Oppervlakkig is er weinig van te merken. Vader praat wel nadrukkelijk over de zaak om mijn interesse aan te wakkeren en moeder hangt de overdreven bezorgde moeder uit. Bijvoorbeeld: Emiel, je schoenen staan op het schoenenrek, jongen. Ja, dat weet ik wel, de schoenen staan altijd op het schoenenrek. Achter die woorden broeit het behoorlijk. En ik vraag me af welke verhitte gesprekken er gevoerd worden als ik in Amsterdam ben. Op zaterdagmorgen word ik met dreigende blikken bekeken. Er is een ijzige stilte als ik mijn jack aantrek en naar de garage loop. In het begin vroeg moeder nog waar ik heen ging. Ze hoopte dat ik zou zeggen: naar de zaak, of naar Boudewijn of naar Frank, maar ik antwoordde steeds: naar Marianne. Dan kon ze zich bijna niet inhouden van boosheid of teleurstelling. Sinds enige weken vraagt ze me niets meer.

Ik weet dat er van twee kanten behoefte bestaat aan deze wapenstilstand, hoewel het van mijn kant een andere grond heeft dan van hun zijde. Ik wil graag mijn studie afmaken, want als ik de papieren in mijn zak heb kan ik mezelf redden en in die tijd maakt Marianne het atheneum af. Dat kan ze beter doen zonder het gezanik en het aanhoren van verslagen van de vervelende gesprekken die in "De Ritter" zijn gevoerd en waarvan ik toch verslag moet uitbrengen. Dat leidt de aandacht af van wiskundige problemen en geschiedenisvraagstukken. Ik laat het dus graag zo om tijd te winnen.

Aan de kant van mijn ouders leeft de hoop dat ik op een dag ontdek dat het tussen Marianne en mij toch niet meer is dan een kalverliefde; hun zoon krijgt zijn verstand terug en een gelukkige toekomst voor de familie van Rittervoorden ligt weer open. Ik geef ze geen enkel teken van hoop. Daarom kom ik er steeds eerlijk voor uit dat ik naar Marianne ga, maar ik weet zeker dat ze op een breuk tussen haar en mij zitten te broeden. Maar het zal ze niet lukken.'

In mei werden de eindexamens afgenomen en Maaikes gedachten waren bij Marianne. Eindexamen doen: het was een spannende tijd. De leerlingen konden de leerstof in de voorbije jaren goed bestudeerd hebben, maar er kon altijd een vraag komen waarmee ze geen raad wisten. Opeens dacht Maaike aan een uitspraak van grootvader Botman, het boerenmannetje met een zwart petje op het hoofd en gele klompen aan de voeten: 'Eén gek kan meer vragen dan honderd wijzen kunnen beantwoorden.' Zo piekerde ze, maar Marianne had haar op het hart gedrukt dat ze zich geen zorgen hoefde te maken, want ze redde het wel. Ze stond er goed voor.

Halverwege de maand juni kwam het bericht dat Marianne met goede cijfers geslaagd was voor het eindexamen atheneum. Dat bracht feest in huize Timmer. De schooltas werd aan de vlaggenstok uit het slaapkamerraam gehangen. 'Dan zien de Van Rittervoordens in het langsrijden met één oogopslag dat onze Marianne geslaagd is en kunnen ze hun Emiel ermee feliciteren,' merkte Esther lachend op.

Er kwam gebak in huis en 's avonds was er een feestje waarop de familieleden kwamen, de buren, vrienden en kennissen. De zaterdagavond daarop vierden de vijf geslaagden uit Wennebroek een denderend feest in de grote keuken bij Arnold de Ruiter met veel jongelui van school, vrienden en vriendinnen.

Een maand later ontving Emiel zijn bul in het grote gebouw van de universiteit van Amsterdam.

Over die uitreiking had het jonge stel veel woorden met elkaar gewisseld. Emiel wilde beslist dat Marianne erbij aanwezig zou zijn, maar zijn ouders verboden hem haar uit te nodigen.

'Ik wil er graag bij zijn, lieve schat, natuurlijk wil ik dat,' zei Marianne, 'want ik zal beretrots op je zijn als je daar staat, maar ik zal me toch niet lekker voelen bij het diner dat je ouders daarna hebben georganiseerd in "De Wintertuin". Je familie komt opdraven en zal me met scheve ogen bekijken: dat is dus de meid waardoor Emiels toekomst te gronde wordt gericht. Je moeder heeft er vast alles over verteld, ook je vader gaf beslist zijn mening. De familie zal denken, – dat zal op hun gezichten te lezen zijn –: wat vreselijk toch voor die goede en fijne ouders... Ik zal me er diepongelukkig bij voelen. Jij hebt die middag en die avond geen tijd om je veel met mij te bemoeien en Wieneke zal dat ook niet doen. Ze heeft vriendschap gesloten met Henri Victor Robertsen en heerlijk, je ouders zijn blij met die knaap! Wieneke zal wel proberen me een beetje op te vangen, want tussen Wieneke en mij is alles nog koek en ei, maar ze komt misschien in moeilijkheden omdat je moeder alles met haviksogen in de gaten houdt. En, nou ja, problemen zullen er voor Wieneke niet uit voortkomen, maar je begrijpt wat ik bedoel, het kan haar middag en avond bederven. En je weet toch, jochie, dat ik de hele middag in gedachten dichtbij je ben. Dat moet je voelen. En als wij bij ons thuis daarna een geweldige avond...'

'Ik weet iets beters,' viel Emiel haar in de rede. Hij nam haar handen in zijn handen, 'we gaan met jouw ouders, Anneke en Theo, Esther en een vriendje of vriendinnetje, net wie ze leuk vindt om mee te nemen, heel uitgebreid en duur dineren in "De Goudvis". Dat is een heerlijk restaurant en je ouders zullen zich daar zeker thuisvoelen.' Hij zweeg even en voegde er toen aan toe: 'Ik vind het vreselijk, lieveling, dat jij er niet bij zult zijn, want het uitreiken van de bul is toch een belangrijke gebeurtenis en de enige mens die ik daar graag bij wil hebben ben jij, maar de dingen die je erover zegt zijn verstandig. Het zal voor mij ook geen fijn gevoel zijn jou alleen te zien zitten en te weten wat er in je omgaat. Ik zal niet zoveel tijd voor je hebben. De mensen die komen, willen allemaal met mij praten en,' hij lachte, 'mij bewonderen..'

Laat in de avond parkeerde Lodewijk van Rittervoorden de grote wagen op het brede oprijpad voor de garage. Caroline, Wieneke en Emiel stapten uit en gingen de villa binnen, Lodewijk reed de wagen via de automatisch geopende deuren de garage in.

Toen hij de ruime huiskamer binnenstapte zat Emiel met languitgestrekte benen op de bank, Wieneke was in de bloemenstoel gedoken en Caroline liep op de hooggehakte schoentjes in de keuken.

'Het was een prachtige dag,' zei Lodewijk. Hij sjorde de knoop uit zijn stropdas en deed hem af, 'een dag, jongen, die je je levenlang niet zult vergeten. Doctorandus Emiel Andreas van Rittervoorden; klinkt dat of klinkt dat niet!' Hij lachte luid. Emiel toverde een glimlach om zijn mond. Lodewijk van Rittervoorden ging zitten en trok bedachtzaam zijn schoenen uit. Toen keek hij naar Emiel: 'Neem eerst een paar weken vakantie, zolang je het prettig vindt, maar natuurlijk niet té lang, ha, ha! Boek een reis naar een warm land. Een georganiseerde reis waaraan meerdere jonge mensen deelnemen is voor jou ideaal.'

Zijn vrouw was intussen terug in de kamer. Ze had ook het knellende schoeisel uitgetrokken, ze droeg nu donkerrode, zachte slofjes.

'Ja jongen, dat is een goed voorstel van papa, een gezelschap van jonge mensen.'

'Ik wil wel een reis maken, maar met Marianne.'

'Lieve jongen dan toch,' zijn moeder legde wanhoop in haar stem, 'je hebt deze middag doorgebracht met mensen van jouw eigen niveau, medestudenten, die je vrienden zijn geworden omdat je met hen op het zelfde vlak ligt wat opleiding en kennis betreft. Je voelt je erbij thuis omdat het jouw wereld is. Je had een goede en een fijne middag en een heerlijke avond met onze familie en de vrienden die bij ons passen.'

Ze zweeg even, er lag een onrustige blik in haar ogen en toen vervolgde ze: 'Omdat het je laatste studiejaar was hebben we je de voorbije maanden met rust gelaten wat de schildersdochter betreft, maar we vinden het nu de hoogste tijd dat je inziet dat jouw toekomst niet met haar verbonden kan zijn. Je moet haar beschouwen als een vriendinnetje uit je studietijd, maar nu begint het serieuze leven voor je.'

'Ja,' nam zijn vader het over, 'we wilden er eigenlijk vanavond, op dit late uur en na zo'n fijne dag liever niet over praten, maar het gesprek gaat nu eenmaal deze kant op. Ik verwacht je na een vakantieperiode van enige weken aan de zaak. Je hebt een veelzijdige gedegen opleiding achter de rug. Deze kennis in praktijk brengen zal een openbaring voor je zijn, want dan gaat het studiemateriaal voor je leven, zo heb ik het destijds ook ervaren.'

Emiel stond op en zag de geïrriteerde blikken van zijn ouders. 'Ik ben moe, ik ga naar bed. Ik zie wel hoe lang ik vakantie neem. Marianne heeft ook vakantie. Ze begint pas op 1 augustus met haar baan op het makelaarskantoor van Herreman Benschop. We hebben nog geen plannen gemaakt. Haar ouders zijn niet enthousiast over zo'n reis voor twee nog niet-gehuwde mensen,' hoe moest hij dit nu uitleggen... Hij zag zijn moeder steeds bleker worden, maar praatte snel verder. Het moest er nú uit: 'maar haar ouders zijn ervan overtuigd dat tussen ons een liefde is die we geen van beiden zullen loslaten. Ik ben dat in elk geval beslist niet van plan en ik hoop dat ze ons, uit dat oogpunt gezien, zullen laten vertrekken.' Hij vond dat hij de woorden 'op niveau' had uitgesproken.

'Maar Emiel!!', riep zijn moeder onthutst, 'begrijp je dan nog niet dat die mensen absoluut niet in ons leven passen?! Kijk naar onze familie, onze vrienden. Zie jij daartussen vrouw Timmer, zoals ze in het dorp zeggen, vrouw Timmer in een zelf gebreide trui en met verhalen over de was strijken en de ramen lappen! Burgermensen!! Ze passen niet bij ons. Marianne zal zich ook nóóit op "De Ritter" thuis voelen. Je brengt ongeluk over het kind door haar dit aan te doen!'

Emiel was opgestaan en liep al in de richting van de kamerdeur. Zijn vader zei nu: 'Laat hem maar, Carolien, we praten nog met hem.'

Emiel liep langzaam de trap op. Deze dag, die ondanks het gemis van Marianne toch een goede dag was geweest, de bekroning van zijn studie, eindigde als een verdrietige dag.

De volgende middag reed Emiel naar huize Timmer. Het was een prachtige voorjaarsdag, de zon scheen uitbundig, de lucht was blauw, witte wolkjes dreven langzaam voorbij.

54

Marianne had een stretcher onder de perenboom op het kleine grasveld neergezet. Ze lag met gesloten ogen te soezen, maar ze sliep niet, omdat ze op Emiel wachtte. Hij zou haar vertellen over de plechtigheid in de aula, over de receptie daarna en over het diner in 'De Wintertuin'. Ze hoorde zijn wagen stoppen en kort daarna zijn voetstappen op het tuinpad. Ze ging rechtop zitten. Emiel knielde bij haar neer en kuste haar. 'Mijn lieve meisje, hier ben ik, doctorandus Emiel Andreas van Rittervoorden.' Hij lachte stralend.

'Hoe was het? Pak een stoel, het is hier heerlijk. En vertel! Ik wil alles weten.'

Emiel vertelde het hele verhaal, maar ook over het treurige slot. 'We kwamen laat thuis, het diner had veel gangen en ja, dan wordt het laat. Toen we thuis waren zei vader dat ik een paar weken, liefst vier of vijf weken vakantie moest nemen en dan: aan het werk bij Van Rittervoorden! Hij popelt van verlangen om samen met mij aan de slag te gaan. Want ik heb zo losjesweg wel eens wat leuke ideetjes naar voren gebracht en daaruit maakte papa op: die jongen heeft er zin in! En dat is ook zo.'

Emiel keek haar met een lach op zijn gezicht aan. 'Vader heeft geleerd van de periode waarin hij, als beginnend zakenman met zijn vader samenwerkte. Die man had ervaring en wilde die ervaring snel aan zijn zoon overdragen. Lodewijk begreep dat wel van zijn vader en daarom nam hij het zijn papa niet kwalijk dat die vaak erg docerend overkwam, hoewel hij dat af en toe helemaal niet prettig vond. En nu is Lodewijk de vader en ik ben de zoon. Met zijn eigen ervaring in zijn achterhoofd wil hij ervoor waken op dezelfde manier te werk te gaan. Het zal vriendschappelijker gaan, hij wil me de vrijheid geven eigen ideeën te ontplooien en hij zal mild op mogelijke fouten reageren...'

'Het wordt dus een ideale samenwerking,' lachte Marianne met hem mee.

'Ja. En ik denk ook dat dat tussen mijn vader en mij mogelijk zal zijn, zonder de persoonlijke problemen er omheen. Zelfs gisteravond, op de dag van mijn afstuderen, konden ze er hun mond niet over houden en begonnen ze over mijn liefde voor jou. Dat zeg ik niet goed, ze

noemden het woord liefde niet, voor hen is het "omgang" met jou.'
Marianne knikte. 'Ze zullen doorgaan tot we helemaal murw van zijn en een punt zetten achter onze vriendschap. En misschien, Emiel, als je ervan overtuigd bent dat ze dat zal lukken is het verstandiger dat we dat nu meteen doen. Dat voorkomt voor alle partijen maanden, wie weet zelfs járen van ruzies en narigheid.'

'Nee, lieveling, dat gebeurt niet. Beslist niet. We ontwerpen samen een plan voor onze toekomst. Ik wil graag in het bedrijf werken, maar als blijkt dat er geen opening te vinden is voor jou en voor mij zal ik niet langer bij mijn vader blijven. Ik heb intussen,' hij grijnsde, maar het was een wrange grijns, – Marianne zag hoe hij deze woorden meende –, 'ik heb ervaring opgedaan en ik vind zeker een andere, goede baan.'

'Emiel, nee, dat mag je niet doen! Denk aan je grootvader! Je bent erg op hem gesteld. Hij is nog zo verbonden met alles van Van Rittervoorden! Hij vertelt graag over vroeger, hoe zijn vader de handel startte en zijn moeder in de beginjaren zuinig moest omgaan met de huishoudportemonnee omdat het geld wat boven het weekloon werd verdiend weer in het bedrijf moest worden geïnvesteerd. Maar het bedrijf groeide en groeide en toen hij de leiding overnam was het een prachtig bedrijf. En hij had een zoon, Lodewijk, een jongen die met hem samenwerkte. Heerlijke jaren samen, goede jaren, vader en zoon... Toen hij zich terugtrok, ja, wel met pijn in het hart, – maar zo is het leven nu eenmaal, de jaren gaan voorbij en een mens wordt ouder –, nam hij met een goed gevoel voor de toekomst afscheid, want Lodewijk leidde het bedrijf met sterke hand. Wat heerlijk dat hij een zoon heeft, een échte Van Rittervoorden die klaar staat om met zijn vader, dat is opa's zoon, aan de slag te gaan...'

'Ik krijg er bijna tranen van in mijn ogen,' lachte Emiel. 'Ja, zo praat opa erover en zo zou het ook kunnen gaan. Als ze mij de keus lieten te trouwen met het meisje waarvan ik hou. Dat ligt nu nog heel moeilijk en ik ben heel bang dat het ook niet zal veranderen. Moeder heeft er vastomlijnde ideeën over en ze heeft mijn vader er door de jaren heen van overtuigd hoe sterk hun positie is in de kringen van geslaagde zakenmensen. En doktoren. En directeuren van musea. Noem maar op. Ze zijn omringd door veel mensen waar we tegenop kunnen kijken.'

Hij knikte beslist.

Ze praatten erover door tot Marianne zei: 'We kunnen er nog uren over praten en ik weet niet hoe we daar iets aan kunnen veranderen. Laten we liever vakantieplannen maken.'

'Ja. Zullen we een reis boeken naar Ibiza of Majorca? Of naar een badplaats in Zuid-Italië?'

'Het is niet verstandig je ouders zo hard tegen de toch al zere benen te schoppen. Er samen opuit gaan in ons eigen land lijkt me ook heerlijk. Een tochtje over de Veluwe; ik heb nog weinig van de Veluwe gezien en ik heb laatst een artikel gelezen over de stad Groningen, het lijkt me heerlijk daar rond te kijken. En een dagje Weerribben verkennen. En de Achterhoek, maar dat is voor één dag te ver weg...'

In de volgende dagen maakten ze meerdere dagtrips. Ze vertrokken vroeg in de morgen naar de Veluwe, maakten een prachtige wandeling langs een rode-paaltjes-route, atcn in een gezellig restaurant in Apeldoorn en kwamen laat in de avond weer thuis. Marianne vertelde enthousiast over de voorbije dag aan de familie thuis, de ouders van Emiel vroegen niet waar hij die dag was geweest. De volgende dag stond Groningen op het programma, het was nog een hele reis, maar het was in een dag te doen. Ook de Weerribben was een dagtrip.

Woensdagavond stelde Emiel voor: 'Morgenochtend rijden we op een redelijke tijd naar de Achterhoek, liefke en ik vind dat we daar een paar dagen – en nachtjes – in een leuk hotelletje kunnen blijven. Mijn ouders vragen me niet waar ik heen ga. Ze weten dat jij met me meegaat en dat is genoeg om geen interesse te hebben. Jij kunt je ouders vertellen wat onze plannen zijn.'

Tegen het einde van die woensdagmiddag vonden ze een leuk hotelletje in een bosrijke omgeving. Hun kamer was ruim met een breed bed, toegedekt met een glanzende sprei in zachtroze en witte banen. Voor het brede, lage raam was een zithoekje vanwaar je uitkeek op de prachtige tuin. De zomeravondzon straalde over de kleurrijke bloemenzee, de avondwind wiegde de bladertakken van bomen en struiken en vogels zongen kwetterend hun avondliedjes. Uit de keuken van het hotel klonken stemmen en af en toe een luide lach. 'Dat is Gerrit,' wist Emiel, 'een uitstekende kok. Zullen we nog een wandelingetje maken, even door het dorp kuieren? Daarna drinken we beneden koffie of thee, net waar we zin in hebben en dan gaan we naar onze kamer. Wij samen in een kamer, en straks, lieveling, samen in één bed.'

Op de terugweg naar het hotel, hand in hand over de dorpsstraat, zei Emiel: 'Ik bel straks even naar mijn ouders. Een kort berichtje: ik kom vanavond niet thuis, ik slaap met Marianne, alles is goed. Ik geef, wie ook opneemt, geen gelegenheid tot het stellen van vragen.'

Tenslotte lagen ze dicht naast elkaar in het bed. 'Dit wordt onze eerste nacht als man en vrouw, mijn lieve schat,' Emiel hield haar in zijn armen, 'en vanaf nu denken we alleen aan elkaar en aan onze liefde. Niemand kan die liefde kapot maken. Het enige, echt belangrijke in mijn leven ben jij. Alleen met jou kan ik gelukkig zijn. Ik weet dat het zwaar klinkt als ik dit zeg, maar het is de waarheid. De waarheid van mijn leven. Dat ben jij voor mij en ik ben dat voor jou en dat zal ons levenlang zo blijven. Niets is belangrijker dan dat. We zullen jouw ouders niet verliezen, die blijven om ons heen. Als ik mijn ouders moet loslaten omdat ze jou niet willen accepteren laat ik ze los. Het is jammer en onnodig, want jij bent het liefste meisje van de hele wereld, maar als ze ervan overtuigd blijven dat je niet in hun leven past, verlaten we samen dat leven van hen.'

De volgende morgen werd Marianne vroeg wakker door het getjilp en gesnater van vogels die in de goot van de overstekende kap vlakbij het raam van de kamer zaten. Ze keek op het klokje op het nachtkastje. Zeven uur. Nog vroeg dus. Het zonlicht drong binnen door de lichte, nog toegeschoven gordijnen.

Ze keek naar Emiel. Mijn man, dacht ze met een glimlach, na deze nacht is hij mijn man. Ze had het enkele jaren geleden gelezen in een boek van moeder, dat ze uit de boekenkast had genomen toen moeder niet huis was. De man waarmee een vrouw sliep en de vrouw waarmee een man sliep maakte hen, in het boek, tot een echtpaar. Ze had als elfjarige het stuk over dat slapen met rode oortjes en een snel kloppend hartje gelezen. En met jou, Emiel van Rittervoorden, heb ik het beleefd.

Ze wilde hem zachtjes aaien, de blote schouder, het dikke haar, zijn gezicht, maar ze deed het niet. Ze bleef naar hem kijken. Hij was voor haar jarenlang alleen het broertje van Wieneke geweest. In die tijd vond ze hem soms een vervelend jochie; hij plaagde hen vaak en als hij meespeelde met hun spel wilde hij altijd wat anders. Hij wilde een inbreker zijn of hij bedacht een of ander avontuur door in een van de bomen in de achtertuin te klimmen. Toen ze wat ouder werd begon ze hem anders te zien en vond ze hem aardig, maar daaraan gaf ze niet toe, want dan was ze wat Tinie en Margje een 'jongensgek' noemden en dat wilde ze beslist niet zijn. Toch keek ze anders naar Emiel en ze wist dat hij haar graag mocht, door de manier waarop hij naar haar lachte, de vriendelijke woorden die hij zei, zijn gebaren. En nu hadden ze dan samen geslapen, zoals men dat noemde.

Emiel voelde haar blikken op zich gericht. Hij draaide zijn hoofd in haar richting, knipperde met zijn ogen en keek haar aan. 'Mijn vrouwtje, je bent al wakker? Hoe laat is het? Het is al licht! En wat maken die vogels veel lawaai! Hoe voel je je? Gelukkig, blij...'

Ze bleven in het bed liggen en praatten zacht met elkaar, tot Emiel zich op zijn zij draaide en haar aankeek. 'Gisteravond, Marianne, toen jij al heerlijk sliep, dacht ik er aan dat je na deze nacht zwanger zou kunnen zijn en ik voelde daar blijdschap over. Dat klinkt misschien een beetje vreemd, maar dat is het niet. Want als je zwanger zou zijn gaan we snel trouwen en ik wil niets liever dan trouwen met jou. Ik heb een leuke bankrekening, daarvoor hebben mijn ouders wel gezorgd,' hij lachte opeens luid. 'En opa Van Rittervoorden zorgde af en toe voor een stevige duit in het zakje. We kopen een huis en alle spulletjes.'

'Nee, Emieltje, dat gebeurt niet. Omdat ik dat niet wil. Ik wil graag met je trouwen, maar niet omdat ik een kind van jou moet krijgen.'

'Ha, ha, mijn geëmancipeerde Mariannetje! Maar,' weer ernstig, 'misschien zou het de houding van mijn ouders veranderen.'

'Als ze er nu van overtuigd zijn dat ik te min of te dom ben om in de familie Van Rittervoorden te passen zal een zwangerschap daarin geen verandering brengen. Het zal ze maar zorgen baren hoe ze dat kleinkind, ook het kleinkind van een huisschildertje, in moeten passen in hun niveau.'

'En,' hij keek haar toch een beetje streng aan. 'Jij weet dat er geen zwangerschap uit voort kan komen? Je hebt me daar nooit iets over gezegd.'

'Nee. Maar ik kende je liefde en die zou op een dag kunnen ontvlammen. En met jouw koninkrijk in Amsterdam, de poorten op slot...'

'Lieve, berekenende, verstandige, heerlijke vrouw...'

Ze bleven nog twee dagen en één nacht in de Achterhoek en reden toen terug naar huis.

Emiel reed zijn auto de garage in, pakte de kleine koffer uit de bagagebak en stapte het huis binnen. Nu zou de storm losbreken... Maar hij durfde het aan, want in zijn hart zong een liefdeslied. Zijn ouders waren beiden in de huiskamer, Wieneke was in de muziekkamer, aan het pianospelen.

Zonder groet barstte zijn moeder los, zijn vader keek toe en luisterde. 'Waar kom jij in hemelsnaam vandaan! Waar heb je met die meid gezeten! Even bellen, maar we wisten helemaal niet waar je zat!' Ze schreeuwde en dat was niets voor zijn moeder, want dat was niet netjes voor een mevrouw Van Rittervoorden, maar ze was woedend. Ze tierde inwendig al enkele dagen. 'We weten wel hoe het is gegaan! Ze heeft je uitgedaagd, je wild gemaakt, je gezegd dat jullie samen ergens konden slapen! Zo'n meid weet dat een gezonde jonge kerel zo'n aanbod niet zal weigeren en jij, met het waanidee dat deze Marianne het voor jou is, jij zei daar natuurlijk geen nee op! Je bent erin geluisd! Het is een uitdrukking die mij niet past, maar de burgerij gebruikt het en wij begrijpen wat ermee wordt bedoeld omdat "inluizen" in dit geval de juiste uitdrukking is voor het gemene wat een vrouw een man kan aandoen, inspelen op zijn verlangen naar seks! Ze heeft je klem gezet en het zal haar doel zijn je na deze nachten tot een huwelijk te dwingen. Misschien is ze al zwanger! Maar vader en ik buigen niet voor zo'n dreigement! We laten ons niet manipuleren! Als het zo is, – ondanks alles hoop ik voor haar dat God het verhoedde –, maar áls het zo is moet ze zelf de lasten dragen. Ze heeft het over zichzelf uitgeroepen en ze zal ook de gevolgen zelf moeten ondervinden.' Het gezicht van zijn moeder zag knalrood, haar ogen flitsen woedend naar hem.

Nu pas zei zijn vader: 'Caroline, beheers je. Ik begrijp dat je boos bent, we zijn beiden boos.' Hij keek Emiel streng aan. 'In de eerste plaats omdat je een paar dagen met dat meisje in een huisje of een hotelletje hebt gezeten zonder ons daarvan van te voren over in te lichten. Je bent onze zoon, je woont in dit huis. Je hebt hier onderdak, wij hebben het recht van de plannen te horen.'

'Dan had u het me verboden. En ik, hoort u, ík wilde met Marianne in een hotelletje logeren.'

'Ja,' gilde zijn moeder nu, 'omdat je een man bent en mannen vinden het heerlijk een vrouw bij zich in bed te hebben. Dat is niet abnormaal en we nemen het je niet kwalijk, maar we hadden je gewaarschuwd voor eventuele gevolgen die in jouw verliefde kop niet opkwamen!'

'Nee, die kwamen niet in mijn kop op. Omdat het enige wat ik wil is trouwen met Marianne en een kind van ons samen is me héél welkom.'

Zijn moeder slaakte een diepe zucht en zei hoofdschuddend: 'Er is niet met je te praten, domme, domme jongen.'

'Laten we er daarom vanavond niets meer over te zeggen,' zei zijn vader, 'dat doen we morgen, als je weer normaal kunt denken.'

Emiel liep zonder nog een woord te zeggen de kamer uit, ging de brede trap op, opende de deur van zijn ruime kamer en draaide de deur achter zich in het slot.

Hoe zou vader dit morgen willen oplossen? Eiste hij dat hij het contact met Marianne verbrak en als hij dat niet zou doen, wilde hij hem dan niet in het bedrijf opnemen? En moeder? Wat voegde zij er nu, op dit moment, in de huiskamer aantoe?

Emiel kleedde zich langzaam uit. Voor hij vanavond wegreed zei Marianne nog door het geopende autoportier: 'Sterkte jongen. Er staan je beslist boze woorden te wachten, maar ik denk aan je. Dat zal je sterken.'

Hij glimlacht erom. Zijn verstandige meisje. Ze wist dat vandaag of morgen hun liefde verder zou gaan dan een omhelzing en een zoen. Niet zoals ze soms in het café hoorde van jongelui uit het dorp op een donker plekje in de berm van een zijweggetje of snel, als de ouders niet thuis waren, op de bank in de huiskamer, maar, zoals ze zei, in zijn slaapkamer in Amsterdam. Of zoals het nu was gegaan, in de schemerverlichte slaapkamer van 'De Bosrand'. Het zachte bed, de herinnering aan Marianne in het heel dunne, korte nachthemdje...

Moeders woorden 'ze wil je erin luizen', nee moeder, Marianne wil dat niet. Ík wilde het, maar Marianne wil vrij staan van jullie.

In de spiegel boven de wastafel keek hij zichzelf aan. Wat er ook gebeurt, Emiel van Rittervoorden, tussen Marianne en jou gaat het niet voorbij...

Beneden in de woonkamer was Caroline zachtjes aan het huilen. Ze depte met een klein zakdoekje de tranen van haar wangen. 'Wat... wat,' snikte ze, 'wat wil je doen, Lodewijk?'

Ze zal me nooit 'Lo' noemen, – vreemd dat hij dat nu dacht –, ze houdt niet van naamsafkortingen, 'Lo' klinkt niet goed. Dat was ook wel zo, Lodewijk was een mooiere naam, maar op een vreemde manier irriteerde het hem; misschien omdat ze zijn naam zo geaffecteerd uitsprak. Caroline zei sniffend: 'We hebben erover gepraat, maar je hebt nog niet gezegd wat je eraan wilt doen.'

'Omdat het een moeilijke beslissing is. Ik ben het met je eens dat het meisje Timmer voor Emiel een verkeerde keus is. Dat zal een huwelijk tussen hen ook voor háár zijn, want ze zal zich niet thuisvoelen in onze kringen. Het is geen discriminatie. Ik kijk niet neer op mensen die door eenvoudig werk hun brood verdienen en de dubbeltjes om moeten draaien om rond te komen. Er zijn vele duizenden gezinnen die zo leven. Dat is geen schande, maar hun wereld en onze wereld zijn verschillende werelden: er gelden andere normen, andere gedachtegangen, andere omgangsvormen, andere levensverwachtingen. Het meisje Timmer zal zich in onze kringen nooit op haar gemak voelen.

We moeten een weg vinden waarmee we bereiken dat Emiel dat inziet en een einde maakt aan deze verliefdheid, want meer dan dat is het niet voor hem.

Als we hem nu hard aanpakken brengt dat mogelijk nog meer schade toe. Hij is nog een jongeman. In zijn brein denderen de woorden dat hij zijn geliefde moet beschermen en voor haar moet vechten. Jij bent een vrouw,' hij lachte even naar haar, 'maar ik kan me als man voorstellen welke gedachten en gevoelens in de jongen leven. Het is ook het gebrek aan ervaring. Dat geldt eveneens voor het meisje Timmer. Ze beseft niet dat ze thuishoort in gezinnen van eenvoudige mensen. In de toekomst moet ze een schoonmoeder hebben die praat over de bereidingswijze van een koolschotel en die, in geval van ziekte en zeer, zoals men dat in die kringen noemt, komt helpen. 's Morgens afwassen, 's middags boodschappen doen. Dat hoeft ze van jou niet te verwachten.' Hij keek naar haar met het lachje van een man die weet hoe het leven in elkaar steekt, maar in zijn achterhoofd vroeg hij zich af of hij zijn vrouw wilde helpen of alleen zichzelf... Want als Emiel de kop in de wind gooide, hij was tenslotte een Van Rittervoorden, kon hij koppig zijn.

'Op welke manier denk je dit te bereiken?'

'Het lijkt me het beste de komende tijd onze mond te houden. Ik heb wel gezegd dat we er morgen over zullen praten, om hem duidelijk te maken wat wij willen. Maar, dat weet hij onderhand wel: een einde aan de vriendschap maken, ook al is er meer gebeurd dan de handjes vasthouden en een kusje geven en vervolgens als hij het niet uitmaakt, weigeren hem in de zaak op te nemen.

Ik besef nu dat het een té drastisch besluit zal zijn. Dat kunnen we beter niet doen. Zoals we in zijn laatste studiejaar hebben gewacht op zijn afstuderen, Caroline, lijkt het me nu het beste wéér geduld te hebben en te kijken hoe het zich ontwikkelt.'

'Ik geloof daar niet in. Vergeet niet hoeveel sterker Emiel nu in zijn schoenen staat. Hij heeft de papieren in zijn zak, hij kan overal een goede baan krijgen. En de band tussen het meisje Timmer zoals jij haar steeds noemt en hem is gegroeid naar een verhouding van man en vrouw, ze gaan met elkaar naar bed. Uit alles is op te maken dat haar ouders daarmee geen moeite hebben. Meestal zitten de moeders van jonge dochters in Wennebroek in angst als hun meidje met een jongen "de weid uitgaat", maar deze mensen maken zich geen zorgen want ze zien in Emiel een goede man voor hun dochter. Het is een aardige vent, hij zal zijn brood goed kunnen verdienen en bovendien heeft hij een leuk bedrag op zijn bankrekening staan. Voor vader en moeder Timmer zijn dat goede vooruitzichten.'

'Ik ben het met je eens, Caroline, maar ik heb er vannacht over nagedacht. Ik werd na een korte slaap wakker en ik geloof tóch dat we niet met de botte bijl moeten hakken. Dat kan veel kapot maken. Ik wil enkele maanden met hem samenwerken om een vertrouwelijker verhouding tussen hem en mij op te bouwen en hem liefde voor het bedrijf bij te brengen. Hij weet er al veel van, maar hij draait er niet in mee. Dat zal hem boeien, daarvan ben ik overtuigd.'

Caroline knikte wel, maar ze was het niet met hem eens. Ze geloofde niet dat Emiel, na wat er gebeurd was in dat hotelletje in de Achterhoek, het meisje Timmer zou loslaten. Maar ze ging er niet verder op in. Lodewijk had zijn plan gemaakt en nu hij zei dat hij het enkele maanden wilde afwachten zou zij zich in die maanden stil houden. Nou nee, niet stil houden, ze zou Emiel steeds weer en steeds weer hun mening opdringen. Tot het tot hem doordrong dat zijn ouders gelijk hadden. Dat het het beste was om met dit meisje te breken.

De volgende dag, tijdens de lunch, zei Lodewijk van Rittervoorden tegen Emiel: 'Ik heb besloten dat we moeten beginnen met onze samenwerking. Je weet nu hoe mama en ik over je verhouding met dat meisje denken en we verwachten dat je daarin snel een juiste beslissing neemt.'

Emiel antwoordde niet, hij knikte ook niet instemmend.

Hoofdstuk drie

'Ik stel voor,' zei Emiel die vrijdagavond, 'om morgen opa Van Rittervoorden op te zoeken. Hij heeft jou nog niet ontmoet. Ik weet ook niet of mijn ouders over de toestanden bij ons thuis met hem hebben gesproken, maar ik vermoed van niet. Het heeft immers weinig nut om die oude man ermee op te zadelen, het kan hem alleen maar onrustig maken. En daarbuiten, ze zoeken hem niet vaak op, ze hebben het te druk. Maar ik ben erg op opa gesteld en hij is dat op mij, en hij zal het prettig vinden met jou kennis te maken.'

Ze gingen al vroeg op pad en tijdens de rit vertelde Emiel over zijn opa.

'Het is een aardige en ook een verstandige man. Hij is nu drieënzeventig of vierenzeventig, dat weet ik niet precies, maar hij is nog heel kras. Zijn verstand is prima en ook zijn gezondheid. Hij loopt alleen wat moeilijk omdat een van zijn knieën wat hij noemt "onwillig" is geworden. Hij woont in een ouderenflat, zoals het gebouw wordt genoemd. Hij heeft er een prachtige flat, een mooie kamer met uitzicht op de tuin, een leuke keuken, alles wat hij nodig heeft. Hij is naar "De Willemshoeve" gegaan nadat mijn oma was overleden. Het was zo stil in huis en hij voelde zich heel eenzaam en ongelukkig zonder haar. In "De Willemshoeve" ontmoet hij mensen. Er is van alles te doen. Omdat opa een aardige kerel is zijn er genoeg mensen die graag met hem omgaan. Hij drinkt 's morgens koffie in de huiskamer beneden, en 's avonds komen er dikwijls vrienden bij hem op bezoek, een echtpaar dat op dezelfde gang een flat heeft. Dat zijn Henk en Annie Bovenkerk. Alles is voor hem beter dan eenzaam te zijn in het grote huis waar hij met mijn grootmoedertje gelukkige jaren heeft beleefd en waar veel fijne herinneringen hingen. Hoewel hij het heel prettig heeft op "De Willemshoeve", mist hij haar nog steeds verschrikkelijk.'

De Willemshoeve was een groot licht gebouw aan de buitenkant van Haarlem. Het stond midden in een prachtige tuin, die meer op een park leek. Ze reden door het hek naar binnen, Emiel stuurde de wagen de parkeerplaats op en ze wandelden met de armen om elkaar heen geslagen naar de brede toegangsdeur.

'We nemen de lift,' Emiel drukte al op de knop. Ze zoefden naar de derde etage. Een stukje lopen door een stille gang. Emiel drukte op een deurbel en de deur werd geopend. De heer Van Rittervoorden stond voor hen. Een oude man, maar Marianne zag in hem de kerel die hij vroeger geweest moest zijn. Toen hij jong was, recht en fier en groot zoals Emiel nu. Het dunne haar was nog blond en de lach op het smalle gezicht met veel rimpels was vriendelijk. Hij had een klein snorretje en zijn blauwe ogen lachten naar hen.

'Je doet er goed aan, mijn jongen, je meisje mee te nemen nu je me bezoekt. Ik ben blij jullie te zien. Maar ik geef je eerst een hand en ik wil graag je naam weten. Marianne? Een mooie naam met herinneringen aan bezoeken aan Frankrijk. Daar houden ze ook van Marianne. Kom binnen en zoek een plaatsje.' Hij lachte vriendelijk.

Het gesprek kwam niet echt vlot op gang. Emiel vroeg hoe het met opa ging en opa antwoordde dat hij het op 'De Willemshoeve' best naar zijn zin had. Er werd goed gekookt en lekker eten is nu eenmaal belangrijk als je ouder wordt. En dan de gezelligheid natuurlijk. Opa lachte er een beetje bij.

Grootvader drukte op een klein, blauw belletje en even later bracht een jong meisje een blad waarop onder een kleurige muts een theepot stond met daarnaast een schaaltje koekjes. 'Ik kan natuurlijk ook zelf thee zetten en ik heb koekjes in de kast, maar als ik even bel brengt een van de meisjes koffie of thee. Annelies brengt me graag wat lekkers.' Hij pakte kopjes uit de kast en schonk de thee in. 'Ook dat kan ik nog heel goed. Zonder trillen, zonder morsen.'

Toen hij weer in zijn stoel zat zei hij: 'Ik heb gehoord dat er onenigheid is tussen jou en je ouders, en naar ik meen vooral tussen je moeder en jou, Emiel. Je ouders vertelden het me niet. Ze komen niet dikwijls, maar ik weet hoeveel zaken je vader aan zijn hoofd heeft. Ik neem het hem niet kwalijk. Ook Caroline heeft drukke bezigheden. Ze mogen dan in mijn ogen niet zo belangrijk zijn' – hij lachte even – 'maar voor háár zijn ze dat wel. De tennisclub en de groep vrouwen waarmee ze tentoonstellingen bezoekt, en een andere groep waarmee ze andere culturele belangen nastreeft, kortom, er is veel te doen voor Caroline.' De toon waarop hij één en ander zei verbaasde Marianne een beetje. Er zat lichte ironie in. Mogelijk bedoelde hij te zeggen: met die bezigheden wordt geen geld verdiend, het kost alleen maar geld. Zo'n man was opa Van Rittervoorden.

'Wieneke is hier kort geleden geweest. Enkele dagen daarvoor kwam ze met haar vriend. Dat is een aardige jongen. De zondagmiddag daarop kwam ze alleen en ze vertelde over jullie vriendschap.' Hij keek van Emiel naar Marianne. 'Wieneke is erg op jou gesteld. Jullie gaan al jarenlang met elkaar om, vertelde ze, maar de ouders staan heel afwijzend tegenover jou.'

Opa Van Rittervoorden praatte en de jonge mensen zwegen en luisterden.

'Ik weet dat er in jullie gezin vrijwel niet over vroeger wordt gesproken. Daarom wil ik dat, als jullie het goed vinden, nú doen.' Emiel en Marianne knikten allebei. Niet alleen omdat ze nieuwsgierig waren naar zijn verhaal, vooral Marianne was dat, maar ook uit beleefdheid tegenover de oude man.

'In ons gezin werd vanaf een bepaald moment, Lodewijk was toen ongeveer tien jaar, niet meer over "vroeger" gesproken. Daarvoor was dat wel zo. Toen mijn ouders nog leefden vertelden ze graag – vooral mijn vader – over vroeger. Het jongetje Lodewijk vond dat prachtige verhalen.

Mijn vader is in de vorige eeuw geboren, om precies te zijn in 1890, in een arm gezin. Er waren destijds heel veel arme gezinnen. Hij ging vijf, misschien zes jaren naar school. Hij nam alles wat de meester de kinderen bijbracht goed in zich op, vooral het rekenen. Zodra hij van school kwam, zocht hij werk en door het geld wat hij inbracht werden de lasten van het gezin iets lichter. Hij werkte bij wat men nu een aannemer noemt, maar meer dan een timmerman met een klein werkplaatsje was Harmen Stellendam niet.

Mijn vader was een oplettend manneke en al snel besloot hij dat hij, als het enigszins kon, voor zichzelf wilde beginnen. Daarom stopte hij alle centen en stuivers die hij niet echt hoefde uit te geven in een busje. Hij begon "voor zichzelf" toen hij negentien was. Niet als timmerman, maar met een handeltje in materialen die voor de bouw van huizen en schuren nodig waren. Stenen, zand, cement, dakpannen; die handel. Hij trouwde met Wiebrechtje van Gelderen en Wiebrechtje begreep wat hij wilde: proberen een betere toekomst op te bouwen voor henzelf en voor, daarop hoopten ze, hun kinderen. Ze hielp hem zoveel ze kon. Ze beheerde de huishoudportemonnee heel zuinig zodat elk extra verdiend dubbeltje in "het busje" kon glijden. Om weer materiaal te kopen. Er werden drie kinderen geboren. Mijn zusje Engeltje, die we Elly noemden, daarna kwam ik, Andreas, in 1915 en daarna zusje Marijne.

Ik werkte al snel mee in het bedrijf. Vader, moeder en ik vormden een hecht driemanschap, de zusjes vielen daar een beetje buiten. Daarna kwamen de oorlogsjaren, waarin alles min of meer stillag, maar kort na 1945 bloeide het bedrijf op. Het was de tijd van de wederopbouw, veel materialen waren nodig.

Ik trouwde in 1939 met Christine en in 1942, in het derde oorlogsjaar, werd onze zoon Lodewijk geboren. Jouw vader.' Hij keek even naar Emiel, die knikte. 'Toen Lodewijk een jochie was van negen of tien jaar luisterde hij graag naar de verhalen die zijn grootouders vertelden over het begin van het bedrijf. Opa kon prachtig vertellen over het vervoer per schip van de grondstoffen, het lossen aan de kade, het wegbrengen van de goederen met paard en wagen of op een handkar. Grootmoeder vertelde over het zuinige leven, het sparen en opzijleggen voor de zaak.

Toen Lodewijk zestien was, ik zei het zo-even al, wilde Lodewijk opeens niets meer over vroeger horen. Hij was na de lagere school naar de H.B.S. gegaan en daarna naar een middelbare technische school en daarna naar een hogere technische school. Hij leerde er heel veel wat hij later in het bedrijf goed kon gebruiken. Hij had het zakelijk inzicht dat de Van Rittervoordens eigen was en een gedegen opvoeding in soberheid van moeder Christientje.

Het bedrijf was inmiddels uitgegroeid tot een flink bedrijf, goed georganiseerd met een groot opslagterrein en loodsen, eigen vracht-wagens, kranen en noem maar op. In dat bedrijf had mededirecteur Lodewijk zijn stek gevonden en hij wilde geen gepraat over "het armoedige vroeger" ten opzichte van de vrienden en kennissen die hij nu had. Die hadden daar niets mee te maken. Het zou ze niet interes-seren ook. Mijn vrouw en ik schaamden ons er niet voor maar Chris-tientje zei: "De jongen verkeert in andere kringen. Hij is groot gewor-den in een omgeving zonder financiële zorgen: iedere tijd heeft zijn eigen decor."'

Marianne luisterde geïnteresseerd naar de rustige stem van de oude man en ze keek naar het warme gezicht waarover een blik van tevre-denheid was gegleden. Alles was volgens plan verlopen. Het doel was bereikt.

'Nu kom ik bij Caroline, maar ik zal voor ik over haar iets zeg de koffie aanzetten. Zo lang duurt het niet wat ik over haar wil vertellen. Daarna drinken we koffie, ik heb lekkere koeken in huis en dan babbelen we over andere dingen. Jouw werk bijvoorbeeld, Marianne. Maar ik wil jullie graag eerst vertellen wat ik over Caroline weet.'

Hij was opgestaan en naar de kleine keuken gelopen. Hij vulde het reservoir met water en schepte koffie in de filter. Weer terug bij de tafel, het koffiezetapparaat zacht pruttelend op de achtergrond, begon hij: 'Jullie weten natuurlijk allebei dat Carolines ouders mensen waren met veel geld, van huis uit rijk.

De moeder van Caroline was een bijzondere vrouw, ook om te zien. Ze was tenger en klein, ze had prachtige, grote, bruine ogen en heel donker haar, een beetje een Indonesisch type. Ze schilderde, maar dat weten jullie natuurlijk. Ze maakte prachtige miniatuurtjes. Ze verkocht ze vrijwel niet. Soms gaf ze iets weg aan vrienden en de andere bewaarde ze. Ze namen tenslotte weinig ruimte in.

Adriënne Steggerda was een graag geziene figuur in de artistieke wereld en toen Caroline nog een jong meisje was, nam haar moeder haar dikwijls mee naar tentoonstellingen in galeries en musea. Daar werd lang niet altijd werk van haar geëxposeerd, maar men kende haar en ze nam Caroline mee om haar dochter kennis te laten maken met mooie dingen. Caroline had een grote bewondering voor haar moeder. Het was, dat durf ik wel te zeggen, haast een verering van het meisje en ook haar vader, Nicolaas Steggerda, voelde verering voor zijn vrouw. Ze was zo bijzonder, bijna geen gewone vrouw. Ze stond boven mensen die het gewone leven leiden met hun zorgen om werk, en om geld, die zich bezighouden met ruzies en onlusten. Adriënne leefde een leven van kunst in een heel aparte sfeer.

Toen Lodewijk Caroline ontmoette viel hij onmiddellijk voor haar en naar mijn mening speelde haar achtergrond daarin een belangrijke rol. Lodewijk ging er helemaal in op. Naast hard werken en geld verdienen hoorde hij nu gesprekken aan over schilderkunst, literatuur, toneel en muziek en zijn leven werd daardoor verrijkt. Oma Christine zei: "Het verleden is voorbij, daarover wordt niet meer gedacht en niet meer gepraat."'

Hij stond op.

'Zal ik koffie inschenken?' bood Marianne aan.

'Nee meisje, ik had jarenlang geëmancipeerde vrouwen om me heen, mijn eigen vrouw en Adriënne, die we regelmatig ontmoetten, Caroline en ook Wieneke. Koffie zetten en inschenken kan elke man. Blijf dus lekker zitten.' Hij legde in het voorbijgaan even zijn hand op haar schouder. 'Adriënne en Nicolaas waren ook de grootouders van onze kleinkinderen en dat gaf een stevige band.'

Toen de kopjes op tafel stonden maakte hij het zichzelf gemakkelijk, leunde iets naar voren en zei: 'Ik zal jullie zeggen hoe ik over Caroline denk.

Ik heb vanaf mijn jonge jaren hard in het bedrijf gewerkt en er was weinig tijd voor andere dingen dan zakendoen, maar er was iets wat me altijd heeft beziggehouden. Daarvoor hoefde ik geen huiswerk te maken of onderzoek te verrichten. Ik was namelijk geïnteresseerd in de gedachtewereld van de mensen om me heen. Mijn eerste ervaring daarmee was op de lagere school, in de derde klas. Er zat een jongen in die klas, Dick Kwadijk, ik zal zijn naam nooit vergeten. Die knaap probeerde zijn verlegenheid te overwinnen door grote bekken op te zetten tegen iedereen die hem voor de voeten liep. Het was een nare, brutale jongen. Maar ik voelde dat hij eigenlijk zijn verlegenheid verstopte achter dat schild van schreeuwerige grootspraak. Toen hij mij op een dag wilde afblaffen riep ik luid zodat de halve school het kon horen: "Je blèrt omdat je zo verlegen bent!! Op deze manier durf je wat te zeggen! Niet op een normale manier!"

Die woorden gebruikte ik ongeveer en ik zie nóg het verbaasde gezicht van Dirk voor me, zijn mond half open; ik had hem iets gezegd waarvan hij zichzelf waarschijnlijk nauwelijks bewust was.

Voor mij bleef het stilletjes zoeken naar de ware gevoelens, gedachten en gedragingen van mensen. Een beetje als hobby,' opa lachte even, 'het gaf me het gevoel er iets mee te kunnen doen. Ik onderkende vaak het denken van onze klanten, van de reizigers die op de terreinen kwamen, van het personeel ook, van de kennissen en de vrienden van mij en mijn ouders. Ik vond het interessant. In mijn jonge jaren zijn er min of meer terloopse gesprekken over geweest met mijn moeder. Zij vond het interessant en grappig tegelijk. Ze heeft weleens met een lachje gezegd, dat het voor mij jammer was dat ik een vader had met een druk bedrijf en dat ik daarin wilde werken, anders had ik een andere richting kunnen volgen, maar daarvoor was natuurlijk geen geld geweest. Wijsbegeerte, gedragstherapie...' Hij schudde nu lachend zijn hoofd, 'ik vond het niet nodig een studie in die richting te zoeken; ik was een heel eigenwijs mannetje. Ik wilde mijn denken over de mensen om me heen niet laten beïnvloeden door studies van anderen, zoals Freud bijvoorbeeld of Carl Gustav Jung.

Ik wilde mijn eigen gevoelens en ideeën erop loslaten en daarna zien of ik gelijk had. En vreemd genoeg moest ik mezelf toegeven dat dat inderdaad dikwijls het geval was. Hoe zal ik het uitleggen: ik maakte dus "opnames" van mensen en beleefde daar veel plezier aan.'

Marianne keek hem licht verwonderd aan. Emiel knikte alleen. Beiden waren nieuwsgierig wat grootvader nu hierop aansluitend wilde zeggen. Het moest wel in verband staan met Emiels moeder.

'Voor Caroline was dus haar moeder vanaf haar kinderjaren een vrouw waar ze tegenop keek, die ze verheerlijkte en die verering groeide met haar mee. Ik geloof dat er nooit enig gevoel van jaloezie in Caroline is geweest ten opzichte van haar moeder. Niet het idee ook apart te willen zijn, ook zo geprezen willen worden door vakmensen, zo in het middelpunt van de belangstelling te staan, nee, dát verlangen was er niet. Ze genoot volop van het eerbetoon dat haar moeder ontving en waarvan een deel op haar afstraalde. Het klinkt een beetje vreemd, maar zo gebeurt het soms. Een vader, moeder of broer heeft ergens veel succes mee en de familie deelt mee in het succes, want het is mijn vader of mijn broer die het bereikt heeft. In dit geval kon Caroline zeggen: zij is mijn moeder... En dat vond Caroline heerlijk. Ze was niet het middelpunt bij feestelijke bijeenkomsten, maar ze stond er dichtbij. En ze genoot ervan.

Ze betrok haar gezinsleden bij de activiteiten van grootma. Je vader, jij, Emiel en Wieneke kregen meer en meer gevoel voor kunst en gingen mee naar concerten en tentoonstellingen. Jullie genoten ervan, omdat het natuurlijk ook prachtig is.

In de loop van de tijd was Adriënne steeds vaker en vaker in haar atelier. Ze trok zich daar terug en Nicolaas vertelde me dat hij er vaak aan twijfelde of ze aan het schilderen was of dat ze het heerlijk vond alleen te zijn. Dat was voor haar misschien wel prettig, maar voor hem niet. Hij had aanvankelijk zijn werk buiten de deur en hij wist niet wat zich precies in het huis afspeelde, wat Adriënne een hele dag deed. Nadat hij met pensioen was gegaan verdiepte hij zich in oudheidkunde en archeologie. Maar er was nog genoeg tijd om met Adriënne in de woonkamer te zitten en met haar te genieten van muziek, met haar te praten en noem maar op.

Tussen die twee ging het niet goed. Nicolaas was een vriend van me en ik vind dat ik aan zijn kleinzoon en diens vriendin één en ander mag vertellen. Ik zeg niet dat alles precies is verlopen zoals ik het nu zeg, ik was er tenslotte niet persoonlijk bij, maar ik heb alles uit de eerste hand, Nicolaas vertelde me erover.

Adriënne zonderde zich meer en meer af en Caroline steunde haar daarin. Ze zei heel goed te begrijpen dat haar moeder graag alleen in haar atelier wilde zijn. Het schilderen was haar leven, het bezig zijn met het volgende kunstwerkje, daarvoor een schets opstellen, de verfkleuren uitzoeken en mengen. Ze zei haar vader dikwijls dat hij er vooral aan moest denken hoe bijzonder zijn vrouw wel niet was.

Er kwamen ruzies tussen Nicolaas en Adriënne. In het begin ging dat op een redelijk keurige toon, ze waren tenslotte keurige mensen, maar naarmate de tijd verstreek viel Nicolaas vaak heftiger uit en dat was het poppetje Adriënne niet gewend. Ze schrok ervan, dit wilde ze niet... Caroline reed in die tijd dikwijls naar het ouderlijk huis en probeerde één en ander te sussen, maar tevergeefs. Op een dag barstte de bom. Het werd een middag waarop de levens van Adriënne en Nicolaas een volkomen andere wending namen. Nicolaas verweet haar woedend dat haar schilderwerk niet meer dan een hobby was geweest. Ze verkocht er nooit iets van! Het kostte handen vol geld aan verf en doek en materialen, het veranderen van een grote kamer tot atelier en wie had dat allemaal betaald, wie werkte ervoor: hij!!

Adriënne was diep geschokt. En, dat was het ergste, ze was diep ontgoocheld. Al die jaren had ze gedacht dat Nicolaas haar vereerde om haar kunst, maar toen hij met dit verwijt kwam, dit praten over geld, stortte haar wereld in.

Toen begon het drama zich langzaam af te spelen. Ik was op een middag bij Nicolaas voor een vriendschappelijk bezoek. Hij vertelde me hoeveel spijt hij had van zijn woorden van die middag en hoezeer hij leed onder het gedrag van zijn vrouw. Ze werd steeds stiller en praatte vrijwel niet meer met hem. Het leek alsof ze in een droomwereld leefde. Nicolaas gaf daarvoor ook schuld aan alle lofuitingen die ze door de loop der jaren had gekregen en die door Caroline steeds maar weer werden herhaald en nog meer glans kregen dan ze eigenlijk waard waren. Het gaf haar het idee iets heel bijzonders te zijn. Goed, ze schilderde mooie dingen, dat gaf hij direct toe, maar er zijn duizenden begaafde schilders op de wereld en duizenden begaafde musici en ook duizenden auteurs die prachtige boeken schrijven, maar die blijven met hun beide benen op de grond staan. Dat deed Adriënne beslist niet. Hij was echt teneinde raad. Hij had geen vrouw meer aan Adriënne, niet in de huiskamer en niet in zijn bed. Hij had meerdere malen geprobeerd met haar te praten, maar hij kon niet doordringen.' Andreas van Rittervoorden keek van zijn kleinzoon naar het meisje in de stoel naast de jongen. 'Toen zei hij me dat hij het hard wilde spelen door te zeggen dat er een andere vrouw in zijn leven was gekomen. Dat was slechts ten dele waar, want meer dan een goede vriendin waarmee hij af en toe koffiedronk en een ritje maakte was ze niet. Hij verwachtte dat zo'n mededeling Adriënne uit haar apathie zou halen, hoe kon dát nou, Nicolaas een andere vrouw... Ik zeg het volgende niet om me op de borst te kloppen, begrijp me goed, maar ik heb hem gewaarschuwd toch vooral niet zover te gaan. Want Adriënne mocht zich dan in haar eigen wereldje teruggetrokken hebben, ze was nog heel goed bij haar verstand.

Nicolaas wilde me niet geloven. Hij kende zijn vrouw heel goed. Ze moest van haar voetstuk komen en hij was ervan overtuigd dat zo'n bericht haar zou terug brengen in de realiteit. Dan zou ze weer aan het ontbijt een broodje eten met haar man, samen koffiedrinken in de serre, luisteren naar zijn verhalen over opgravingen in Spanje en vertellen over wat zij op het doek wilde zetten... Weer gezellig zoals vroeger, babbelen over dochter en schoonzoon, kleinzoon en kleindochter.

Hij zette dus door. Het is een groot drama geworden. Adriënne was opeens geen stille vrouw meer en ze verweet hem van alles. Hij had in al die jaren nóóit écht begrip en aandacht voor haar kunst opge-bracht. Gelukkig had ze altijd Caroline naast zich gehad, die begreep wat ze voelde. Als Caroline er niet was geweest was ze heel eenzaam geweest. Nicolaas was verbaasd. Hij vond dat hij juist veel te veel geluisterd had naar de jubelverhalen, dat dát juist de oorzaak van alles was geweest. Van het één kwam het ander.'

Andreas van Rittervoorden zweeg. Diep zuchtend zei hij: 'Drie maan-den later is Adriënne overleden. Wat zich precies in hun huis heeft afgespeeld zal nooit bekend worden. Caroline weet het niet en ik weet het ook niet. Adriënne was plotseling dood.

Caroline is er vreselijk verdrietig over geweest, want ze hield veel van haar moeder. Met haar vader heeft ze, kort voor zijn dood, nog gepraat over het te afstandelijke leven dat haar moeder leidde, maar Caroline wilde de mening van Nicolaas niet delen. Ze wil alles van haar moeder

vasthouden opdat het blijft voortbestaan, zodat Adriënne blijft voortleven in de gesprekken en in de gedachten van de kinderen en kleinkinderen. Jullie weten dat, want nu, vele jaren na haar dood, vereert
Caroline haar moeder nog.'

Emiel en Marianne zaten stil in hun stoelen. Emiel voorovergebogen,
Marianne met haar handen open in haar schoot.

'Ik begrijp niet hoe het is gegaan... We werden op de avond van die
vreselijke dag rond zeven uur gebeld. We zaten net aan tafel. Papa nam
op en riep: "Nee... nee... dat kan niet waar zijn..." Mama snelde naar
hem toe, gilde hysterisch: "Wat is er... wat is er...", daarna hoorden we
dat oma plotseling was overleden.

Opa Nicolaas heeft later verteld dat hij in de loop van die middag was
thuisgekomen. Adriënne zat niet in de huiskamer, maar ze was daar
bijna geen enkele middag en daarom maakte hij zich niet ongerust.
Toen ze rond half zes nog niet was verschenen en het doodstil bleef in
huis, ging hij naar het atelier. Daar vond hij haar. Ze hing in een diepe
stoel en was dood. Hij was volkomen in de war, bleef eerst een hele
tijd roerloos naar haar staren, belde tenslotte de huisarts, hoewel hij
wist dat er geen hulp meer mogelijk was. De dokter kwam en daarna
werden de kinderen gebeld.'

'Maar,' vroeg Marianne, 'was ze ziek?'

'Ze had, zoals zoveel mensen kleine ongemakjes, soms maagpijn,
soms hoofdpijn, maar voor zover bekend geen ernstige dingen. Geen
hartklachten in elk geval, waaraan ze zo plotseling zou kunnen over-
lijden. Een nader onderzoek naar de oorzaak van haar dood is er niet
gedaan. Caroline wilde dat ook niet. Het had geen zin meer.'

'Het was een verschrikkelijke avond, dat herinner ik me nog heel goed.
Mijn moeder was volkomen overstuur. We zijn meteen naar Ermelo
gereden. Ik hoorde later van Wieneke dat moeder gesnikt en gegild
heeft aan oma's doodsbed. Mama was volkomen van slag. Ze heeft
geroepen: "Vertel wat er is gebeurd... Je kunt toch niet zomaar dood
zijn! Wat heb je gedaan..."

Wieneke vertelde me later dat ze uit die woorden opmaakte dat oma
mogelijk zelfmoord had gepleegd, maar na die eerste avond is er nooit

meer een woord in die richting gevallen. Laat ik het zo zeggen: ík heb er nooit meer een woord over gehoord. Misschien is er tussen mijn ouders en opa Nicolaas wel over gesproken, maar de waarheid ken ik niet. Aan één kant zeg ik: dat doet er ook niet toe, maar dat is niet helemaal waar, want die wetenschap of dat vermoeden zal voor grootvader een zware belasting zijn geweest.'

Andreas van Rittervoorden knikte. 'Ja, kinderen, ja Emiel, het was zeker een zware belasting voor hem. En jouw opa Steggerda was, geloof ik, de enige mens die heeft geweten of ze werkelijk een einde aan haar leven heeft gemaakt. Mogelijk weet de dokter ook meer, maar ik heb nooit gehoord dat hij er iets over heeft gezegd. Lodewijk, jouw vader, heeft er nimmer met mij over gesproken, maar mijn gevoel zegt me dat het geen echte zelfmoord is geweest.

Nicolaas heeft het er heel moeilijk mee gehad. Hij deed een poging om door de naam van Henny ter Sluis, zijn zogenaamde vriendin, te noemen, Adriënne bij zich terug te brengen, maar dat mislukte volkomen. Ik heb het idee dat er nog iets meespeelde. Adriënne was niet zo jong meer en niet langer een gevierde ster in de kringen van jonge artiesten. Er kwamen nieuwe stromingen in hun werk, niet de pietepeuterige fijne werkjes in tere kleuren, maar doeken met felle kleuren en grote vlakken en dikke lagen verf; Adriënne paste er niet meer tussen en had daar veel moeite mee. Caroline voelde dat aan en haalde herinneringen op aan voorbije feestavonden en succesvolle tentoonstellingen. Samen doken ze, met weemoed wellicht, maar toch nagenietend terug in die heerlijke tijd.

Adriënne was allang niet meer gelukkig met Nicolaas. Als het er op aan kwam was hij een nuchtere vent, die altijd met veel interesse heeft gewerkt met de leerlingen van de hogeschool; hij wilde hen liefde voor de Nederlandse taal en de letterkunde bijbrengen. Hij had niet echt het gevoel dat zijn vrouw iets bijzonders maakte. Ja, ze schilderde leuke dingen, dat vond hij wel, hij vond het ook knap, hij kon bij wijze van spreken nog geen varkentje met een krulstaartje tekenen, maar dat het zo verheven was als dikwijls werd gezegd en geschreven, dat vond hij overdreven. En daarom sloot Adriënne zich steeds meer van hem af.'

Hij keek naar de naar hem opgeheven gezichten.

'Ik zei zo-even dat je moeder de dingen uit het leven van je grootmoeder wil vasthouden. Ik geloof dat dat voor Caroline meer inhoudt. Er zijn mensen, die ervan overtuigd zijn dat bij de dood het lichaam sterft maar dat de geest het lichaam verlaat en blijft voortleven. De kerkmensen noemen het "naar de hemel gaan", wonen bij God in zijn hemel. Er zijn ook mensen die zeggen zeker te weten dat er contact kan bestaan tussen de geesten van overledenen en de mensen op aarde. Ik vermoed dat je moeder daaraan denkt. Ik zeg het voorzichtig, want het is een heel moeilijke materie. Ik denk dat je moeder daarop hoopt, laat ik het dan zo zeggen. Ze hoopt dat Adriënne weet dat zij niet vergeten wordt, dat haar dochter in elk geval veel aan haar denkt en haar nog bewondert. Die gedachte kan Caroline een stille kracht geven.'

'Denk je,' vroeg Marianne tijdens de terugrit, 'dat je moeder echt de verering van oma Adriënne aanhoudt uit liefde voor haar?'

'Mijn moeder heeft haar levenlang erg aan haar moeder gehangen. Ze heeft nooit een goed contact met haar vader gehad. Wat dat betreft kwam zijn aard uit de beschrijving van opa Andreas over opa Nicolaas wel dichtbij de waarheid. Er was een groot verschil in karakter tussen Adriënne en hem en ja, dan is het misschien niet eerlijk hem te verwijten dat hij niet jarenlang met oma over haar kunst heeft meegedroomd. Maar de verhalen van vanmiddag staan totaal los van wat zich nu bij ons thuis rond mijn ouders en mij afspeelt.'

Marianne knikte. Ze zei niets.

'En ik vrees dat er geen oplossing voor komt. Ze blijven volhouden dat het tussen ons voorbij moet zijn. Maar,' hij legde een hand op haar bovenbeen, 'dat zal niet gebeuren.'

Marianne was begonnen met haar baan bij het makelaarskantoor Lansman Benschop. Het was geen groot kantoor. Buiten de eigenaar, Frits Lansman Benschop en zijn 'eerste assistent' zoals Lansman hem soms licht spottend noemde, Bob Herkenaar, werkten er nog vier mensen. Twee jonge mannen, Harald Dedenval en Anton Rovers en twee jonge vrouwen, Helene Ripperda en zij dus, Marianne Timmer.

Het was een goedlopend kantoor en het had een goede naam in de stad. In Mariannes sollicitatiegesprek zei Bob Herkenaar daarover: 'We beloven iemand die komt praten over de verkoop van zijn woning of bedrijfspand geen gouden bergen in de vorm van een veel te hoge prijs. Dat wordt in deze branche wel gedaan.'

Hij had haar recht aangekeken. 'Ik weet niet hoeveel ervaring je met de makelaardij hebt...' en zij antwoordde meteen: 'Helemaal geen.'

'Dan leg ik het je uit.' Hij zei glimlachend: 'Voorlopig ben je er nog niet aan toe over de verkoop van panden met onze relaties te praten, maar wie weet wat de toekomst brengt! In elk geval moet je één en ander van ons bureau weten. Er zijn makelaars die veel te hoge prijzen noemen en die prijzen ook laten afdrukken in de bladen, waarin de panden aangeboden worden. Dan denkt de leek al snel "mijn huis is net zoiets als dat huis, het is zelfs mooier en groter, dan kan het meer opbrengen, ik ga naar dat kantoor... om, naarmate de tijd verstrijkt waarin een beslissing valt, te ondervinden dat er steeds gezakt wordt met de prijs". Meneer Lansman Benschot en ik vinden het geen goede manier van zakendoen. Het zou op den duur onze naam schaden, want er wordt op bijeenkomsten en in familie- en vriendengroepjes veel over huizenprijzen gesproken.'

'Noodgedwongen min of meer eerlijke jongens,' had ze toen gezegd en ze had er meteen spijt van, want dit paste natuurlijk niet, maar Bob Herkenaar lachte erom.

'Inderdaad, wij zijn eerlijke jongens. En eerlijk duurt het langst.'

Tijdens dat gesprek was de beslissing al gevallen: Marianne kreeg de baan.

Harald en Anton voerden gesprekken met klanten – men noemde ze hier 'relaties' –, bekeken zakenpanden en woningen en deden de taxaties. Helene en Marianne zorgden voor de papierwinkel; het opstellen van contracten en overeenkomsten, de correspondentie en, niet te vergeten, de telefonische contacten.

Ze deelden een ruim, licht werkvertrek op de begane grond van het pand. Ze hadden elk een groot bureau met daarop alle apparatuur die nodig was: toetsenbord, computerscherm, de telefoon, kastjes met papieren, enveloppen en mappen.

Vanaf de eerste dag dat Marianne er werkte – Helene had al jarenlang haar plekje bij Lansman Benschot – hadden ze beiden het gevoel dat ze goed met elkaar zouden kunnen opschieten. Ook met Harald en Anton, die regelmatig binnenkwamen met vragen en opdrachten, was de verhouding goed en vriendschappelijk.

Meneer Lansman Benschot had zijn kantoor boven. Hij kwam niet vaak in hun werkruimte. 'Alleen als er iets is misgegaan,' wist Helene, 'en af en toe gaat er natuurlijk iets mis, nou, berg je dan maar, want dan komt hij tierend binnenstormen.'

Ook Bob Herkenaar huisde boven, maar hij liep meerdere malen per dag bij 'de meisjes' binnen.

Helene was, zoals ze het zelf noemde, 'geen jonge blom' meer. Ze was vijfendertig jaar. Ze had moeilijke en verdrietige jaren achter de rug. Toen ze twintig was ontmoette ze Hans van Velzen. Ze werd dolverliefd op hem en hij was, daarvan was ze overtuigd, ook verliefd op haar. Ze beleefden gelukkige jaren samen met veel praten, uitgaan, hand in hand wandelen, lachen en vrijen. Het waren, vertelde Helene, fijne jaren geweest. Daarop volgde de tijd van plannen maken voor de toekomst. Ze wilden een huis kopen en dat inrichten naar hun smaak. Daarvoor moest gespaard worden. Ze deden het allebei met liefde voor het grote doel: hun huwelijk en hun dromen over kinderen.

Ze hadden zeven jaar verkering. Toen voelde Helene hoe Hans' liefde voor haar minder werd. Ze praatte er met hem over en eerst ontkende hij het. Welnee, wat haalde ze voor domme dingen in haar hoofd! Er waren spanningen op zijn werk en problemen thuis, dat had hij haar toch verteld? Dat was inderdaad zo, maar Helene raakte er steeds meer van overtuigd dat haar gevoelens haar niet bedrogen en uiteindelijk gaf Hans het toe. Hij vond het verschrikkelijk voor hen allebei. Zeven jaren hadden ze gepraat en gedroomd over een verder leven samen, maar nu hield hij niet meer van haar. De plannen om met haar in één huis te wonen benauwden hem meer dan dat hij ernaar uitzag. Hij vond haar saai geworden. Ze was niet meer de vrolijke, verrassende Heleentje van toen ze elkaar net kenden.

Helene kon er nu rustig over praten. 'Maar het was toen een heel nare tijd. Na het verdriet om het missen van Hans kwam het besef dat mijn leven volkomen was veranderd. In plaats van een jonge vrouw met dromen over een man en een toekomst, een gezin, was ik ineens een vrouw alleen geworden. Ik was intussen bijna negenentwintig, geen jonge deern meer waarop een jonge vent spontaan verliefd zou worden. En de eerste jaren had ik ook geen behoefte aan een nieuwe relatie. Mijn ouders hadden medelijden met me. Ze gaven Hans de schuld, maar liefde kun je nu eenmaal niet dwingen. Als het voorbij is, het vuur gedoofd, is het niet meer aan te wakkeren.'

Een jaar later was er opnieuw verdriet. Haar vader werd ernstig ziek. Hij moest naar het ziekenhuis, kwam weer een poosje thuis, werd weer in het ziekenhuis opgenomen en uiteindelijk zijn dood. 'Voor vader ziek werd wilde ik eigen woonruimte zoeken. Ik verdiende immers genoeg om dat te kunnen betalen, maar ik bleef thuis om moeder bij te staan. Nu wonen we nog steeds samen in het huis aan de Oostersingel. Moeder zorgt goed voor me,' een glimlach gleed over Helenes gezicht, 'het eten staat voor me klaar, moeder doet de was en noem maar op, ze wil me graag bij zich houden. We hebben het rustig samen. Ze laat me vrij, maar er is niet veel vrij te laten, want ik ga in het weekend niet naar een discotheek of danstent. Stel je voor zeg, zo'n ouwe tante tussen die hupsende jongelui! Ik heb me aangesloten bij een toneelgroep. We spelen serieuze, soms zelfs zware stukken. Ik voel me daar goed bij. Via leden van die groep zit ik in een leeskring. Het bespreken van de gelezen boeken is echt interessant en onderling is de verhouding prettig. Ik denk, Marianne, dat mijn leven zo rustig verder zal kabbelen. Ik werk hier met plezier, met mensen om me heen waarmee ik graag omga, maar het is niet waarvan ik droomde. Toch voel ik me niet ongelukkig. En soms, als ik hoor van de problemen die kennissen hebben met hun opgroeiende kinderen, denk ik dat het maar gelukkig is dat ik daarvan verschoond ben gebleven. Al denk ik ook dat Hans en ik ze samen aan hadden gekund.'

Marianne vertelde over haar vriendschap met Emiel van Rittervoorden.

'Zo, zo,' zei Helene lachend, 'dat is een goede partij!! Een Van Rittervoorden!! Dat is toch het grote bedrijf langs het kanaal? Zand, stenen, kalk, beton, wat hebben ze nog meer in de aanbieding?'

Weken later, het was inmiddels november, stapte Marianne het kantoor van Bob Herkenaar binnen om hem een paar brieven te brengen die hij moest ondertekenen. Hij groette haar en zei: 'Ga even zitten, Marianne. Ik wil je eerst iets vertellen en er dan, als je dat wilt, met je over praten.'

Marianne had geen idee in welke richting dit gesprek zou gaan.

'Jij kent Lodewijk van Rittervoorden en ik ken hem ook redelijk goed. We zijn allebei lid van de "Men's club", een organisatie die is opgezet om de contacten tussen zakenmensen uit Schageveld en omgeving uit te breiden en te versterken. De naam is min of meer als grap gekozen in navolging van de "Herensociëteit" die hier vroeger was en is nu in het Engels vertaald omdat het tegenwoordig in ons land zo in is alles in de Engelse taal uit te drukken.

Van Rittervoorden is dus ook lid. Het is een goed zakenman – al doen we geen zaken met elkaar. Hij zoekt geen panden en ook geen grond en ik heb geen bouwmaterialen nodig, maar Lodewijk is een man die vindt dat het goed is iedereen te vriend te houden, of tot een vriend te maken, omdat je nooit weet hoe iemand je op een dag van nut kan zijn. Dat heeft hij natuurlijk niet letterlijk zo tegen me gezegd,' Bob Herkenaar lachte, 'maar ik weet vrijwel zeker dat hij er zo over denkt. Ook de prettige sfeer, die onder de leden van de Men's Club heerst, lokt vertrouwelijke gesprekken uit. En dergelijke gesprekken scheppen een band. Nu zijn er in mijn leven weinig dingen waarvan hij niet mag weten,' Bob grijnsde even bij die uitspraak, 'en onlangs kreeg ik het idee dat hij met mij wilde praten in het kader van deze vertrouwensrelatie, dus hielp ik hem op gang. Ik ben heel gelukkig in mijn huwelijk met Rosalie en we zijn de koning te rijk met onze kinderen, Jonathan en Emma. Ze zijn nog klein. Jonathan is vorige maand tien jaar geworden en Emma is zeven. Lodewijk vertelde daarop over zijn vrouw Caroline en over haar ouders. Dat moeten bijzondere mensen zijn geweest. Hij sprak trots over hun zoon Emiel en hun dochter Wieneke. Het gesprek ging vooral over Emiel.

Het vond enige maanden geleden plaats en Lodewijk vertelde toen dat als de jongen zijn studie aan de universiteit had afgerond, hij bij hem in het bedrijf zou komen werken. De jongen is heel goed voorbereid, vertelde Lodewijk trots. Hij volgt een veelzijdige opleiding en dat is ook nodig, want vader weet uit ervaring dat het een mooie, maar ook een drukke en zware taak is het bedrijf te leiden. Ik luisterde en knikte instemmend, heerlijk dat de zoon hem in de toekomst wil opvolgen. Ik maakte er nog een klein grapje bij, het zou ook kunnen dat de jongen geen zakelijk bloed in de aderen heeft en dichter wil worden of kunstschilder... Lodewijk lachte daar hartelijk om. Nee, nee, Emiel was wat dat betreft een échte Van Rittervoorden, maar, vertrouwde hij me toe, toch bracht Emiel problemen in het gezin Van Rittervoorden, omdat hij omgang had met een meisje dat absoluut niet paste in hun familie en in hun milieu. Het was een boerenkind uit Wennebroek. Zo zei hij het: een boerenkind. Geen boerendochter; een dochter van een rijke herenboer was misschien wél goed geweest, maar dit was een boerenkind. Hij voelde direct aan wat ik daarover wilde opmerken, want hij woont ook in Wennebroek. Omdat het er rustig wonen is met veel ruimte en uitzicht om en vanuit de villa. Er waren jaren geleden heftige woordenwisselingen tussen Caroline en hem toen de kinderen naar school moesten. Caroline wilde ze niet naar de dorpsschool sturen omdat ze dan tussen de boerenkinderen terecht zouden komen. Alles wat in Wennebroek woont vatte Caroline samen onder één noemer: "boeren". Die uitspraak moet uit haar mond een heel negatieve klank hebben gehad. Ze wilde dat de kinderen een montessorischool bezochten, maar die was er niet in Wennebroek, ook niet in Hoorn, misschien zouden ze dagelijks naar Alkmaar gebracht moeten worden en dat was bezwaarlijk. Lodewijk bepleitte dat het schoolgaan naar de Meester Pietersenschool slechts zou duren tot hun tiende, elfde jaar. Dan waren het nog kinderen. Daarna gingen ze voor de opleiding atheneum naar Hoorn. Caroline gaf uiteindelijk toe, omdat het niet anders kon. Emiel speelde wel met de dorpsjeugd, maar hij had er geen speciaal vriendje.

Wieneke wel.' Marianne knikte.

'En toen Wieneke naar de school in Hoorn ging ging haar vriendinnetje mee. De dochter van een schildersknecht en een simpele huisvrouw. Die mensen spraken redelijk netjes de Nederlandse taal, maar meer dan eens klonk het streekdialect erdoorheen. Wieneke nam dat over en daar ergerde Caroline zich vreselijk aan. Ze bleef het meisje verbeteren. Het zinde Caroline al met al dus helemaal niet, maar de meisjes konden goed met elkaar opschieten. En Lodewijk, de verstandige Lodewijk van Rittervoorden,' Bob Herkenaar zei het met ironie in zijn stem, 'zei dat het tot aan het einde van die opleiding zou duren. Dan stortte hun dochter zich in het studentenleven in Amsterdam, Utrecht of Groningen en was dat vriendinnetje snel vergeten, maar toen bleek dat broer Emiel dat meisje al heel lang aardig vond. Nu heeft hij, tégen de nadrukkelijk wil van zijn ouders, verkering met haar. Toevallig kwam vorige week een gesprek tussen Helene en mij op dit onderwerp. Ik vertelde de problemen van Van Rittervoorden en Helene vroeg: 'Weet je wie die domme boerenmeid is? Marianne Timmer...' Marianne was tijdens het gesprek moedeloos tegen de rugleuning van de stoel gezakt. Zelfs hier, op haar werk, werd ze erdoor achtervolgd. 'Ja, ik heb verkering met Emiel. We houden van elkaar, maar de liefde wordt ons vrijwel onmogelijk gemaakt.'

'Ik had tot het laatste gesprek een goede dunk op Van Rittervoorden. Zijn streven om vriendschap te sluiten met veel mensen stond me aan. Maar ik weet nu dat het mensen moeten zijn waaraan hij iets kan verdienen, anders hoeft het voor hem niet. Wat kan hij tegen jou hebben? Je hebt een prima opleiding achter de rug. Het atheneum is toch goed? En je wilt – daarover heb je al met Frits gesproken – een cursus makelaardij gaan volgen. Je vindt het een interessant vakgebied en dat is het ook. Het enige wat de familie je kwalijk kan nemen is dat je geen kind van rijke ouders bent, maar dat leek Lodewijk niet belangrijk te vinden. Ik begrijp er niets van.'

'Het is ook moeilijk te begrijpen, maar het is voor ons een groot probleem. Ik denk er soms over, Bob, om een einde te maken aan onze verloving omdat het zoveel narigheid en spanning met zich meebrengt.

Misschien is dat juist de manier die Van Rittervoorden heeft uitgedacht om zijn doel te bereiken. Doorgaan met vervelende opmerkingen maken en woordenwisselingen uitlokken waardoor wij uitgeput raken. Hij denkt na elke ruzie: het gaat de goede kant op.'

Marianne besloot Emiel niets te vertellen over dit gesprek met Bob.

In de lunchpauze, die Helene en zij samen hielden tussen de ordners en papieren van het kantoor, kwam het gesprek toch weer op de problemen van Marianne en Emiel.

'Het loopt vandaag of morgen vast, dat kan niet anders. Ik weet dat Emiel me lang niet alles vertelt van wat zich in hun huis afspeelt, maar er komt een dag waarop hij er genoeg van heeft en dan neemt hij het besluit uit huis te gaan en ook niet langer in het bedrijf te werken. En dat wil ik niet!! Het klinkt misschien vreemd, want zijn ouders doen ons al deze narigheid aan. Als ik nuchter nadenk zeg ik ook: ja Emiel, laat die hele troep achter je, wij gaan samen verder, maar aan de andere kant zijn het toch zijn ouders waarmee hij volkomen wil breken, en dan uit het bedrijf stappen waarin hij al jarenlang zijn toekomst ziet. Ik zou nooit met mijn eigen ouders kunnen breken!'

'Maar zij maken het er ook niet naar!'

'Dat is waar.' Marianne zuchtte. 'Ik weet dat je gelijk hebt, maar nee, ik wil het niet. Stel je voor dat Emiel na verloop van tijd spijt krijgt van zijn besluit. Hij handelt nu in boosheid en ergernis, maar een weg terug naar zijn ouders zal heel moeilijk zijn. Hij zal daarvoor op zijn knieën moeten, want vader Van Rittervoorden buigt niet als hij weet dat hij gelijk heeft. En buigen, dus toegeven dat hij verkeerd heeft gehandeld, zal Emiel niet doen. Uiteindelijk is hij ook een koppige Van Rittervoorden. En waar sta ik dan? Wat is mijn plaats? En het motief, Helene, wat voor papa Van Rittervoorden meespeelt is me duidelijk: het is het feit dat Emiel in ons huwelijk alleen het geld moet binnenbrengen. Van mijn kant wordt er niets ingebracht. Ik zal in de toekomst alleen maar geld uitgeven, Emiel moet het verdienen.'

'Wat wil je doen als het tot een uitbarsting dreigt te komen?'

'Emiel zeggen dat ik dat beslist niet wil. Daaraan houd ik vast voor mijn gemoedsrust, zoals mijn omaatje Botman dat noemt. Ik wil niet

tussen Emiel en zijn ouders staan. Ik ben de oorzaak van de verwijdering. Ik ben niet de schuldige, zo voel ik het niet, maar wel de oorzaak
en dat wil ik niet met me meedragen. Wat er daarna gebeurt weet ik
niet.' Ondanks alles moest ze toch even lachen. 'Daarvoor heb ik geen
scenario in mijn hoofd. Als het zover komt zal Emiel doorzetten, maar
dan wil ik ook niet in Wennebroek blijven. Mijn moeder heeft mama
Van Rittervoorden al eens op bezoek gehad om haar de les te lezen.
Nee, dan zoek ik een ander onderdak.'
'Maak je er niet een té groot drama van, Marianne?' probeerde Helene
haar nog moed in te spreken.
'Nee, zeker niet, want het ís een drama, voor Emiel en mij in elk geval.'
Helene legde even haar hand op Mariannes hand. 'Misschien haal je
je teveel in je hoofd, maar mocht je tijdelijk op de vlucht willen slaan
om alle narigheid te ontlopen, dan heb ik een adres voor je waar je
onvindbaar zal zijn. Als je tenminste ook voor Emiel onvindbaar wilt
zijn...'
Marianne keek haar een beetje verbaasd aan. Dat Helene hierover
dacht... En wilde ze 'op de vlucht' gaan, ja, mogelijk wel, als het thuis
te moeilijk werd...
'Ik praat er toch met je over. Als het nodig is weet je dat het er is. Ik
denk namelijk aan mijn tante, Anne van Helderen, een zus van mijn
moeder. We kunnen heel goed met elkaar opschieten. Zij is wat ouder
dan ik en woont in Vlissingen. Haar man is ongeveer zes jaar geleden
overleden. Hij werkte op het kantoor van het loodswezen om de
telefoon aan te nemen van schepen die begeleiding wilden hebben om
de Schelde op te kunnen varen en allerlei andere werkzaamheden. Ze
woont in een ruim, leuk huis aan de Boulevard Bankert in Vlissingen,
een eind verwijderd van de Schelde-ingang, met een prachtig uitzicht
over de Noordzee. Vroeger verhuurde ze kamers aan families die elke
zomer een paar weken naar Zeeland kwamen. Die mensen werden in
de loop van de tijd vaste gasten en haar heel vertrouwd. Nu staan die
kamers leeg, nee, niet leeg, er staan wel meubelen in. Als jij voor enige
tijd ergens wilt zitten waar men je niet gauw zal ontdekken,' Helene
lachte, 'het lijkt een spannend jongensboek te worden, maar goed, je

weet hoe ik het bedoel, als jij er gebruik van wilt maken zoek ik contact met Anne en ik weet zeker dat ze je graag wil helpen. We bellen elkaar regelmatig en ik weet dat ze zich dikwijls erg eenzaam voelt.'
'Het is in elk geval een prachtig aanbod, Helene, als het zover komt duik ik onder bij de wilde golfslag op de kust van Vlissingen!'

Hoofdstuk vier

Een week voor Kerstmis zei Caroline van Rittervoorden: 'Papa en ik hebben een grote tafel besproken in "De Wijnrank" voor het kerstdiner op eerste kerstdag.' Ze vertelde het op een opgewekte toon. 'We hebben de hele familie uitgenodigd. Papa en ik zijn meestal te druk om de familie te bezoeken en dit lijkt ons een ideale mogelijkheid elkaar weer eens te zien. Henri Victor komt natuurlijk en we hebben zijn ouders, Frans en Meta ook gevraagd...'

Zo, zo, dacht Emiel. Hij antwoordde: 'Ik zal er niet zijn. Ik ben de eerste kerstdag bij de familie Timmer.'

'Emiel, dat mag je niet doen!' zei Caroline met ingehouden boosheid. 'Kerstmis is een familiedag, je komt hiér.'

'Marianne is hier niet welkom, maar ik hoor bij Marianne en ik ga die dag met haar doorbrengen.'

'Nee, dat kan niet! Wat moeten wij tegen familie en vrienden zeggen? Emiel heeft een vriendinnetje en daar eet hij konijn en appelmoes?'

'U eet reerug en salade,' kaatste hij terug en zei heel beslist, 'wát u er ook over zegt, ik ben in elk geval de eerste kerstdag bij Marianne thuis.'

Er zou nog heel veel ruzie over gemaakt worden.

Het werd in het huis aan de Dorpsstraat een gezellige dag. In een hoekje van de kamer stond een kleine kerstboom, die Esther smaakvol had versierd. De ouders van Maaike waren er, gezellige mensen. Opa Botman had leuke verhalen waarom hartelijk werd gelachen. Ook de ouders van vader Kees waren er en, dacht Emiel in de loop van de dag, ze zijn zo gewoon, zo volkomen zichzelf. Geen ingestudeerde maniertjes, geen gekunsteld van 'hoort het wel zo', maar eenvoudig en vriendelijk.

Moeder Maaike en de dochters hadden veel werk gemaakt van het diner, en nee, er kwam geen konijn op tafel.

Laat in de avond reed Emiel terug naar de villa en daar kreeg hij weer allerlei onaangename opmerkingen over zich heen. Even flitste het

door Emiel heen: de harmonie in me is ver te zoeken...
'Karel Fransen vroeg natuurlijk naar je. We hebben hem gezegd waarom je er niet was, dat je bij je meisje was uitgenodigd, maar we hebben niet gezegd wat voor meisje dat is!'

In januari brak de hel los.
Rond acht uur stapte Emiel de huiskamer van de Timmers binnen. Zijn gezicht was rood van opwinding, zijn blauwe ogen keken woedend.
'Jongen toch,' riep Maaike geschrokken, 'wat is er gebeurd? Heb je een ongeluk gehad met de auto...'
'Nee! Ik heb een vreselijke ruzie gehad met mijn ouders, de ergste van allemaal! Ik heb jullie er wel eens over verteld, maar jullie weten lang niet alles. Dit is echt de laatste woordenwisseling die ik met mijn ouders heb doorgemaakt; ik heb er vanavond een streep onder gezet. Steeds weer dat gezanik over standsverschil. Ik heb gezegd dat ik het huis uit ga. Ik had al een koffer op mijn kamer klaarstaan, want ik verwachtte al dat dit zou gebeuren. Ik probeerde steeds weer vrede te sluiten. Het zijn tenslotte mijn ouders, ze zullen toch wel eens verstandig worden en inzien dat ik geen grote zonde bega door met een meisje als Marianne te willen trouwen, maar er is niet met die mensen te praten en nu is het genoeg geweest!'
'Jongen toch, bedaar even. Ga zitten, zal ik koffie voor je inschenken?'
Hij keek naar het onthutste, bange gezicht van moeder Maaike. Hij zei: 'Ik heb liever een glas water.'
Marianne schoof met haar hoge huiskamerstoel wat dichter naar hem toe.
'Emiel,' stamelde ze, 'moest dit nou echt gebeuren...'
'Er was geen andere oplossing. Ik heb er lang genoeg over gedacht en ook vaak met jou over gepraat; ja lieveling, dit moest gebeuren. Het kon niet anders. Ik houd van jou en ik wil met jou trouwen. Er is geen andere weg dan mijn familie achter me te laten.'
Er werd nog heel lang over doorgepraat. Vader Kees mengde zich in het gesprek, ook moeder Maaike en Anneke, die thuis was. Esther zat weggedoken in een grote stoel en keek met verschrikte ogen toe. Mijn

hemel, wat verschrikkelijk was dit...

'Er is heus geen andere mogelijkheid. Ik heb mijn vader gezegd dat ik niet meer op de zaak kom.' Hij liet het even goed tot allemaal doordringen, het resultaat van alle voorbije ruzies met zijn ouders. 'Ik heb één en ander voorbereid. Want ik ben hier beslist niet in een vlaag van woede toe overgegaan, dat weten jullie wel. Er is teveel gebeurd. Ik heb mijn kamer in Amsterdam nog, daarvoor betaal ik zelf de huur. Ik heb ook over de hele geschiedenis gesproken met Bram Reinders, een goede vriend van me, Marianne kent Bram goed.' Ze knikte. 'Hij moet nog een jaar studeren. Hij heeft ook een kamer in Amsterdam, in de Pijp en we hebben afgesproken dat we, als de bom barst, van kamer wisselen. Bram trekt in mijn appartementje en ik neem mijn intrek in de Pijp. Daar ben ik niet te vinden, voor het geval mijn ouders naar me gaan zoeken. Mijn ouders weten niet waar Bram huist. En Bram zal zijn mond houden. Dus,' even brak een flauwe lach door op het jonge gezicht, 'ik heb in elk geval onderdak. En werk zal ik gauw genoeg vinden. Ik heb door de zaak goede relaties en ik heb geld op de bank, dat is dus geen punt.'

'Maar,' begon Marianne nu, ze begon op een rustige toon, ze wilde vooral rustig blijven, 'maar ik wil dit niet, Emiel. Ik wil niet dat je breekt met je ouders. Ik begrijp je heel goed en ik heb ook geen goed woord over voor je ouders, maar ik wil dit beslist niet! Ik ben niet de schuldige, zo voel ik me niet, want ik heb geen schuld. Ik kan het niet helpen dat mijn ouders geen rijke mensen zijn en ik vind het ook helemaal niet erg dat ze geen rijke mensen zijn, want we hebben het fijn met elkaar en we redden ons heel goed. Ik ben er niet schuldig aan dat jij verliefd op mij bent geworden en ik op jou, maar ik ben wél de oorzaak van de breuk tussen jou en je ouders en dat wil ik niet zijn.' Ze zei de woorden nu luid en heftig.

Emiel keek haar verbaasd aan. 'Marianne, lieveling en dat zeg jij?!! Ze hebben je zo vernederd, nee, niet recht in je gezicht, je kreeg geen kans meer bij ons over de vloer te komen, maar alle gemene dingen die ze over jou tegen mij hebben gezegd!! En nu verdedig jij ze, dat is toch volkomen nonsens? Ze maken ons leven willens en wetens kapot.

Ik wil niet zonder jou leven, dat kan ik niet. Er is maar één oplossing, we moeten ons van hen losmaken. Wij redden ons wel, we hebben het geld van de Van Rittervoordens niet nodig. Ik kan in een ander bedrijf óók goed verdienen. Wij worden gelukkig en dat is het enige dat telt.'
Het praten duurde tot heel diep in de nacht. Marianne hield vol dat ze deze breuk niet wilde en Emiel zei dat het niet anders kon dan op deze manier. Kees Timmer en Maaike mengden zich af en toe in het gesprek, dat heel heftig was. Het werd al later en later. Emiel zat vermoeid en onthutst op zijn stoel. Marianne huilde en hield vol dat ze dit niet wilde. 'Er is geen andere mogelijkheid. Mijn besluit staat vast,' zei Emiel. Hij keek naar de klok en zag dat het drie uur in de nacht was. Hij stond op. 'Ik rijd nu naar Amsterdam. Ik bel je morgenavond.'
Marianne was ook opgestaan. Ze hing tegen hem aan, haar gezicht nat van de tranen. 'Maar ik wil het niet, Emiel, ik wil het niet...'
'Het moest gebeuren, lieveling. Ik vind het ook vreselijk, maar er is geen andere weg voor ons.' Hij kuste haar natte wangen, maakte haar handen los van zijn hals en duwde haar zachtjes van zich af. Hij liep op Kees Timmer toe en drukte hem de hand, bedankte hen voor de hulp. Hij legde zijn handen op de armen van moeder Maaike. 'De geschiedenis gaat verder. Het komt wel tot rust. Vang Marianne op... Ik bel morgenavond...'
Hij liep naar de gang, opende de voordeur, stapte in zijn auto en reed weg.
Marianne zakte wanhopig neer op de bank. Ze snikte wild. 'Ik wil geen ruzie tussen Emiel en zijn ouders!!', riep ze luid. Als hij over enige tijd spijt krijgt, en dat krijgt hij beslist, dan ben ik de schuldige, dan sta ik nóg tussen die ouders en hem! En dat wil ik niet...'
Ze sliep die nacht slechts een paar uurtjes. Er waren vreselijke dromen waarin ze Emiel kwijtraakte. Ze rende achter hem aan, maar ze kon hem niet bijhouden en opeens verdween hij in een diepe, zwarte achtergrond en zij werd uitgeput en huilend wakker.
Ze kwam de volgende morgen te laat op kantoor. Bob Herkenaar en Helene stonden in de gang te praten.
'Mijn kind, Marianne,' riep Bob geschrokken, 'wat is er met jou aan

de hand?! De hele nacht aan de boemel geweest? Nee, dat is het vast niet. Wat is er gebeurd...'

'Jij weet ook van de moeizame verloving van Emiel en mij, het geharrewar met zijn ouders. Gisteravond is Emiel het huis uit gegaan, weg van "De Ritter" en ook weg van het bedrijf van zijn vader.'

'Kom allebei mee naar jullie kantoor. Daar vangen we de boodschappen en telefoontjes van buitenaf op. Frits Lansman komt vandaag niet, hij is voor zaken naar België. Wil jij de koffiepot aanzetten, Helene? Het is nog wel geen koffietijd, maar ik denk dat een kopje koffie ons goed zal doen.'

Marianne vertelde de hele geschiedenis van de vorige avond.

'En ik wil nu weg,' ze keek naar Helene, 'jij hebt me verteld dat ik onderdak kan vinden bij een tante van je.'

'Ja, dat is zo.' Helene vertelde Bob in het kort wat Marianne hiermee bedoelde.

'Het zal waarschijnlijk niet voor lang zijn, ik kan toch niet de rest van mijn leven op de vlucht slaan,' snoof Marianne, 'maar ik weet nu even niet wat er moet gebeuren! Ik wil graag één of twee weken vakantie opnemen als dat kan.' Ze keek naar Bob. 'Maar ik moet nu weg!! De ouders van Emiel komen waarschijnlijk bij ons aan de deur. Mijn ouders hebben gezegd dat zij daar niet bang voor zijn en het wel af kunnen, maar het is beter dat de Van Rittervoordens mij nu niet bereiken. Als ik zeg dat ik deze ruzie niet wil, wat zullen ze daarop zeggen? Alle schuld naar Emiel toeschuiven? Maar het is Emiels schuld niet. Hij kon niet anders handelen dan zoals hij gedaan heeft. Het leven in het grote huis werd hem onmogelijk gemaakt. Maar,' ze huilde opeens met wilde snikken, 'ik wil dit niet!!! Ik weet niet hoe het wél moet, moet het dan toch uit zijn tussen ons, maar ik houd van Emiel, ik kan niet zonder hem. Ze maken onze liefde kapot en dat is precies de bedoeling, ze hebben hun doel bereikt!'

Helene schonk een kop sterke koffie in, om van op te knappen. Ze vertelde Bob over haar tante, die alleen woonde in een ruim huis en bereid was Marianne voor enige dagen of weken onderdak te bieden. Ze zei niet waar die tante woonde.

'Als het geregeld kan worden wil ik Marianne het liefst vanmiddag daarheen brengen. Het is niet naast de deur, dan zou de familie Van Rittervoorden haar misschien snel opsporen,' Helene maakte een grimas, 'het is een pittig ritje en het is winter, een nare tijd voor lange ritten. Het is rond de driehonderd kilometer. Ik wil daar een nachtje overblijven en morgenochtend vroeg aan de terugrit beginnen, dan kan ik tegen één uur weer op kantoor zijn.'

'Jullie zoeken het wel een eindje verderop,' meende Bob, 'maar ik vermoed dat dat komt omdat jij het een goede plaats voor Marianne vindt. We regelen het. En maak alsjeblieft geen dollemansrit van de terugreis. Ik zeg mijn afspraken voor vanmiddag en morgenochtend af en neem hier de honneurs waar. Nood breekt wetten.'

Het werd een moeilijk afscheid van vader, moeder en de zussen.

'Marianne,' begon vader weer, 'wat wil je hier nu mee bereiken, lieve kind? Voor wie sla je op de vlucht? Voor Emiel? Je houdt toch van hem?'

'Pap, ik heb het al wel twintig keer gezegd; ik wil niet tussen hem en zijn familie staan! Emiel houdt van zijn vader en moeder en van Wieneke. Hij wil ze niet kwijt, geloof me. Hij wil nu niets van het hele stel weten, maar dat gaat voorbij. Na een poosje gaan de scherpe kantjes ervan af en is er dan nog een weg terug? Waar is mijn plaats in dit geheel? Daar ben ik bang voor.

Ik moet nu weg, óók voor Emiel. Als hij mij niet ziet en niet met me kan praten, geef ik hem de gelegenheid er nog eens goed over na te denken.'

Kees Timmer hield haar dicht tegen zich aan. 'Mijn meiske toch...' Hij schudde zorgelijk zijn hoofd.

'We moeten er geen drama van maken,' zei Maaike. 'Marianne gaat naar een tante van Helene, een week, misschien langer. Het zal haar goed doen. Lieverd, we hebben het telefoonnummer van die mevrouw, we bellen elkaar.'

Helene en Marianne reden om één uur in de middag weg met achterin de bagageruimte een koffer met Mariannes kleding en wat andere spulletjes.

Het was een lange rit. Ze dronken halverwege koffie in een wegrestaurant, nog even naar het toilet en dan weer verder. Voor zes uur
stuurde Helene de wagen de boulevard van Vlissingen op.
'O Helene,' jubelde Marianne, 'kijk nou, de zee! Zo dichtbij, wat
prachtig!'
'Ja. Ik ken geen plaats in Nederland, ook niet in België, waar de huizen
zo dicht bij de zee staan. Het is nu hoog water, het strand is vrijwel
helemaal ondergelopen.'
'En wat een heerlijke golven! Geweldig, je hebt een mooi plekje voor
me uitgezocht.'
'Dat dacht ik ook.'
Mevrouw Van Helderen, zoals de officiële naam van tante Anne was,
zat voor het raam en wachtte op hen. Ze was een enigszins gezette
vrouw met grijze ogen en een vriendelijk gezicht. Marianne schatte
haar rond de zestig jaar.
'Meisje, Marianne, Heleen heeft me over je verteld. Ik moest toch
weten waarom dit gebeurt en wie ik in mijn huis haal? Dit is een goede
plek om, zoals mijn man het vroeger noemde, op adem te komen.'
Er was koffie met broodjes en er werd veel gepraat.
De kamer, die tante Anne voor haar logé had ingericht lag op de eerste
etage, aan de voorzijde van het huis met een schitterend uitzicht op de
zee, waarover veel vrachtschepen dicht onder de kustlijn voeren om
de Schelde binnen te varen op weg naar Antwerpen.
'Als je vannacht het raam een stukje openzet,' zei tante, 'zingen de
golven je in slaap. Ik woon hier nu al vele jaren, maar ik vind het nog
steeds heerlijk naar de zee te kijken en naar de golven te luisteren.'
De volgende ochtend vertrok Helene om zeven uur.
'Je moet dat hele eind alleen rijden, heb je er geen spijt van me hier te
hebben gebracht?'
Helene lachte. 'Ik had je ook in de klerenkast op mijn slaapkamer op
kunnen sluiten, maar nee, Marianne, ik weet zeker dat het je goed zal
doen hier te zijn. Tante Anne is lief en je kunt met haar praten. Het is
waar dat ik een heel eind voor de boeg heb, maar ik heb geen moeite
met autorijden. Misschien is er een interessant verhaal op de radio en

als dat niet zo is zoek ik een stukje muziek op. Je hebt mijn telefoonnummer en ik verwacht dat je me belt. Ik ben nieuwsgierig naar je beslissing.'

Die morgen wandelde Marianne langs de boulevard. Het was een koude januaridag, ze schoof de capuchon van het dikke jack over haar hoofd en stopte de handen diep in de zakken. Langs de boulevard, die, zoals Helene had verteld, drie verschillende namen heeft, Boulevard Evertsen, Boulevard Bankert en Boulevard De Ruyter. Er stonden aardige woningen, maar vooral grote, mooie hotels. Ervoor terrassen, waar het in het voorjaar en de zomer heerlijk moest zijn om te genieten van het uitzicht. Nu waren de stoelen en tafeltjes binnengehaald.

Ze liep door tot het einde van de boulevard, naar de Koopmanshaven. Daar stond het standbeeld van Michiel de Ruyter, uitkijkend over de zee. Ze leunde over het stenen muurtje en keek naar een binnenkomend vrachtschip. Vanuit de kleine binnenhaven schoot een snelle boot, waarop 'loodswezen' stond, het wijde water op. De boeg kliefde door de golven, het water spatte hoog en schuimend op. De kleine boot draaide om de grote zeekolos heen, kwam tot vlak naast het schip en voer dicht naast de machtige romp mee de Schelde op.

Waar was Emiel nu? Wat deed hij? Was hij gisteravond nog bij haar ouders geweest? Nee, waarschijnlijk niet. Hij was misschien bang dat zijn vader hem daar zou komen zoeken, maar, wist ze opeens zeker, dat zou Lodewijk van Rittervoorden niet doen. Emiel was weggegaan, Emiel moest uit zichzelf terugkomen. Zijn vader verwachtte zeker dat hij dat zou doen als hij besefte wat hij achterliet.

Ze wandelde door de stad terug, via het plein, dat Bellamypark heette en door de Spuistraat terug naar de boulevard.

'Heerlijk opgefrist?', vroeg tante Anne, 'de koffie is klaar en het is hier lekker warm.'

Die middag vertelde Marianne over haar liefde voor Emiel.

'Praat alles uit, kind, ik luister. Het is geen nieuwsgierigheid. Het is goed voor jou de hele geschiedenis nog eens onder ogen te zien en op die manier krijg ik een goed beeld. Misschien kan ik je raad geven.'

Ze vertelde over haar ouders en hun eenvoudige leven, over papa's werk als schildersknecht, mama, die hun kleine woning schoonhield, het beknibbelen met geld. Daarnaast schetste ze het leven van Emiels ouders... Tante Anne knikte begrijpend. Ze begreep het.

In de avond belde mama. Emiel had hen gebeld. Hij was geschrokken van het bericht dat zij was weggegaan. Weggegaan!!! had hij luid geroepen, waarom?! En waarheen?! Ik móet weten waar ze is! Waarom wilt u mij dat niet vertellen? – Omdat Marianne over één en ander wil nadenken, had moeder geantwoord. Marianne wil niet de oorzaak zijn van de verwijdering tussen jou en je familie. Daar weet je van, want ze heeft het een paar dagen geleden ook al gezegd. Voor ze een definitieve beslissing neemt wil ze er goed over nadenken.'

Emiel was er heel verdrietig en boos over. Hij schreeuwde, vertelde moeder haar via de telefoon, dat hij nóóit meer iets met zijn ouders te maken wilde hebben, voor hem was het voorbij... Hij wilde per se weten waar ze was, want hij wilde 'je terughalen', maar moeder had hem gezegd dat hij haar de tijd moest geven erover te denken. Dat vond hij niet nodig. Er hóefde niet meer over nagedacht te worden. Zijn leven met zijn ouders was voorbij, zijn leven ging verder met haar...'

Toen de verbinding was verbroken liep Marianne terug naar de voorkamer waar tante Anne in een weekblad bladerde. Marianne vertelde haar over het gesprek met moeder. Daar voegde ze aan toe: 'Ik was onzeker vanaf het moment dat ik besefte dat de familie niet blij met me was en nu druk ik me nog heel netjes uit in verhouding tot de woorden die in "De Ritter" over me werden gezegd. Ik was blij en gelukkig als ik met Emiel samen was, maar als ik eenmaal weer alleen was had ik het gevoel dat er langzaam een heel groot ongeluk op me afkwam.

Ik heb een beeld van de toekomst. Stel dat ik nu met Emiel meega in de ruzie met zijn ouders. Dat zal een tijd goed gaan, we trouwen wellicht heel snel en gaan samen in één huis wonen, maar ik geloof dat de breuk tussen hem en zijn ouders hem zal opbreken, zoals het ook voor mij zou doen als ik, om wat voor reden dan ook, met mijn ouders zou breken. Dat houden we niet vol. Het zijn zijn ouders en ze horen bij hem. Er zijn andere gevallen; ouders die heel slecht voor hun kindcren hebben gezorgd, hen zelfs hebben mishandeld en verwaarloosd, maar dat speelt niet voor mij en ook niet voor Emiel.

Mijn ouders hebben een goed huwelijk. Ze houden van elkaar. Het dagelijkse leven kabbelt rustig verder en de hartstocht van kort voor hun trouwdag, zoals die nu tussen Emiel en mij bestaat, is uitgegroeid tot een diepe genegenheid voor elkaar. Alles wordt rustiger en bezadigder. Je kunt als man en vrouw niet jarenlang in vuur en vlam staan zoals in de verkeringstijd. Het verwachten en verlangen van toen is zekerheid geworden en het is goed, je bent er tevreden en gelukkig mee.

Maar als het eenmaal zover tussen Emiel en mij zal zijn gekomen en vader of zoon Van Rittervoorden steekt een hand uit naar de ander, dan zal die hand vastgepakt worden. Papa wil hem graag in de zaak hebben, mama wil hem weer in haar hart sluiten, hij is zelfs nooit uit haar hart weggeweest. Het kwam door mij. Emiel zal zich snel weer thuis voelen op "De Ritter". Hij denkt, ik neem hem dat niet kwalijk, óók aan het grote bedrijf dat op hem wacht.

Ik ben en blijf de oorzaak van de "verloren jaren". Ik blijf de vrouw die niet in de familie en hun vriendenkring past. Ik word misschien geaccepteerd, geduld, maar ook niet meer dan dat. En Emiel keert terug in hun kring, want hij voelt zich daar thuis.

Toen ik dit aan Emiel vertelde zei hij dat dat beslist niet zal gebeuren. Als hij "nee" zegt blijft het "nee". Maar ik zie voor me dat ik in de toekomst eenzaam zal zijn. Dat zit verborgen in dat grote zwarte toekomstbeeld dat ik in gedachten zie,' ze lachte. 'Ik ben nog jong en ik heb geen ervaring met een huwelijk, maar ik heb om me heen toch wel iets gezien van het leven.'

De volgende dagen gingen tante Anne en Marianne 's middags samen de stad in om boodschappen te doen en elkaar te wijzen op leuke en mooie dingen in de etalages. Marianne liep elke dag alleen langs de boulevard, de wind om haar hoofd, het lied van de golven in de oren. De middag van de derde dag was het guur weer. Het regende hard en het waaide. Grote golven met witgrauwe schuimkoppen sloegen op de kust.

Marianne had thee gezet – ze was al helemaal thuis in het huishoudentje van tante Anne – en zette het schaaltje met bonbons op tafel.

'Ik heb de laatste dagen veel nagedacht over alles wat je me vertelde,
dat begrijp je wel. Er zijn meerdere kanten aan de zaak, zoals vrijwel
altijd zo is in dergelijke gevallen. Ik wil je nu zeggen wat ik ervan
vind,' begon tante Anne te praten.

Marianne zat tegenover haar in een diepe, gemakkelijke stoel. Tussen
hen in stond de lage salontafel met een bloeiend plantje, de theekopjes
en het bonbonschaaltje.

'Ik vind dat elk mens het recht heeft op te komen voor zijn eigen
belangen in het leven. Zelf mag kiezen wat voor hem of haar het beste
is. Dat betekent niet dat je om je heen moet maaien om alles en iedereen
uit de weg te ruimen die jouw toekomst in de weg staat, dat begrijp je
wel, zo bedoel ik het niet, maar jij, meisje, moet in de eerste plaats aan
jezelf denken en aan je eigen geluk. Je houdt van Emiel en de kansen
op een goed leven met hem zijn groot, want hij houdt ook van jou.

Zoals je een paar dagen geleden vertelde wil je dat opgeven uit angst
voor wat er in de toekomst zou kunnen gebeuren. Die angst is niet
denkbeeldig, maar als je opgeeft en het uitmaakt tussen Emiel en jou
uit angst voor de toekomst, gooi je waarschijnlijk je geluk weg. Het is
mogelijk dat je in je verdere leven dat geluk nóóit meer zal terugvin-
den. Je zult een man tegenkomen die je graag mag, waarvan je ook wel
houdt, maar de grote liefde voor jou zal altijd Emiel blijven. Heel veel
mensen komen die grote liefde nooit tegen, maar jij hebt hem gevonden
en ik vind dat je voor die liefde moet vechten.'

Marianne keek naar haar. Het lieve gezicht, de warme, grijze ogen, de
zachte stem. 'Ik heb ervaring in mijn leven. Mijn man en ik hielden
veel van elkaar, maar we hebben ook moeilijkheden gehad. Door alles
heen bleef ik eraan vasthouden dat hij mijn grote liefde was en dat ik
het leven met hem en ook voor hém goed wilde hebben. Je hebt gelijk
met wat je gezegd hebt over het "gewoon worden" in een huwelijk dat
vele jaren duurt. Dan is het niet meer elke dag leven in wolken van
intens geluk, maar je zult net zo gelukkig zijn in dat, wat jij noemde,
bezadigde leven, in vrede.

In ons leven heeft zich een verschrikkelijke tragedie afgespeeld. Helene heeft jou daar niet over verteld, niet omdat ik haar gevraagd heb erover te zwijgen, maar omdat ik het niet nodig vond dat jij ervan wist. Jij hebt genoeg aan je eigen tragedie. Maar ik wil je er nu toch over vertellen. Paul en ik hadden een zoon, een schattige baby, en we waren stapelgek met hem. Een lief, blond jongetje. Als kleutertje was hij een beetje verlegen, soms ook een beetje bang: de hele wereld vol mensen was te veel voor hem. Op school had hij het door die verlegenheid erg moeilijk. De andere kinderen plaagden hem en hij kon zich niet verweren. Paul en ik hebben eraan gedaan wat we konden. Met Stefan praten dat hij moedig moest zijn en dat er niets was om bang voor te zijn, met de onderwijskrachten om hem te helpen, maar het hielp niet. Stefan voelde zich tussen die schreeuwende jongens en meisjes niet gelukkig. Hij werd groter en hij werd een jongeman die niet wilde deugen, een heel moeilijke jongen. We hebben veel met hem beleefd, maar we zorgden ervoor,' tante Anne keek Marianne recht aan bij deze woorden, 'dat het tussen ons, mijn man en mij, goed bleef door veel te praten en van elkaar te weten hoe we het ondergingen. We hebben ervoor gezorgd elkaar niet de schuld te geven van de streken van Stefan. In de familie werd gezegd dat we hem teveel verwend hadden, een andere groep vond juist dat we te weinig aandacht voor hem hadden gehad. Er waren veel opmerkingen en we trokken ons die in het begin ook aan, maar op een dag zei Paul: 'We willen ons verdedigen, Anne, maar dat is niet nodig. We weten allebei dat de jongen een moeilijk karakter heeft. Hij is achterdochtig en gemeen en hij lijdt nog steeds onder de verlegenheid uit zijn kinderjaren. Hij is ook moeilijk voor zichzelf. Hij zoekt verkeerde vrienden uit, niet omdat hij het thuis niet gezellig kan hebben, maar omdat die jongens hem aantrekken. Die jongens zijn diep in hun hart stuk voor stuk ook bang en verlegen, zoals Stefan. In de kring van wat wij "gewone jongens" noemen telde hij niet mee, maar in de kring van de straatjongens was hij een kameraad. Hij voelde zich stoer als er dingen uitgehaald werden die niet door de beugel konden en zoals bijna alle jongens, wilde hij stoer zijn, meetellen.

Er zijn veel boze woorden over gevallen in dit huis, dat begrijp je wel. Er waren ook veel gesprekken om hem op het rechte spoor te brengen, maar het mocht allemaal niet baten. Hij belandde in cafés en had daar een grote mond. De straatjongens vonden het stoer van elkaar, maar al die grootspraak liet hen van een totaal verkeerde kant zien. Ik weet zeker dat Stefan er, in zijn stille momenten wanneer hij alleen was, de waarheid heeft ingezien en er verdriet over heeft gehad, maar hij was niet flink genoeg om te veranderen. Stefan dronk te veel. Hij is na een auto-ongeluk, veroorzaakt door een dronken chauffeur achter het stuur, gestorven.

Paul en ik hebben er veel verdriet over gehad, maar we hebben er elkaar nooit de schuld van gegeven. Het bleef goed tussen ons twee en dat kwam, meisje, Marianne, door de grote liefde tussen ons. We hebben gepraat met onze huisarts, we hebben gepraat met een psychiater, Stefan is ook bij die man geweest, maar hij kwam er lachend en schreeuwend vandaan; die vent was gek met z'n zotte ideeën!!

Ik wil je met dit verhaal zeggen: houd de liefde tussen Emiel en jou vast. Verlies die liefde niet. Vécht ervoor. Stel dát in de toekomst gebeurt wat jij in je sombere bolletje hebt gezien,' ze glimlachte, 'vertel Emiel dan hoe jij je voelt in de verhouding tot zijn familie. Als hij dan nóg van je houdt zoals nu, dan zoeken jullie er samen een oplossing voor, maar schuif, lieve kind, de liefde niet zelf van je weg.'

Marianne zat stil in de stoel. De regen kletterde tegen het grote raam, maar ze hoorde het niet. Tante Annes woorden hadden diepe indruk op haar gemaakt. De laatste woorden: schuif niet zelf de liefde van je weg... herhaalden zich in haar hoofd. Nee, ze moest geen einde maken aan die liefde tussen Emiel en haar... Het gaf een warm gevoel dit te denken, dit te weten, het was een blij weten, want dit was het beste. Ze kon Emiel niet missen. Hij zou naast haar staan als in de toekomst de dingen gebeurden waarvoor ze vreesde.

Laat in de avond belde haar vader.

'Meisje van ons, hoe is het met je?'

'Wel goed, pap.'

'Gisteravond is Emiel bij ons geweest. Hij was volkomen over zijn toeren. Je bent gevlucht, zo noemde hij het. Hij weet ook waarom, want je hebt het duidelijk verteld, maar hij begrijpt het niet!! Je maakt jullie verloving kapot, mijn kind, dat is toch ondenkbaar!!'

Vader praatte verder met een opgewonden stem en Marianne luisterde.

'Morgenavond komt Emiel weer. Mama en ik hebben hem beloofd dat we voor hem het telefoonnummer zullen draaien en hem de kans zullen geven met je te praten. Denk erom, meisje, verniel je geluk niet, praat met Emiel, luister naar hem, alsjeblieft, neem geen dom besluit. Ik bel rond negen uur, dan zal Emiel hier zijn.'

De volgende avond rinkelde even na negen uur de telefoon, die op een klein tafeltje achterin de kamer stond. Marianne nam op.

'Lieveling, met mij. Laat me zeggen wat ik je wil zeggen. Ik heb de woorden de hele dag in mijn hoofd, ik kan aan niets anders denken dan aan dit gesprek met jou. Luister naar me. Vanaf de dag waarop mijn ouders wisten dat ik verliefd op jou was hebben ze geprobeerd me ervan te overtuigen dat je niet bij mij past en niet thuishoort in onze familie, ook niet in onze vriendenkring. Ze zetten een hetze tegen jou op en dat heeft al met al drie, vier jaren geduurd. Ik heb geprobeerd ze ervan te overtuigen dat ze het verkeerd zien, maar dat lukte niet.

Ik heb het besluit genomen uit de kring van mijn familie te stappen. Als jij daar niet in past is er voor mij ook geen plaats meer. Ik ga met jou mee in de kring van jouw familie omdat die mij wel wil verwelkomen.

Ik heb dat besluit genomen en ik verzeker je dat ik daar niet meer op terugkom. Het was een moeilijke beslissing, maar ik heb voor jou gekozen. Ik heb al die tijd voor jou gekozen en ik zal mijn levenlang voor jou blijven kiezen. Na alles wat er al over gezegd is tussen ons, Marianne, verwachtte ik dat je het met me eens zou zijn dat dit de enige weg is. Maar toen ik het bij je thuis vertelde barstte je los en zei dat jij het niet wilde, mijn lieveling, het kan niet anders! Dit moest gebeuren. En opeens was je verdwenen, moest je erover nadenken; ik begrijp dat niet! Ik ben er kapot van! Er is geen andere weg voor ons samen dan zonder mijn ouders. Nu ben je bang dat ik op den duur terug zal krabbelen en je bent bang dat de vijandigheid van mijn ouders dan nog groter zal zijn dan nu. Ik begrijp dat, maar je moet vertrouwen in mij hebben en weten dat ik hier niet op terugkom.

Alsjeblieft, Marianne, zeg me waar je bent! Wij gaan samen verder!

Ik woon nu in de kamer van Bram, maar achteraf was het niet nodig geweest van woonruimte te wisselen, want de familie zoekt me niet. Bram heeft niemand aan de deur gehad en ook niemand aan de telefoon. Morgenmiddag heb ik een afspraak met Glastra en Holle-kamp. Dat is een groot aannemersbedrijf onder de rook van Haarlem. Ze bouwen niet alleen woningen en bedrijfspanden, er is ook een architectenkantoor aan verbonden en in die richting hoop ik bij hen een leuke baan te vinden. Ik ben vol vertrouwen, want ik ken die mannen een beetje en mijn eerste telefoontje met Glastra was gunstig. Ze moeten natuurlijk wel een plekje voor me hebben. Dan gaan we gauw trouwen, Marianne, jij en ik, lieveling... Je vader heeft verteld dat je een aardig eindje uit de buurt bent, maar al was je aan het andere einde van de wereld, ik kom je halen! Ik heb gisteravond heel lang met je ouders gepraat en ze zijn ervan overtuigd dat ik altijd achter jou zal staan. Ik kan zonder mijn ouders leven. Het is jammer en onnodig dat het zo moest lopen, maar het is hun keuze, ik kan er niets meer aan veranderen.'

'Emiel, ik... ik heb geen vertrouwen in je gehad, dat is heel erg, maar het vloog zo op me af, ik was zo bang... Als jij zeker weet dat je zonder contact met je vader en moeder kan leven...' Ze maakte de zin niet af.

'Dat kan ik. Mijn leven is met jou.'

Na het gesprek liep ze met trillende benen terug naar de voorkamer, naar tante Anne. Die keek haar logé met een lachje aan.

'Ik heb het één en ander begrepen. Je denkt nu misschien dat je te impulsief en te overhaast de beslissing hebt genomen hierheen te komen, maar ik zie het anders. Je had het nodig om even weg te zijn, om afstand te nemen. Je bent er nu van overtuigd dat Emiel niet in dolle drift handelde toen hij de huisdeur van "De Ritter" achter zich dichtsloeg. Hij deed het weloverwogen. Ook tot hem is in de voorbije dagen die diepe ernst van zijn besluit doorgedrongen. Hij heeft erbij stilgestaan en dat is nodig bij zo'n belangrijke beslissing. Deze dagen hier hebben voor jullie allebei het fundament van jullie liefde verstevigd.'

Opeens lachte Marianne. 'U kunt het zo mooi en wijs zeggen, tante Anne! Ik ben blij dat ik hier mocht zijn.'

Zaterdagmiddag even na twee uur stopte Emiels auto voor het huis. Marianne rende door de gang, opende de deur en viel hem dolgelukkig in de armen.

'Mijn lieveling,' Emiel kuste haar.

Tante Anne, in de voorkamer, hoorde het met een lachje aan. Lief kind, dacht ze, ik hoop dat je heel gelukkig wordt met deze jongen en dat hij zijn woord houdt. Toen ze hem zag, groot en blond, met een open, eerlijke blik in de blauwe ogen, had ze daar vertrouwen in.

Hoofdstuk vijf

In de meimaand van dat jaar trouwden Emiel Andreas van Rittervoorden en Marianne Timmer in het kleine raadhuis van Wennebroek en daarna voor God en zijn gemeente, zoals de dominee dat uitdrukte in het kerkje van het dorp.

Het was geen groot gezelschap dat de plechtigheid bijwoonde. Mariannes familie, Helene, Bob, Anton en Harald van kantoor Lansman Benschot, Bram Reinders en nog wat goede vrienden van Emiel uit zijn studententijd. Tante Anne was uit Vlissingen gekomen – ze wilde er een vakantie bij haar zus en Helene aan vastknopen – wat vrienden en belangstellenden uit het dorp.

De dominee preekte over geloof, hoop en liefde. Geloof in God, maar ook geloof voor deze jonge mensen in elkaar. Hoop- en vertrouwen, voegde hij eraan toe – in de toekomst en het belangrijkste van de drie: de liefde. Hun sterke liefde, die, zei hij, hen in de toekomst door moeilijkheden en zorgen zou helpen en Gods liefde, die hen op deze dag, maar ook in hun verdere leven zou omringen.

Er werd gezongen: ruwe stormen mogen woeden... Marianne dacht heel even aan de woelige zee bij Vlissingen en de woelige storm die in die dagen in haar hoofd woede. De storm was uitgeraasd, ze stond hier, hand in hand met Emiel. Ze glimlachte ontroerd.

Na de kerkdienst ging men naar 'De Zwarte Roos' voor koffie en gebak en daarna volgde een gezellige receptie. Stemmen en gelach klonken om hen heen. Er waren mooie woorden, kussen en cadeaus. En tussen de mensen stond opeens Wieneke van Rittervoorden. 'Ik móest naar jullie toe, niemand kon me tegenhouden. Ik wens jullie heel veel geluk, mijn liefste vriendin van zoveel jaren, Marianne en mijn lieve broer, Emiel. Ik mis jullie heel erg in mijn leven. Maar ik heb jullie gezegd dat ik me buiten de moeilijkheden wil houden. Ik kies geen partij, maar nu wil ik bij jullie zijn. Mijn komst op jullie receptie zal worden opgemerkt. Het zal thuis provocerend werken, maar ik neem het risico.'

Laat in de nacht, na een fijne, gezellige avond, reden ze naar 'Het Timmerhuis', zoals Emiel het huis van Mariannes ouders noemde, om daar de nacht door te brengen. Toen ze bij elkaar in de huiskamer zaten, gemakkelijk met de schoenen uit en de stropdassen af, werd de komst van Wieneke nog aangeroerd. 'Het was fijn dat Wieneke bij ons kwam,' zei Marianne en ze meende het oprecht, ze was er héél blij mee.

'Ja,' knikte Emiel, 'ik hoop dat ze er geen moeilijkheden mee krijgt thuis. Maar misschien,' zei hij lachend om dit onderwerp wat minder zwaar te maken, 'misschien is moeder wel nieuwsgierig naar een verslag van een boerenbruiloft...'

In de loop van de volgende dagen reden ze naar Haarlem. Enkele dagen daarna begonnen ze aan een heerlijke huwelijksreis naar Wallis in Zwitserland. In een prachtig hotel was een mooie kamer voor hen gereserveerd.

Ze hadden een ruime woning gekocht in een rustige, mooie laan in een buitenwijk van Haarlem. Toen ze dat huis zagen tijdens de speurtocht naar hun toekomstige woning, hadden ze beiden het gevoel 'dit is het'. Marianne zag hen in gedachten al zitten in de lichte kamer en in de keuken, 's morgens aan de ontbijttafel die voor het lage raam een plaatsje zou krijgen met uitzicht op de tuin. Gezellig koffie in de kan, elk aan een kant van de tafel.

Nadat ze van de geslaagde huwelijksreis waren teruggekeerd nestelden ze zich, zoals Marianne het noemde, ze kon er geen ander woord voor bedenken, in hun eigen huis. Het werd precies zoals ze het zich bij het zien van de woning had voorgesteld. In de vroege morgen zaten ze samen aan het ontbijt in de keuken. De zon scheen door het raam, vogels zongen in de bomen en struiken in de tuin. Emiel was dan al in het keurige pak gestoken, zij liep nog in een lichtblauwe badjas.

Emiel had het naar zijn zin bij Glastra en Hollekamp. Hij kon het goed vinden met de collega's en het werk was interessant, anders dan het werk bij Van Rittervoorden. Hij vond dit spannender. Het vereiste meer denkwerk, of beter gezegd, een ander soort denkwerk: praten over ontwerpen van kantoorruimten bijvoorbeeld, of over de voor- en nadelen van een bepaald onderdeel van een project. Marianne luisterde belangstellend naar zijn uiteenzettingen.

Na het ontbijt kuste Emiel haar en vertrok. Zij nam een douche, kleedde zich aan en stofte alle dingen af die ze samen hadden uitgezocht en mooi vonden.

Op een avond, enige weken na de terugkeer uit Zwitserland, zaten ze in de huiskamer. Via de cd-speler klonk zachte muziek, de zon scheen nu aan de andere kant van het huis de kamer binnen. De koffiekopjes stonden op tafel.

'Emiel,' begon ze, 'ik vind het heerlijk in ons huis, dat weet je wel, maar ik denk er toch over uit te kijken naar een baan. Ik heb vanmorgen alle dingen in huis afgestoft en ik heb overal gezogen en gedweild. Er is geen pluisje te bekennen en met dat werk ben ik geen hele dagen bezig. Het is onnodig en nutteloos om het morgen weer te doen. Denk je dat ik hier in de buurt, want ik moet er op mijn fietsje naartoe kunnen peddelen, een baantje zal kunnen vinden?'

'Als je werk zoekt is er altijd wel iets te vinden. Je kent het gezegde "Zoekt en gij zult vinden". Als je het op prijs stelt wil ik wel een balletje opgooien bij Ernest Hollekamp. Hij is nogal gecharmeerd van je, weet je dat? Misschien is er op het kantoor van "bouwwerken", zoals dat in ons vakjargon heet, een plaatsje vrij. Maar, mijn lieve Mariannetje, eigenlijk heb ik een andere droom voor jou en mij in gedachten. Je neemt nu de pil niet meer in. Je bent een getrouwde vrouw en niet bang dat de één of andere snode jongeling je na een avond uitgaan in de steek zal laten als je hem vertelt dat je tot je grote schrik niet ongesteld bent geworden.' Hij zei het op een licht geamuseerde toon en Marianne moest erom lachen, maar ze wist wel hoe ernstig dit onderwerp eigenlijk voor hem was. 'Ik hoop dat je me over vier of vijf maanden 's avonds in ons warme bed fluisterend gaat zeggen dat je niet ongesteld bent geworden en dat je een vreemd gevoel in je mooie lijfje hebt. Ik hoop dat je dan, na een bezoek aan de dokter, weet dat je een kindje verwacht.'

'Onmogelijk is het niet,' zei ze, zijn onschuldige spelletje meespelend.

Ze zat naast hem op de bank en schoof dichter naar hem toe, want ondanks de lichte toon was dit een onderwerp waarbij ze zijn arm om zich heen wilde voelen, 'het overkomt duizenden en nog eens duizenden echtparen; waarom zou het ons niet overkomen? We zijn jong, we zijn gezond en ja, we willen het graag. Maar als het nog even duurt, misschien een jaar, misschien twee jaar, wil ik die tijd van wachten minder lang laten duren door elke dag aan het werk te gaan.'

Emiel knikte. 'Dat is een goede redenering. Ik heb eens gelezen dat vrouwen die te sterk bezig zijn met het verlangen naar een zwangerschap daardoor juist niet in verwachting raken. Maar goed, dat is een ander onderwerp. Ik wil met Ernest praten, maar ik heb het gevoel dat het niet lang meer zal duren voor ons baby'tje zich aankondigt.'

Vier maanden later, aan het einde van oktober, wist Marianne dat ze zwanger was. Ze was niet ongesteld geworden en na vier weken stelde de jonge huisarts het inderdaad vast: 'Ja mevrouw Van Rittervoorden, u bent in blijde verwachting'.

En een blij verwachten was het voor hen, ze waren er dolgelukkig mee. Vader en moeder Timmer, die de zondag daarop bij hen op bezoek kwamen, vader Kees stoer achter het stuur van hun tweedehands auto, deelden in de vreugde. Na het bericht uitgebreid besproken te hebben zei moeder Maaike: 'Wij hebben óók nieuws, want Theo en Anneke gaan volgend jaar trouwen. Ze hebben het huis gekocht van Tinus Roozendal, je weet wel, het staat even verder dan de oude melkfabriek. Het is een leuk huis. Er moet wel het één en ander aan opgeknapt worden, maar Theo kan zelf veel doen en zijn vader helpt mee en zijn broer Jan. Papa Kees zorgt natuurlijk voor het schilderwerk en het behangen.'

Het werd een gezellige, blijde dag. Esther was meegekomen. Ze was nu een leuk blond meisje van veertien jaar, nog altijd even vrolijk en vol prachtige verhalen.

Zo verliep het leven zoals ze het zich hadden voorgesteld en ze waren er heel gelukkig mee.

Op een kille avond in maart kwam Emiel thuis. In de woonkamer brandden de schemerlampen. Het was er behaaglijk warm, en het rook heerlijk naar de maaltijd, die Marianne had bereid. Nu de zwangerschap zichtbaar was, droeg ze een leuk zwangerschapspakje. Het wijde jakje viel over de rok. Ze begroetten elkaar innig. 'Het is koud buiten,' berichtte Emiel, 'een gure, koude wind.'

Na de maaltijd, terwijl de afwasmachine zijn werk deed, zaten ze samen in de kamer toen Emiel vertelde: 'Vroeg in de middag kwam een man ons kantoor binnen wiens gezicht mij vaag bekend voorkwam, maar ik kon het niet thuisbrengen. Zijn naam: Van Mierlo, zei me ook niets. Rolf Nauta en ik waren samen op kantoor. Rolf kent die man allang, dus stelde hij me aan hem voor. De man keek me toen verbaasd aan en vroeg verwonderd: 'Van Rittervoorden? hier... bij Glastra en Hollekamp...'

Ik zei alleen: 'Ja.' Ik wilde er verder niets meer over zeggen en dat respecteerde hij. We begonnen aan het zakelijke deel en het verliep goed. Het was een geschikte kerel, voor zover je dat kunt peilen bij mensen die bij je over de vloer komen om aan je te verdienen. Na afloop van het gesprek stelde Rolf voor een kopje koffie te drinken. Nelleke Randers bracht de koffie. We zaten aan de tafel die in de hoek van het kantoor staat, min of meer knus bij elkaar, alle drie tevreden over de onderhandeling, die voor alle drie gunstig was verlopen. Toen zei die Van Mierlo: 'Ik neem aan dat de mensen van de firma Van Rittervoorden uit Schageveld familieleden van u zijn.'

Ik knikte. Hij raakte een beetje in verlegenheid, maar hij wilde zijn praatje toch afmaken, want hij was nieuwsgierig hoe het een en ander in elkaar paste. 'Ik neem aan dat u weinig belangstelling hebt voor het bedrijf van Van Rittervoorden.'

'Toch wel,' antwoordde ik, 'het feit dat mijn vader en ik, want Lodewijk van Rittervoorden is mijn vader, niet zakelijk samenwerken wil niet zeggen dat ik niet in het wel en wee van het bedrijf geïnteresseerd ben. Maar de handel in bouwmaterialen trekt me niet. Ik vind het werken met bouwplannen interessanter.' Ik wilde hem niet zeggen dat we niets met elkaar te maken willen hebben, hoewel het niet onmogelijk is dat hij daarvan wist. Er wordt veel gekletst en verondersteld, ook in het zakenwereldje. Soms is het net een klein roddelcircuit.'

Marianne knikte.

'Toen zei Van Mierlo dat hij bij een bezoek aan Schageveld had geconstateerd dat het niet goed gaat met mijn vader. Hij is nog steeds de grote baas in het bedrijf en hij leidt het met ijzeren hand, maar de man ziet er niet goed uit. Hij is uiterlijk gezien nog steeds een flinke kerel, maar heel nerveus. In hun gesprekken sprong hij van de hak op de tak en dat was Van Mierlo niet van hem gewend. Maar, voegde hij er snel aan toe om mij de indruk te geven dat hij zich er verder niet mee wilde bemoeien, misschien speelden er intussen andere zorgen in het bedrijf waaraan hij stilletjes dacht, door hun gesprekken heen. Ik zei dat dat goed mogelijk was, ja toch, in zo'n bedrijf speelt er wel het één en ander. Toen hield Van Mierlo erover op, maar ik bleef eraan denken en ik wil er nu met jou over praten, want vroeg of laat horen wij berichten over mijn ouders. Dat is niet te voorkomen. We horen ze aan, maar we doen er verder niets mee. Ik maak even een zijstapje naar Hollekamp om je duidelijk te maken wat ik bedoel. Ernest Hollekamp is een geschikte kerel en ik kan goed met hem opschieten. Hij heeft een manier van spreken, want bij Ernest is het geen praten, dat is een manier van spreken, die me het gevoel geeft dat hij een cursus heeft gevolgd. Een cursus voor eigenaren van flinke bedrijven. "Hoe zeg ik kort en bondig hoe ik over het onderwerp denk." Ernest heeft het over "de feiten". Het feit kan ook, als het één onderwerp betreft,' zei Emiel lachend, 'en dan wordt eraan toegevoegd: een vaststaand feit.'

Marianne keek hem licht verbaasd aan, wat wilde Emiel haar duidelijk maken? Ook al lachte Emiel, ze voelde een diepere ondertoon en spanning in wat hij zei.

'Een vaststaand feit is een feit waaraan niet meer te tornen valt. Onwankelbaar dus. Ernest zegt dan: dat feit staat vast.'

Hij keek haar aan. 'Ik zal het duidelijk maken. We overleggen over een ontwerp voor een woning, maar de toekomstige eigenaar wil de trap middenin de kamer. Dat staat vast. Dat is een feit. Daaromheen moeten wij iets leuks bedenken.

Zo was er in de herrie thuis het vaststaande feit dat ik met jou wilde trouwen. Aan het feit wordt niet getornd. Mijn ouders kenden het vaststaande feit voor mij, maar ze wilden daar niet voor buigen. Het had natuurlijk best gekund. Jij bent een schat van een meid en je maakt de naam Van Rittervoorden beslist niet te schande. Maar voor hen was er niet mee te leven. Ik hield vast aan het feit en kon dus niet met hen verder. Daardoor is het tot een scheiding gekomen. Wij kunnen heel goed leven met die scheiding. Jij zeker, want mijn ouders hebben jouw hart nooit willen veroveren. Mij hebben ze zoveel narigheid en ergernis aangedaan dat ik ze kan loslaten.

We wonen op een goede afstand van elkaar. We zullen mijn moeder in haar snelle wagen niet gauw in de laan zien en dat is een rustig gevoel. Maar vroeg of laat, zoals vandaag, komen berichten over de Van Rittervoordens bij ons binnen. Die horen we aan, we nemen er kennis van en ook niet meer dan dat. Zij hebben gekozen, ik heb gekozen; dit is het goede besluit. Maar, Marianne, het is niet goed om, als we iets horen, erover te zwijgen en er stilletjes toch over te denken, misschien zelfs over te piekeren. Jouw familie woont óók in Wenne-broek, een verhaal doet gemakkelijk de ronde. Het feit staat vast,' Emiel lachte, 'hoe vaak is dit woord vanavond al gevallen! Als Ernest nu hoorde hoe ik zijn woorden gebruik, zou hij er verbaasd over zijn, maar dit maakt goed duidelijk wat ik bedoel.'

'We moeten er, als we iets horen, over praten. Niet lang, want we willen het niet meer in ons leven betrekken. We nemen er, zoals je dat zegt, kennis van.'

Ze vond de woorden niet overtuigend... het ligt buiten ons, het waren toch Emiels ouders...

Ze vroeg: 'Die Van Mierlo vertelde dat je vader onrustig was, onstabiel.'

'Dat kan; hij leidt tenslotte een groot bedrijf. Maar mogelijk gebruikte Van Mierlo het als inleiding om meer over onze verhouding te horen. En misschien wilde hij een opmerkzaam man zijn, 'zo, zo, wat is er aan de hand met die Van Rittervoordens...' Maar los daarvan moet het voor mijn vader niet plezierig zijn zijn compagnon kwijt te zijn; twee weten meer dan één; in elk geval kon hij over de problemen in het bedrijf met mij praten. Maar ik maak me er geen zorgen over. Mijn vader is een sterke persoonlijkheid en hij gaat er zeker niet onderdoor.'

Enkele dagen later maakte Marianne kennis met een jonge vrouw, die drie huizen verder in de laan woonde.
Het was nog vroeg in de morgen. Marianne was op weg naar het winkelcentrum, de boodschappentas in de hand, terwijl de buurvrouw haar fiets het trottoir opreed.
'Goedemorgen,' groette Marianne vriendelijk en de ander reageerde spontaan: 'U bent onze nieuwe buurvrouw! Nou, nieuw,' er klonk een vrolijk lachje door in haar stem, 'jullie wonen er alweer meer dan een half jaar, ja toch?' Ze stak haar hand toe. 'Hester Overman. Leuk met u kennis te maken. Heeft u tijd om een kopje koffie met me te drinken, dan babbelen we even samen.'
Ja, daar had Marianne wel tijd voor en ze vond het gezellig.
'Ik heb Tim, ons zoontje, naar de peuterspeelzaal gebracht; ik heb ruim de tijd tot elf uur.'
Het was een leuke vrouw om te zien, een dikke bos donker haar, bruine ogen en ze lachte, dat ontdekte Marianne later, graag en veel.
In de huiskamer besloten ze snel elkaar bij de voornaam te noemen. Hester vertelde over Tim en Marianne zei: 'Je hebt het waarschijnlijk al gezien, hoewel dit wijde jasje één en ander verbergt, maar ik ben zwanger, al zes maanden.'
'Kind, wat heerlijk! Het is zo fijn zo'n klein hummeltje in huis te hebben, maar, ik waarschuw je, er komt een hele organisatie aan te pas. Mogelijk was dat voor mij erger, omdat ik, toen ik trouwde, met twee linkerhanden in ons prille huishoudentje stond. Maar los daarvan is er veel werk aan een baby. Ik wilde beslist mijn baan aanhouden. Toen ik mijn wijze oma vertelde dat ik zwanger was maar wilde blijven werken zei ze: 'Je moet niet denken dat een baby een pop is die je op een stoeltje in je slaapkamertje kunt zetten.' Ik had vroeger een pop, Nanja, die ik, voor ik naar school ging, in een rieten stoeltje in mijn

110

kamertje zette en die daar als ik uit school kwam lief en zoet op me zat te wachten. Dat is met een baby niet zo!! Oma had gelijk. Zo'n klein mensenkindje bezorgt je veel werk, maar het is heerlijk. We zijn dolblij met Tim.'

'En je werk?'

Hester lachte. 'Nee, dat ging toch niet. Achteraf ben ik blij dat ik mijn baan heb opgezegd, want een baby verandert snel en ik heb het allemaal meegemaakt. Je kent de verhalen wel, het eerste oogcontact, het eerste lachje. Als je erover hoort van anderen denk je, leuk hoor, maar als het je eigen kindje betreft is het heel anders. Dat zal je ondervinden. Het is verrukkelijk. Jij hebt geen baan?'

'Nee.' Marianne vertelde dat ze vanuit Wennebroek, een prachtig dorp in Noord-Holland naar hier was verhuisd en een baan wilde zoeken omdat ze overdag alleen was. Er woonde in Haarlem geen familie en ze hadden er tot nu ook geen kennissen.

Hester knikte. 'Voor mij lag het anders, maar ik begrijp je wel. Ik kom uit Noorderweer, een dorp in Drente. Toen ik negentien was wilde ik naar de grote stad, want daar is veel te beleven. Maar Amsterdam was me te druk en mijn ouders zagen dat niet zitten, Utrecht vond ik ook te groot en zo viel de keus op Haarlem. Ik solliciteerde op een advertentie in de Telegraaf, ik kreeg die baan en ik verhuisde naar Haarlem. Mijn eerste onderdak, was een heel klein kamertje bij een ouder echtpaar, maar zoekend en rondkijkend werden de verblijven steeds beter. Dat kwam ook door de collega's die ik op mijn werk leerde kennen. Ik heb twee leuke vriendinnen aan mijn werk overgehouden. In die tijd ontmoette ik Otto en je weet hoe dat gaat: verliefd, verloofd, getrouwd. Nu wonen we dus in deze laan, we zijn blij met elkaar en met Timmetje. Maar ik kan me voorstellen dat jij, zo kersvers uit, wat zei je, Wennebroek, vaak alleen bent als je man naar zijn werk is, en dat je dat niet prettig vindt. Gezellig is het in elk geval niet. Waar werkt je man? En hoe heet hij? Je hoort, ik wil graag alles weten. Dat is een eigenschap uit Noorderweer. Het is een klein dorp en iedereen weet bijna alles van de ander en wat je nog niet weet vráág je gewoon. Anders moet je onnodige moeite doen om het aan de weet te komen.

111

Hier en daar informeren: niet nodig, je vraagt rechtstreeks: hoe zit dat nou met die zoon van jullie, komt hij nog zo vaak dronken uit de kroeg...' Hester lachte. 'Van mijn werk heb ik dus Lydia en Ans overgehouden. We hebben het gezellig met z'n drietjes. We komen af en toe bij elkaar en we gaan er soms ook samen opuit. Ik zal ze over jou vertellen en ik vermoed dat ze het leuk vinden je in ons clubje op te nemen. Maar, nogmaals, echt veel gaan we niet met elkaar om. We hebben elk ons eigen gezin, maar af en toe lachen met meiden is heerlijk. Zo'n vrouwenvriendschap heeft in mijn ogen ook een relativerende werking, want als er bij een van de echtparen ruzie is, dat komt in de beste kringen voor, kunnen we luisteren en er een vrolijke opmerking over maken. Otto was eerst bang voor "die vrouwenclub" zoals hij het noemde, als het maar geen "praatgroep" werd. Geëmancipeerde vrouwen die precies weten wat ze willen en waar ze recht op hebben in het huwelijk en die elkaar opstoken. Maar nee, we zijn alledrie echt geen onderdanige huisvrouwen, maar we jutten elkaar niet op. We zijn blij met het leven zoals het nu voor ons is.'

Het gesprek ging naar de huizen in de laan, het onderhoud van de tuin. Hester vertelde over haar hobby, het naaien en breien van kleertjes voor Tim. Zal ik nog een glaasje frisdrank inschenken, te veel koffie is niet goed voor een aanstaande moeder...

Tegen elf uur stond Marianne op. Hester zou binnenkort op nummer zeventien komen. 'Ik zie ernaar uit,' zei Marianne. Ze wandelde, de boodschappentas weer in de hand, naar het winkelcentrum.

's Avonds vertelde ze Emiel over de ontmoeting met Hester Overman. 'Meer dan eens Marianne, denk ik aan je als ik aan het werk ben. Het is op de zaak altijd "roezemoezig", zoals oma Timmer dat noemt. Stemmen in onze werkruimte en stemmen in de vertrekken ernaast. Het geluid van de apparatuur en het rinkelen van de telefoon. Tijdens de koffiepauze praten Bert van Dok en ik met elkaar. Henriëtte, de secretaresse van Joop Glastra babbelt vaak met ons mee, er zijn de hele dag mensen om me heen. Jij bent alleen thuis. Dat lijkt me niet echt prettig. Het kan niet anders, want nu buitenshuis werken is onmogelijk. Over drie maanden heb je het druk met de baby, maar het lijkt me heerlijk voor je om kennissen te hebben.

Ik heb dat vrouwtje Overman een paar maal gezien, het lijkt me een vlot type. Haar man lijkt wel een beetje op Ronald Sterrenberg, ken je die nog? Uit Wennebroek? Een lange vent, mager, een spits koppie; daar heeft hij wel wat van weg.'

Drie vrijdagavond belde Wieneke.

'Hallo, zusje van me,' begroette Emiel haar hartelijk, 'hoe is het met jou en met Henri Victor?'

'Lieve jongen, ik bel om te vragen hoe het met jullie is, geef mij dus eerst antwoord.'

'Goed. Met Marianne gaat het prima, ze is een blij aanstaand moedertje. De zwangerschap is nu ongeveer zes maanden. En ik, als aanstaande blijde vader, maak het ook prima! Ik heb plezier in mijn werk, het gaat prima, maar hoe gaat het met jou?'

'Henri Victor en ik hebben trouwplannen. We willen over drie, vier maanden trouwen. Henri heeft een goede baan in Leiden, dat weet je. In die stad, of in de naaste omgeving zoeken we een huis. We willen graag de ruimte hebben, vooral ik stel dat als voorwaarde, want ik ben het gewend. Steeds weer als ik uit Amsterdam naar huis kom doet de ruimte en de frisse lucht me goed. Om Leiden heen liggen mooie dorpen. Rijnsburg, Oegstgeest, Katwijk, met het strand dichtbij, daar zullen we beslist iets vinden.'

Het gesprek kabbelde nog een beetje voort, ook Marianne kwam aan de lijn. Wieneke besloot het gesprek met: 'We zijn van plan binnenkort bij jullie langs te komen. Ik wil dat allang, maar Henri was bang dat er toch over de geschiedenis tussen jou en onze ouders gesproken zal worden en daar willen we graag buiten gehouden worden.'

'Weet je, Wieneke, als we even niets meer weten te zeggen beginnen Marianne en ik over onze baby! Daarover zijn we enthousiast en niet gauw uitgepraat, krijgt hij borstvoeding of een flesje, welk merk luiers is het beste; jullie hoeven alleen maar te knikken. Maar nee, ik plaag je maar. Ik begrijp dat het verleden ook voor jou moeilijk is. Je wilt neutraal zijn en blijven en dat valt mogelijk niet altijd mee; maar we vinden het allebei fijn als jullie langs komen.'

De week daarop kwamen Wieneke en Henri Victor op bezoek. Het werd een gezellige avond. Wieneke vertelde over haar laatste studiejaar, Henri over zijn baan als leraar wiskunde aan het Sleutelcollege in Leiden en de avondopleiding die hij daarnaast volgde. Ze praatten wat over hun toekomstige woning. Emiel en Marianne waren blij vooral Wieneke weer te zien en te spreken.

Toen de deur achter hen was dichtgevallen zei Marianne: 'Over "De Ritter" is geen woord gevallen. Dat was ook afgesproken, maar ze hebben zelfs niet gevraagd hoe het je bij Glastra bevalt, uit angst dat dat onderwerp naar je vaders bedrijf zou leiden.' Emiel knikte alleen. Hij liep langzaam naar de stoel bij het raam en ging zitten.

'Henri is een aardige jongen,' Marianne pakte de glazen van de bezoekers op om ze naar de keuken te brengen, 'maar ik heb het gevoel dat ik nooit echt vertrouwd met hem zal raken.'

Emiel knikte. 'Dat komt in de eerste plaats, vermoed ik, door zijn wiskundige hoofd. Hij heeft een heel andere manier van denken dan wij, en dan zijn opvoeding. De ouders van Henri zijn keurige mensen,' hij lachte, 'mijn ouders zijn ook keurige mensen, die hun kinderen een uitstekende opvoeding hebben gegeven, maar de ouwelui van Henri zijn nóg keuriger! De jongen weet hoe het hoort. Altijd met twee woorden spreken, Henrietje en niet voor je beurt spreken, dat hoort niet en soep moet je eten met je rechterhand. En Henri is links! Toen Wieneke nog maar kort bevriend was met Henri, maakte ik er thuis grapjes over. Hij deed zo zijn best om een goede indruk te maken. Hij was in mijn ogen té overdreven beleefd en bescheiden. Vader kon er wel om lachen, mijn grapjes waren ook onschuldig, maar misschien hebben ze toch de kiem gelegd voor de ideeën van mijn ouders, later! Ik zei bijvoorbeeld dat zijn moeder hem vanaf zijn zesde jaar met ijzeren hand leerde geen soep te eten met zijn linkerhandje, want dat hoort niet. Ze begon met dikke pap, een soort brij waarin de lepel rechtop bleef staan en dat lukte jongetje Robertsen redelijk goed. Daarna gele vla, nee, Henri, denk eraan je mooie, rechterhandje. Daarna kwam een pannetje, herstel, een terrine met licht gebonden tomatensoep op tafel en daarna, Henri was intussen zestien, een lange leerschool dus, de dunne bouillon met drie verdwaalde gehaktballetjes. Oefening baart kunst. Henri kan nu keurig soep eten. Gelukkig maar!' Marianne moest lachen om het verhaaltje.

'Henri is een aardige jongen, maar hij is té beleefd. Het lijkt me voor hem ook niet prettig zo gespannen te zijn.'

Toen hij pas bij ons over de vloer kwam sprong hij in de gang aan de kant, en drukte zichzelf bijna tegen de muur om mijn moeder vrije doorgang te verlenen als ze de trap afdaalde. Ik moet er nog steeds over piekeren hoe zijn moeder hem dat heeft geleerd, want kleine jongetjes draven door gangen en op trappen. Eigenlijk moet ik er ook geen grapjes over maken. Het is waar dat Henri een ander type mens is dan jij en ik en ook, vind ik, dat hij eigenlijk niet bij Wieneke past. Moeder kon goed met hem opschieten, maar vader had er wel eens moeite mee. Er groeide geen echt contact tussen hem en zijn wiskundige schoonzoon. En vader mag dan in "De Ritter" een keurige heer zijn, hij hoort op het werkterrein grove uitspraken van de mensen en hij kan zelf ook wel eens uit zijn slof schieten. In de kantoren worden tussen de bedrijven door minder fijngevoelige grappen gemaakt.' Emiel zweeg even en vervolgde toen: 'Nu ik erover denk vraag ik me af hoe hij naar de toekomst van het bedrijf kijkt. Hij kan het werk nu nog goed aan, maar af en toe kan hij zich afvragen waarop alles uitloopt... Hij zag mij vanaf mijn peuterjaren als zijn opvolger. Zijn tweede keus, de man van zijn dochter, zijn schoonzoon, is er totaal ongeschikt voor. Misschien wordt Henri Victor in de toekomst hoogleraar aan de universiteit van Leiden. Dat is iets om trots op te zijn, maar vaders voorraad stenen in waalvorm en rijnvorm en de grote zandhopen hebben een ander type nodig om leiding te geven. Ik wil me er niet in verdiepen – denk aan het vaststaande feit – maar er kunnen in het hoofd van mijn vader toch nare toekomstbeelden spelen...'

Hoofdstuk zes

De laatste maand van de zwangerschap viel Marianne heel zwaar. Haar benen deden pijn, ook haar rug en ze had last van maagpijn. 'Ja dokter,' zuchtte ze, 'ik begrijp wel hoe dat komt en het kan niet anders, maar het voelt niet lekker.'

Ze zat niet prettig meer naast Emiel in de auto en de laatste zondagen kwamen vader en moeder Timmer hen opzoeken. Esther en haar vriendje Bart kwamen dikwijls mee. Bart was de gezellige, vrolijke zoon van Henk en Nelly Pietersen. Hij wilde timmerman worden en leerde daarvoor op de middelbare technische school.

Op een avond in juni voelde Marianne opeens heftige pijnen in haar buik. Ze keek naar Emiel, die bij haar kreunen geschrokken opkeek van de krant. 'Ik denk, Emiel, dat het nu begint...'

De pijn hield aan en Emiel stelde voor de dokter te bellen. 'Het is nog niet laat, de dokter is nog niet naar bed. Als hij het hoort kan hij zich voorbereiden op een onrustige nacht.'

De dokter kwam en onderzocht haar. Hij ging op de stoel naast het bed zitten en zei tegen Marianne: 'Met een eerste kindje gaat het meestal niet vlot, maar in de komende nacht vindt de bevalling zeker plaats. Het lijkt me goed het kraamcentrum te bellen, dan kunnen ze het tijdig regelen. Misschien is het goed als de zuster op tijd komt. Het zal niet snel gaan, maar het kleine Van Rittervoordentje kan een mensje zijn dat van opschieten houdt!' Hij lachte om zijn grapje.

In de vroege morgen van de negende juni werd de baby geboren. Een jongetje, dat zachte huilgeluidjes liet horen en zijn papa en mama ondanks alle spanningen vertederd naar elkaar deed kijken.

'Een mooi, gaaf kindje,' zei dokter De Rover tevreden, 'moedertje, van harte gelukgewenst met je zoon. Je hebt je kranig gehouden. En jij, vader, ook mijn felicitatie.'

Na een heerlijke wasbeurt en het verschonen van het bed lag Marianne stil onder het dunne dekbed. Ze was vreselijk moe en alles in haar lichaam trilde nog zachtjes na, maar ze was zo gelukkig. Een zoon voor

Emiel en haar. Een klein jongetje met witte pluishaartjes en magere beentjes.

De baby had een poosje in haar armen in het bed gelegen. Ze streelde zachtjes de kleine, zachte wangetjes; nu lag hij in het wiegje. De kraamverpleegster was bezig in de slaapkamer.

Emiel ging naar beneden om haar ouders het grote nieuws te vertellen. 'Bel ze maar gauw,' drong Marianne aan, 'pap en mam hebben de hele nacht met de slaapkamerdeur wijd open geslapen. Bij ieder geluidje zaten ze vast meteen rechtop in bed en ik zie helemaal voor me dat mama vanochtend bij de telefoon zit te wachten.'

Over de naam voor hun kindje hadden ze natuurlijk gesproken.

'We vernoemen het niet. Aan de naam Van Rittervoorden zitten we vast en op zich is het een mooie naam, maar we zetten de traditie niet voort. We voegen er geen Lodewijk of Emilius of Andreas aan toe. We kiezen een naam uit die we allebei mooi vinden en die niet te lang is.'

Ze hadden veel namen verzonnen, voor een jongen en voor een meisje en uiteindelijk werd besloten dat een zoon Edwin genoemd zou worden en een dochter Lotte.

De volgende dagen waren heerlijk. Ze waren dolgelukkig met hun kleine manneke. Vader en moeder Timmer kwamen de eerste dag al, Anneke, Theo, Esther en Bart de volgende avond. Helene kwam met haar moeder, er kwam een pakje met een stoer matrozenpakje uit Vlissingen van tante Anne. Ze had een lieve brief erbij geschreven met de uitnodiging om te komen logeren. Hester en Otto kwamen met Tim, die een leuk beertje voor zijn buurjongetje had meegenomen. Er kwamen veel mooie kaarten en een grote, prachtige fruitmand van de firma Glastra en Hollekamp. Tussen het fruit en de potjes vruchten en sap waren leuke pakjes geschoven waarin babyschoentjes zaten, sokjes, een slabbetje en een zilveren rammelaar waarin de naam Edwin in sierlijke letters was gegraveerd. Er zat een mooie kaart bij waarop Ernest Hollekamp had geschreven: 'Liza en ik komen jullie zoon bewonderen als de eerste drukte is weggeëbd...'

In de namiddag van de vierde dag stapten Wieneke en Henri Victor hun huis binnen met gelukwensen voor de blijde papa en mama en bewondering voor kleine Edwin, die rustig sliep in de wieg met zijn handje, in een knuistje, tegen een roze wangetje. Wieneke keek langdurig naar hem. 'Wat een lief kindje, het is een plaatje. Marianne, mag ik hem straks even vasthouden?'

'Als hij wakker is,' reageerde Emiel op een gemaakt strenge toon, 'je mag geen slapend Van Rittervoordenwondertje wakker maken.'

Ook Henri keek met een glimlach naar de baby. 'Het moet heerlijk zijn zo'n kind te bezitten. Ook voor Wieneke en mij ligt het mogelijk in de nabije toekomst verborgen.'

Hij liep weg van de wieg naar het zithoekje dat in de grote slaapkamer was gemaakt. 'We hebben een huis op het oog in Oegstgeest en dat pand zal het waarschijnlijk wel worden. We zijn er allebei mee ingenomen en de prijs is niet ongunstig. Het is in de Oranjebuurt, met straatnamen als Willem de Zwijger en Jan van Nassau, een rustige buurt.'

Emiel en hij begonnen een gesprek over de bouw van woningen en de moderne stijlen waarin ze werden gebouwd.

Wieneke zat naast het bed waarin Marianne hoog in de kussens zat. 'Ik was vanmiddag naar beneden gegaan, maar het vermoeide me toch meer dan ik had verwacht. En Jenny, onze kraamhulp, vond het beter dat ik weer naar bed zou gaan. En dat deed ik maar al te graag.' En overstappend naar een ander onderwerp: 'Henri vertelde over de woning, die jullie op het oog hebben...'

'Ja. Het is een mooi huis, een statig huis. Het is gebouwd rond 1930, een huis met allure. Je begrijpt wel wat ik bedoel...'

Omstreeks diezelfde tijd zaten Lodewijk en Caroline in de grote kamer van hun villa.

'Ik draaide in het begin van de middag, voordat de dames Winkelaar en Boltens arriveerden, het nummer van Wieneke. Ik wilde vragen of ze me direct na half vijf, de tijd waarop de dames vertrokken zouden zijn, kon bellen over de onderhandelingen over de woning, die ze op het oog hebben. Als haar moeder ben ik natuurlijk geïnteresseerd.' Ze keek Lodewijk recht aan en hij knikte. 'Ze zei me dat ze geen tijd had om te bellen. Ik vroeg haar waarom ze daarvoor geen tijd had en ze antwoordde, Lodewijk, hoor je me, dat Henri en zij naar Haarlem zouden rijden om de baby, een zoon van Emiel en dat kind te zien. Wieneke wil niet verzwijgen dat ze contact heeft met Emiel en haar.'

'Ze kon altijd goed met beiden opschieten.'

'Ja. Maar dat vrouwtje had in haar eigen omgeving moeten blijven, zich niet in ons gezin moeten binnendringen.' Het viel Lodewijk opeens op dat Caroline nooit de naam 'Marianne' uitsprak. Het was 'die meid, dat kind', nu was het weer 'dat vrouwtje'. Hij moest er in zichzelf om lachen, maar het was een moeilijke, wrange grijns. Hij hoorde de boze stem weer. 'Hoe lang zijn ze welgeteld getrouwd? Het was ook te verwachten dat ze snel zou proberen zwanger te raken om Emiel aan zich te binden.'

Lodewijk knikte, maar het was niet erg overtuigend. Caroline zag het. 'Zo voel jij het toch ook aan?', vroeg ze bits.

'De laatste weken is de geschiedenis vaak in mijn gedachten. Ik wil geen onenigheid, Caroline, want ik was ook niet blij met het meisje Timmer in onze familie, maar het is wel zo dat ons leven door wat heeft plaats gevonden behoorlijk is veranderd.'

'Behoorlijk is veranderd?!', herhaalde ze op een schrille, hoge toon.

'Ja, we zijn onze zoon kwijt, maar er was geen andere mogelijkheid! Het was onmogelijk om dat kind in onze familie op te nemen. Een boerenkind: als ze haar mond opendoet proef je het boerenland! Soms klonk er onvervalst westfries dialect doorheen, daar had ze plezier in. Ik heb het zelf gehoord als ze met Wieneke meekwam. Tóen was Emiel al van haar gecharmeerd. Ze spraken over het westfriese dialect en Emiel zei notabene dat er zulke prachtige uitdrukkingen in voorkwamen!'

'Dat is ook zo. Er zijn verenigingen die zich beijveren om de streektaal te behouden.'

Hij reikte naar het glas wijn dat op de tafel stond.

'Ja, als liefhebberij, maar dit kind is ermee opgegroeid en ze zal nog steeds met dolle uitdrukkingen komen; het milieu waartoe Emiel is afgedaald vindt dat heel gewoon.'

'Maar jij hebt je minachting voor Marianne te hoog opgeschroefd.'

'Ik heb niets te hoog opgeschroefd!', riep Caroline boos, 'dat wicht past niet bij ons. Stel je voor dat jij een receptie had en Emiel zou haar meenemen en haar aan je relaties voorstellen als zijn vrouw, het idee alleen al! Ze heeft zich nooit in die kringen begeven. Ze zou als een stunteltje staan te grijnzen met een glaasje in de hand en niet weten wat te zeggen. Het was ook maar beter haar mond dicht te houden, want haar woorden zouden jouw relaties onthutst hebben aangehoord.'

'Je overdrijft.'

'Nee, ik overdrijf niet. En ik neem het je kwalijk dat je mij hierover nu aanvalt. Je was het met me eens dat het kind niet in onze kringen paste! Herinner je je mijn moeder, haar stijl, haar kunstzinnige achtergronden, daarmee is Emiel opgegroeid. En denk aan de families Van Koppenhagen en Wijdebergen, die in onze kennissenkring zijn opgenomen, daar past, hoe noemen ze dat in het dorp, daar past zo'n deern niet tussen.'

'Ik blijf erbij dat je het hebt overdreven. Je hebt erover doorgedreind tegen de jongen.'

Caroline kwam woedend overeind uit haar stoel. 'Doorgedreind... hoe dúrf je dat te zeggen! Je was het met me eens dat Emiel met dit wezen niet gelukkig kon worden en ik ben er ook van overtuigd dat hij dat niet zal worden. Dit is gedoemd te mislukken! Ze heeft hem in haar macht gekregen door hem in haar bed te lokken, je weet toch van het avontuur in een hotelletje ergens op de Veluwe. Ze hoopte zwanger te raken en hem tot een huwelijk te dwingen, maar dat lukte niet. Ze heeft een jonge, gezonde man als Emiel het hoofd op hol gebracht met verleidelijke bedscènes. Ik neem het je hoogst kwalijk dat je me dit nu verwijt. Ja, het is waar dat ik er meer over tegen hem heb gezegd dan jij, maar jij bent ook zo weinig thuis: de zaak, de zaak en nog eens de zaak!! Ik moest het opknappen, ík moest Emiel ervan overtuigen dat hij een volkomen verkeerde beslissing nam, maar tegen een jonge meid die hem zoent en streelt ben ik niet opgewassen. En nu het zo desastreus is afgelopen geef je mij de schuld.'

Ze verwachtte dat hij zou zeggen dat dat niet zo was, dat hij het zo niet

120

bedoelde, maar Lodewijk van Rittervoorden zei niets. Hij zweeg. Hij zat voorovergebogen in de stoel.

Caroline keek hem aan, wachtte of hij toch nog iets zou zeggen, maar toen hij bleef zwijgen liep ze met stevige passen de kamer uit. Ze was heel boos, dat besefte hij en ze had misschien ook een beetje gelijk. Zij wilde de jongen overtuigen, maar hij had in die richting nu en dan ook wel eens iets gezegd. Hij herinnerde zich de keer op kantoor. Ze hadden even een pauze genomen om een kopje koffie te drinken. Toen maakte hij een opmerking over recepties in hun kringen. Emiel had gelachen. 'Dat zal wel meevallen. In de eerste plaats is Marianne niet zo dom als jullie veronderstellen. Ze heeft een goede opvoeding gehad van pa en ma Timmer. Ze is vriendelijk en spontaan en goedlachs, ze neemt veel mensen voor zich in. En, pa, jij kent Marianne amper. Als vriendinnetje van Wieneke was ze voor jou niet meer dan "een meisje dat over de vloer kwam". En sinds ze weet dat ze op "De Ritter" niet welkom is is ze er niet meer geweest. Je weet niet over wie je oordeelt.' Hij herinnerde zich die woorden. Hij was met Caroline meegegaan, dat moest hij nu toegeven. Het moest voorbij zijn met die twee jonge mensen, maar het lukte niet.

Caroline was driftig de kamer uitgelopen. Dat deed ze in het verleden vaker, want er waren meer wrijvingen tussen hen geweest. Hij wist dat dit een tactiek van haar was. Als ze nu de kamer verliet werden er geen boze woorden meer uitgesproken, maar wat ze had gezegd bleef wel hangen en klonk lang na. Als haar verontwaardiging heel groot was sloot ze zich een nacht op in de ruime logeerkamer. Ze verscheen dan de volgende ochtend aan het ontbijt en repte met geen woord over het gebeurde. Caroline zou er niet op terugkomen. Wellicht gebeurde dat nu ook. Maar voor hem was de zaak nog lang niet voorbij.

Hij liep naar de kast, pakte de wijnfles en schonk zichzelf nog eens in. De voorbije dag was een nare dag geweest. Het begon vanmorgen direct al met de kwestie Heldervoort. Van Pijkeren kwam met de papieren zijn kantoor binnen. Heldervoort was een flink aannemersbedrijf, een goede klant, men betrok alle bouwmaterialen die nodig waren van Van Rittervoorden. Enkele maanden geleden werd een hoge rekening niet betaald. De boekhouding had een herinnering gestuurd, maar toen Heldervoort niet reageerde sprak Koos Penders hem erover aan. 'Bel met die lui,' had hij gezegd, 'maar niet met het mes op de keel.' Hij kende Frank Heldervoort, ze hadden al jarenlang een leuke relatie. Het geval was in de vergeethoek geraakt en hij vroeg er ook niet naar, maar nu kwam van Pijkeren met het verhaal dat het niet goed ging met dat bedrijf. Er waren grote schulden. Als het aanliep en Heldervoort werd aangepakt – daar waren maar twee schuldeisers voor nodig – kwamen eerst de belasting en de bank aan de beurt en dan kon Van Rittervoorden wel eens een mooie strop oplopen. Dat was heel vervelend, maar voor hem waren vooral de gevoelens dat hij dit niet in de gaten had gehad pijnlijk. Dit was niet-zakelijk gedrag: bezig met verdienen aan de ene kant en een dom verlies lijden aan de andere kant. Daar hield hij niet van.

Hij stond er nog over te piekeren toen het bericht kwam dat een vrachtwagen met pech op de weg naar Utrecht stond, dat moest geregeld worden. In de middag had hij een gesprek met Heringa, zo'n strak, arrogant mannetje, hij hield niet van dat type. Het onderhoud verliep ook stroef en toen hij rond vijf uur naar huis was gereden, eerder dan op andere dagen, omdat hij er schoon genoeg van had, was Caroline er niet. Martha wist niet waar ze was – nee, dat vertelde een mevrouw niet aan de meid, dacht hij schamper. Doodmoe was hij in de kamer in een stoel gezakt. Het was stil in het grote huis. Zijn vrouw zat kwebbel-de-kwebbel in één of andere vergadering voor een goed doel, Wieneke huisde in Amsterdam met alleen gedachten aan Henri en hun toekomstige woning en Emiel had er geen idee van hoe hij hem miste. Hij dacht aan Emiel tegenover zich in het lichte kantoor; hij zou zich vandaag hebben kunnen uiten over het gedonder met die vracht-wagen en zijn ergernis over Heringa. Emiel kon het allemaal lachend voor hem afwakken: 'Ja, Heringa, dat is een gezellig kereltje', maar Emiel was er niet. Zijn zoon was blij en gelukkig met dat blonde vrouwtje en met de baby in de wieg, zijn kleinzoon. Een Van Ritter-voorden, maar hij had het kind niet gezien en zijn zoon ook niet meer. Toen Emiel woedend de huisdeur dichtsloeg had Caroline gezegd:

'Maak je geen zorgen. Het kan niet goed gaan tussen die twee. Hij komt met hangende pootjes terug.' Daaraan had hij zich vastgeklampt, maar het gebeurde niet. Op de zaak was het zo druk. De hele dag gesprekken en beslissingen en geluiden, zoveel geluiden om hem heen, daar werd hij soms gek van. Geluiden in de kantoren en herrie op de terreinen en geroezemoes van stemmen: praten... praten... Hij was vol vertrouwen geweest met Emiel samen te gaan werken. De jongen was er geschikt voor, hij zou een grote steun aan hem hebben, samen zouden ze alles bespreken en overleggen, maar hij stond er alleen voor en de hoop dat Emiel terug zou komen vervaagde. Eigenlijk wist hij zeker dat dat niet zou gebeuren.

En wat was de oorzaak? Het meisje Timmer. En waardoor kwam de verwijdering? Door hun opmerkingen, door hun afwijzing van dat kind, door hun afwijzing van Emiels grote liefde...

Hij had zichzelf een stevige borrel ingeschonken.

Caroline kwam thuis. Ze was niet naar een vergadering, nee, die vergadering stond voor morgenmiddag op het programma. Hij had weer eens niet goed naar haar geluisterd; ze was vanmiddag naar een concert in de Bachzaal geweest. Prachtig... Gejubel over het spel van de violist... Voor hem, met zijn zorgen, had ze geen aandacht. Erover praten van zijn kant zou ook niet helpen, want Caroline begreep het toch niet, ze stond buiten de bezigheden op de zaak. Iemand die er niet middenin stond en erbij betrokken was kón het ook niet begrijpen. Hij nam het haar niet kwalijk.

De kraamverpleegster, zuster Jenny, was weggegaan. Na veel bedankjes, een bos prachtige bloemen en een geboortekaartje van Edwin voor haar verzameling.

'De baby is nu echt van ons,' zei Emiel, 'als ik de hele zondag met hem in mijn armen wil zitten... nee, ik zie het al aan je gezicht, dat mag niet.' Marianne glimlachte alleen maar, ze gaf er geen antwoord op.

Het leven was heerlijk. Maar er was wel, zoals Hester haar al had gewaarschuwd, veel te doen. Marianne was een handige, jonge vrouw, ze kon het goed aan. Edwin lag schoon en voldaan in zijn wiegje, de wasmachine draaide regelmatig en ze nam de tijd om het kindje bij het voeden te koesteren. Na enige dagen keken de heldere oogjes haar aan, knipperden af en toe even als een groet: dag mammie, ik zie je wel.

De baby bracht een grote verandering in hun leven en het bracht hen, zo voelden ze het, nog dichter bij elkaar.

Hester kwam af en toe langs als ze Tim naar de kleuterklas had gebracht. Marianne had ook kennisgemaakt met Lydia en Ansje en tussen de jonge vrouwen groeide een mooie vriendschap.

In augustus trouwden Wieneke en Henri in Leiden. Er viel een mooie, officiële aankondiging bij Emiel en Marianne in de brievenbus.

'Zie nu, zo hoort het dus,' zei Emiel en hij droeg de tekst met luide stem en overdreven plechtig voor: 'De heer en mevrouw Van Rittervoorden-Steggerda kondigen u hierbij de huwelijksvoltrekking aan van hun dochter... Toch meer stijl dan ons kaartje: hoera, wij gaan trouwen!!'

'Ja, je hebt stijl of je hebt het niet. Dat is niet aan te leren.'

'Het is wel een uitnodiging voor het huwelijk van Wieneke en Henri.'

Marianne zei bedachtzaam: 'We hebben erover gesproken en al gezegd dat we er niet bij aanwezig zullen zijn, maar het is niet leuk tegenover Wieneke. Zij heeft haar ouders genegeerd door tóch contact met ons te houden. Ze wil niets met het conflict tussen haar ouders en ons te maken hebben, maar, zo vertelde ze me, soms is het héél moeilijk. Na hun kraambezoek moest ze ervoor waken niet over de baby te jubelen. Je moeder heeft er niet naar gevraagd, maar je vader vroeg, toen hij met hen meeliep naar de auto: hoe is de baby? Wieneke antwoordde dat het een prachtig jongetje is en dat het heel erg op jou lijkt. Krulhaartjes, lief lachje, bol toetje. Meer heeft ze er niet over gezegd. Maar het maakt wel duidelijk dat je vader het er moeilijk mee heeft.'

'Hij stond naast mijn moeder in de strijd en hij had nare opmerkingen over jou.'

Marianne zweeg even en zei toen op een zachte toon: 'Als jij voor Wieneke naar de huwelijksplechtigheid wilt gaan, Emiel... Ze heeft maar één broer en ze is erg op je gesteld.'

'Ik zou voor Wieneke en ook voor Henri samen met jou willen gaan.

En als je het nuchter bekijkt staat deze huwelijksvoltrekking los van het conflict met mijn ouders. Eigenlijk, lieveling, vind ik dat we het moeten doen, voor Wieneke en Henri en ook voor onszelf, want we willen graag op een van de belangrijkste dagen in hun leven bij hen zijn. Maar áls we dat doen, ik fantaseer er even op los, zal ik mijn ouders volkomen negeren. Geen blik in hun richting werpen en geen handdruk om geluk te wensen. Fijn dat je dochter zo'n keurige jongen trouwt... Dat kan ik gewoon niet. Ik wil niet huichelen en ook geen klein sprankje hoop geven aan mijn vader. Volgens Wieneke heeft hij het af en toe heel moeilijk met deze geschiedenis. En als, luister goed naar me, áls er een heel klein bruggetje gelegd zou worden tussen hen en mij – want jou zien ze echt nog niet staan – dan is dat iets wat ik beslist niet wil. Omdat ik voor de toekomst niet zie dat er van hun kant enige sympathie, "genegenheid" komt niet eens in mijn hoofd op, enige sympathie voor jou zal zijn.
Het is beter geen scènes uit te lokken. Het zal voor de familie en de kennissen een blamage zijn als ik, Emiel van Rittervoorden, de zoon, de broer van de bruid, als ik mijn ouders niet de hand schud. We zullen er met Wieneke en Henri over praten. Ze zullen het begrijpen en waarschijnlijk blij zijn ons niet als ordeverstoorders op hun feestdag te zien verschijnen.'
'Je bent een heel verstandige jongen.'
'Ik blijf zeggen: het kan niet anders. Om het vaststaande feit.'
Marianne liep naar de keuken en kwam terug met twee gevulde koffiekoppen.
'Je kunt goed leven met de geschiedenis.'
'Ja. Als het niet anders kan kan ik me erbij neerleggen. Dat had ik al in de tijd toen ik een kleine jongen was. Als ik onrechtvaardig gestraft werd verdedigde ik me, maar als ik niet geloofd werd door die dommeriken had ik iets van: nou, laat dan maar... Er vooral niet over blijven piekeren, want dat maakte me nerveus en ongelukkig. Mijn ouders hebben zelf voor deze weg gekozen. Wij zijn gelukkig samen. Het is jammer, ik had liever een goede verhouding met hen gehad en voor Edwin zou het ook leuk zijn, nog een opa en een oma erbij, maar

het is niet anders. Toch, Marianne, ik kan goed "loslaten", maar ik zal het er waarschijnlijk moeilijk mee hebben als er op een andere wijze iets in het leven gebeurt, iets wat ik niet aan de kant kan schuiven. Een sterfgeval van een naast familielid bijvoorbeeld, een ernstige gebeurtenis. Maar dat is nu niet zo: mijn ouders leven vol overtuiging van hun eigen gelijk verder. Mijn vader heeft zijn zaak en daar zijn veel van zijn gedachten aan verbonden. Mijn moeder babbelt in de kring "hoe doe ik goed voor oude mensen", hoewel het de vraag is of ze ooit op bezoek gaat bij een oude dame of heer in het verzorgingstehuis die snakt naar een gezellig praatje. Het houdt haar bezig en Wieneke gaat stralend de toekomst tegemoet. Wij lijden niet onder het conflict. We hebben elkaar en we hebben ons jongetje. Het speelt op de achtergrond af en toe mee, maar het beïnvloedt mijn leven niet.'

Marianne knikte instemmend. Emiel had gelijk. En ze wist dat de woorden die hij er nu over zei de waarheid bevatten. Ze kende hem zo goed, als de ruzie hem werkelijk dwars zat zou ze dat merken.

'We gaan dus niet naar de trouwerij,' stelde Emiel vast, 'ik kom die middag vroeg thuis, we halen gebak bij de koffie en 's avonds maken we een fles heerlijke wijn open. Jij zorgt voor lekkere hapjes en we denken aan Wieneke en Henri. Zij zal een prachtige witte trouwjurk dragen, hij een streepjesbroek en jacquet. Wij hoeven ons niet op te tutten, we vieren het thuis, maar we denken wel aan ze. Lijkt dat je een goed idee?'

Ze schudde lachend haar hoofd. 'Het is een uitstekend plannetje. En als het jonge paar is teruggekeerd van hun huwelijksreis gaan we bij hen op bezoek en dan vertellen we hoe we hun trouwdag hebben gevierd terwijl we in het dikke boek vol prachtige foto's kijken. Wieneke zal erom lachen, Henri heeft er alleen een glimlach voor over en zal denken: toch wel een beetje vreemd stel...'

De wintermaanden gingen voorbij, het was april.

Edwin was nu bijna tien maanden. Een stevig kereltje met blond, krullend haar en helderblauwe ogen. Een vrolijk, blij kind. Hij kroop over de vloer en probeerde zich nu en dan aan een tafelpoot op te trekken, maar het lukte hem nog niet te gaan staan. 'doe maar rustig aan, makkertje,' raadde Emiel hem, 'je kunt je leven lang nog staan en lopen.'

Deze woensdagmorgen was Marianne bezig met het opruimen van de kamer en de keuken. Straks, over ongeveer een half uur, kwamen moeder en Anneke. Gezellig een dagje 'te gast', zoals men dat in Wennebroek noemde. Marianne verheugde zich op hun komst. Ze zag haar familie dikwijls, want Emiel en zij reden met Edwin in het autostoeltje op de achterbank naar Wennebroek. Dan kwamen Anneke en Theo op de koffie en de meeste keren was Esther thuis; ze had nog verkering met Bart.

Edwin stond in de box. Hij wilde niet graag in de box. 'De ruimte is te klein voor hem,' wist Emiel en dat was misschien wel zo, maar Marianne vond het een veilig plekje nu ze nog vlug wat wasgoed uit de machine wilde halen en ophangen aan het droogrek in de ruime bijkeuken.

Een half uur later stapten de gasten binnen. Mantels werden aan de kapstok gehangen, maar oma's tas ging mee naar de kamer, want daarin zat een pakje voor Edwin. De begroeting was hartelijk, er waren veel lieve woorden voor Edwin, die bij het zien van oma zijn handjes naar haar uitstrekte. Hij was dikke vriendjes met oma.

Marianne zorgde voor de koffie en een feestelijk koekje en de gesprekken kwamen snel op gang. Anneke had heerlijk nieuws: ze was in verwachting. Theo en zij waren allebei heel blij met de zwangerschap. Het gesprek ging verder over wat Anneke de komende maanden te wachten stond, 'och, af en toe valt het niet mee, vooral als je zwaarder wordt, maar', zei Marianne: 'je weet waarvoor je het ondergaat. Je hebt pijn, ook tijdens de bevalling, maar je krijgt er veel voor terug!!' Daar was Anneke het helemaal mee eens, zo'n hummel als Edwin was een rijk bezit.

Marianne vroeg of er nog nieuws was uit Wennebroek. 'Het dorpsnieuws' noemden Emiel en zij dat. Gebeurtenissen uit de levens van de families die ze kenden. Moeder vertelde over het zoontje van Klaas en Marie Bredevoort. Hij had een ernstig ongeluk gehad en lag nu in het ziekenhuis in Hoorn. Hij fietste over de dorpsstraat, keurig aan de kant, want de kinderen van Wennebroek wordt van jongs af aan geleerd hoe gevaarlijk de weg kan zijn. Dat wist Marianne ook nog heel goed. Een lange, meestal stille weg en dan drukten sommige automobilisten te stevig met de voet op het gaspedaal... Hoe dit ongeluk precies was gebeurd wist niemand, maar waarschijnlijk had een snelle wagen het achterwiel van Teddy's fiets geraakt. Hij kwam ten val en de gevolgen waren verschrikkelijk. Twee ernstig gekneusde benen met ongelukkige breuken, beschreef moeder en een diepe hoofdwond. Over die wond maakten Marie en Klaas en de doktoren zich ernstige zorgen. Het kind klaagde over hoofdpijn, het kon geen licht verdragen en ook weinig geluiden. Ja, het waren zorgelijke tijden voor de familie Bredevoort, want de doctoren zijn erg knap, maar sommige narigheid is dikwijls nog een raadsel...

Daarna werd het huwelijk van Hilda Meier en Jan-Willem van Dijk besproken. Marianne kende Hilda toch wel? Een grote, frisse meid. Ja, Marianne wist het wel. En wie kende in het dorp Jan-Willem niet! Een vervelende jongen. Anneke was naar de kerk gegaan toen het paar vorige week trouwde. Ze was vroeger vriendin geweest met Hilda. Maar, vertelde ze nu, het was geen blijde bruiloft. Jan-Willem was vroeger een naar jongetje, nu was hij een nare vent. Dat kon ze gerust zeggen, dat was geen roddel of achterklap, nee, het was de waarheid. Hilda was vreselijk verliefd op hem geworden toen ze achttien, negentien jaar was. Om te zien was Jan-Willem een knappe vent, daar waren ze het alledrie over eens. Een grote kerel met donker haar en bruine ogen. 'Hij had wat zijn uiterlijk betreft wel filmster kunnen worden,' lachte Anneke er nu om, in films over schurken en gemene raddraaiers! Hij ging met Hilda, zei men in het dorp, omdat hij geen ander meisje kon krijgen. En waarom zou hij een ander meisje zoeken, Hilda was best een leuke meid. En Hilda wilde hem. Af en toe was het 'uit', maar steeds weer zocht zij hem op. 'Hij maakte het bij een kleine ruzie meteen uit,' vertelde Anneke, ze dronk een slokje van de koffie, 'en dan wachtte hij tot zij weer bij hem terugkwam, want ze wilde hem zo graag. Zo maakte hij haar, hoe zal ik het zeggen, een beetje onderdanig.

Het was een gunst van hem als hij weer met haar ging.'

Nu was het zover dat het 'tot een trouwdag kwam', omdat Hilda zwanger was. 'Maar een fijne bruiloft was het dus niet,' voegde Anneke eraan toe, 'ze zagen er allebei niet stralend van geluk uit.'

'De ouders van Hilda hebben hun dochter vaak genoeg gewaarschuwd voor Jan-Willem van Dijk,' merkte moeder Maaike op, 'maar ze wilde niet luisteren.'

Marianne lachte. 'Dat komt vaker voor! Maar daarom hoeft het stel niet ongelukkig te worden!'

'Daar heb jij weer gelijk in,' stemde haar moeder in.

Ze lachten hartelijk om wat kleine, grappige belevenissen uit het dorp maar toen zei moeder Maaike, weer ernstig: 'Vorige week sprak ik op een avond van de plattelandsvrouwen Mia Hogeboom. Ze vertelde me dat Lodewijk van Rittervoorden niet in orde is. Ze weet natuurlijk hoe ik bij de Van Rittervoordens betrokken ben, of, beter gezegd, juist níét betrokken ben. Agnes Wendelaar zat ook aan onze tafel en zij beaamde de opmerking van Mia. Agnes woont naast "De Ritter". Het is zo dat Lodewijk af en toe, op doordeweekse werkdagen thuis is. En dat is bijzonder, want daarvoor zag ze hem nooit op dinsdag of donderdag. 's Morgens vroeg scheurde hij weg met de wagen en hij kwam pas tegen de avond weer thuis.'

Marianne knikte, ze vroeg niet verder. Tóch weer het onderwerp Van Rittervoorden, ze liet het maar over zich heen gaan.

Moeder ging verder: 'Hij schijnt overspannen te zijn. Dat zei Mia. Ze gaat wel om met Martha van Straten, de huishoudster van de Van Rittervoordens. Martha noemde het "lichtelijk overspannen", net of er eigenlijk niets aan de hand is, maar Agnes schudde meewarig haar hoofd, nee, daarvoor is Lodewijk té vaak thuis.'

'De man heeft een groot bedrijf,' meende Marianne, ze moest er iets over zeggen, hoewel ze dit onderwerp liever terzijde schoof, 'en hij staat er wat de leiding betreft helemaal alleen voor. Het kan een tijdelijk dieptepunt zijn, wat men tegenwoordig "een dip" noemt, want Lodewijk van Rittervoorden is een sterke persoonlijkheid. Hij is niet klein te krijgen.'

Maaike knikte wel, maar ze was het niet met haar dochter eens. Je zoon niet meer zien en je kleinzoon nog nooit hebben gezien, dat moest zelfs een sterke man als Van Rittervoorden niet in de kouwe kleren gaan zitten. Maar ze had dit nu eenmaal gehoord. Ze wilde het Marianne vertellen en dat was nu gebeurd, het was beter er verder niet op in te gaan.

Tegen half zes gingen moeder en Anneke terug naar Wennebroek. Het was een gezellige dag geweest. Moeder knuffelde Edwin. Ze stoeide even met hem en hij lachte schaterend. Marianne bleef nog even zwaaien voor de huisdeur met Edwin op de arm. Toen sloot ze de deur met een glimlach op haar gezicht. Het was een fijne dag geweest en het was heerlijk voor Anneke en Theo dat ze over een halfjaar een baby zouden hebben.

Ze had voor deze avond een eenvoudige maaltijd op het programma staan en die was klaar toen Emiel de kamer binnenstapte. Edwin kraaide 'papa', met een dubbel uitgesproken p, 'papa' was een van de twee woorden die hij kende.

'Hè, hè,' zuchtte hij, 'het was een drukke dag. Vanmorgen een vergadering. Daarna de drie huizen-in-aanbouw controleren waaraan het bouwhuis werkt. Toen een gesprek met George Bakker.' Hij lachte naar haar. 'De man van "enerzijds dit, maar anderzijds dat..." Hij kan met één onderwerp wel drie kwartier bezig zijn. En hoe was het hier?'

'Erg gezellig. We hebben de hele dag heerlijk zitten kletsen en Anneke had groot nieuws: ze is in verwachting...'

Later op de avond overwoog ze of ze Emiel zou vertellen over de opmerking van Mia Hogeboom, of dat ze het terzijde zou schuiven, maar nee, dat kon niet. Ze hadden afgesproken niets voor elkaar te verzwijgen wat verband hield met zijn familie. Ze zei: 'Moeder vertelde dat ze gehoord heeft dat het met je vader niet goed gaat.'

'Dat hoorde ik vanmiddag ook. Jelle de Ruiter kwam met het bericht. Hij is vertegenwoordiger bij "De Grindel". Hij komt ook bij Van Rittervoorden. Het is natuurlijk mogelijk: ook mijn vader kan ziek worden. Hij kan van alles krijgen: griep, maagklachten, een keelontsteking. Als je dit nieuws hoort denk je in de richting van een depressie of psychische problemen. Hij kan zorgen om het bedrijf hebben, dat is niet onmogelijk. Of zorgen hebben om de verwijdering tussen hem en mij. Maar mijn vader is een heel verstandige man. De consequenties, die aan de gedragingen van mijn moeder en hem waren verbonden, heeft hij in de lange periode vóór de klap viel al ingeschat. Als Emiel de kop in de wind gooit... Mijn vertrek uit "De Ritter" is hem niet koud op zijn dak gevallen, hij wist dat dit kon gebeuren. Hij hield er beslist rekening mee.'

Ze praatten er niet meer over. Ze keken naar een nieuwsuitzending op het televisiescherm en daarna volgden ze een spannende detective story. Ze maakten er, zoals ze vaker bij deze films deden, een spelletje van. Ieder schreef op wie de snode dader was. En wie de goede naam had opgeschreven, met het tijdstip erbij, was de winnaar.

Maar laat in de avond, naast elkaar in het brede bed, terwijl de twee schemerlampjes met zacht licht nog brandden, zei Emiel: 'We horen af en toe iets over de Van Rittervoordens. Zoals het bericht van vandaag. Het zal waarheid bevatten, want we weten dat mijn vader ondanks zijn sterke karakter en ijzersterke wil, het is een volhouder, het er tóch moeilijk mee kan hebben. Wij hebben Edwin. We hopen dat hij bij ons opgroeit en dat er een band groeit tussen hem en ons. We willen die band hecht en sterk maken. Misschien wil hij als hij vierentwintig is iets ondernemen waar wij helemaal niet blij mee zijn. Hij wil naar Afrika om negertjes te helpen of hij wil dichter worden, op een zolderkamer wonen en in armoede wachten op de muze. We raden het hem af, we praten met hem, maar als de jongen wil doorzetten geven we zuchtend toe dat hij moet doen wat hij wil. We laten hem niet los. Maar stel dat dat onverhoopt toch gebeurt, door welke oorzaken dan ook, zullen we het er allebei heel moeilijk mee hebben. In het geval van mijn vader speelt het bedrijf een grote rol. Het bedrijf betekent veel voor hem. Niet alleen financieel, ook het bezit, het spelelement erin, de trots. En het was zo goed geregeld: er was een opvolger, en, al zeg ik het zelf, een bekwame opvolger. Stel dat hij als enige oplossing ziet toenadering zoeken en wij zouden de toegestoken hand willen aanpakken. Marianne, het is in ons geval onmogelijk. Omdat mijn ouders nooit van jou zullen houden. Liefde is niet te dwingen. Je accepteren, een moeilijk gespeelde glimlach voor jou op hun gezicht toveren en iets aardigs zeggen, zal hen, met moeite, lukken. Van iemand houden kan alleen spontaan ontstaan. Liefde is een kracht, een warmte, die is er of is er niet. Mijn ouders willen geen liefde voor jou. En mijn moeder zou het spel meespelen alleen vanwege het voordeel voor het bedrijf.'

Hij zweeg, Marianne lag stil naast hem en luisterde.

'En ik, ik ga nu van mezelf uit, straks praten we over jouw gedachten hierover, ik wil geen contact met mijn ouders omdat het nooit spontaan en goed zal zijn, gezellig met elkaar. Het is niet prettig en niet goed om in een gespannen sfeer te leven, voor jou niet en voor mij niet. Er kunnen wrijvingen tussen ons uit voortkomen. De juiste weg is om ons leven en dat van hen gescheiden te houden. Wij hebben daarvoor gekozen en mijn besluit staat vast. Het komt er op neer, lieveling, dat, áls mijn vader of mijn moeder contact zoekt, ik dat zal weigeren. Het klinkt hard, maar we zijn beter af zonder hen.'

Marianne kroop tegen hem aan.

'Het klinkt hard, maar ik weet dat je gelijk hebt. Als ze me slechts zullen dulden zal ik het daar moeilijk mee hebben. En ik geloof zelfs dat je moeder dat niet eens zal kunnen opbrengen. Misschien, zoals je zegt, voor de zaak en het geld. En Emiel, het was ook ónze afspraak voor ons huwelijk werd voltrokken.'

'Ik ben een volwassen man. Ik heb gekozen voor mijn vrouw. En ik ben heel gelukkig met jou en met ons kind. Het was,' hij lachte even, "een goede keus."'

Marianne kon niet in slaap komen. Naast zich hoorde ze na enige tijd Emiels rustige ademhaling. Zijn woorden hielden haar bezig. Was het niet te hard en verkeerd om, áls zijn ouders toenadering zochten, dat bruut af te wijzen? Maar Emiel had gelijk dat ze met zijn ouders nooit een prettige verstandhouding zou kunnen opbouwen. Als zij daar over de vloer kwamen en zijn ouders zouden bij hen thuis komen, ontstonden er voor haar beslist stresstoestanden, want gezellig praten met mevrouw Van Rittervoorden was er niet bij... Mal dat ze er zo over dacht: mevrouw Van Rittervoorden, zo ver stond de vrouw van haar af.

Emiel had gelijk. Maar willen en kunnen vergeven, ze had het thuis geleerd, was goed. Haar vader had er wel bij gezegd: je moet niet het onmogelijke van een mens vragen. Ook niet van jezelf.

Hoofdstuk zeven

Edwins verjaardag werd een blijde feestdag. De avond ervoor had Emiel veel slingers en ballonnen opgehangen en toen het kleine ventje, onwetend van wat een verjaardag inhield, al dat kleurige moois zag schaterde hij het uit van plezier. Hij kon, ook al ging het soms wat wankelend, los lopen en hij praatte korte zinnetjes. 'Mooi, mooi!', riep hij enthousiast, 'papa mooi, ikke bal!'

Hij kreeg een geel loopfietsje dat hij geweldig vond. Het was even moeilijk om erop te klimmen, hoe het ene pootje over het plankje te krijgen zonder met fiets en al om te duikelen, maar als hij eenmaal zat was het prachtig. Vooruitkomen door de kamer en de keuken en niet omvallen! Papa en mama hadden een mooi en praktisch cadeau uitgezocht voor de kleine Van Rittervoorden.

In de ochtend kwamen twee van mama's vriendinnen met pakjes voor hem. Het eerste cadeautje bezag hij met verbazing. Tante Lydia drukte het in zijn handjes, maar ze hielp hem met het uitpakken en de houten auto die te voorschijn kwam was voor hem! Bij het tweede pakje herkende hij het, wéér iets wat verstopt was in mooi papier en daarom begon hij meteen roets-roets aan het losscheuren van de verpakking. Met een stralend snoetje zwaaide hij de nieuwe aanwinst in het rond.

In de middag kwamen tante Hester en Tim, en tegen het einde van de middag opa en oma. In de avond Anneke en Theo, Esther en Bart en Wieneke en Henri Victor. Het was een gezellige, drukke dag.

Diezelfde avond zei Caroline van Rittervoorden tegen haar man: 'Ik zal Wieneke bellen over het jasje, dat ze bij Het Modehuis in de Breedstraat heeft gezien.'

Ze draaide het nummer, maar er werd niet opgenomen.

'Waarschijnlijk zijn ze naar Haarlem,' zei Lodewijk, 'de jongen van Emiel wordt vandaag één jaar.'

'Jij weet de datum!' riep Caroline, er was een verbaasde klank in haar stem.

'Het is onze kleinzoon, Caroline.' Hij voegde er voor zichzelf in gedachten aan toe: en dit kind zou de opvolger voor het bedrijf voor de verre toekomst zijn...

'Dat je daaraan denkt verbaast me. Ik denk vrijwel nooit aan dat kind. Wel dikwijls aan Emiel en ik vind de hele geschiedenis, diep in mijn hart, vreselijk.'

Ze keek bewogen. Lodewijk zag het, maar het raakte hem niet, hij geloofde haar niet. Zuchtend voegde ze er aan toe: 'Maar er was geen andere mogelijkheid. Dit kind heb ik nooit gezien. Het zal wel een boerenkopje hebben, zoals Kees Timmer.'

'Zijn moeder heeft geen boerenkopje. En zijn vader ook niet.'

'Je weet dat ik er niet over wil praten. Dat hoofdstuk in ons leven is voor mij afgesloten.'

'Ik begrijp niet hoe je dit kunt zeggen. Emiel is onze zoon.'

'Hij is nu een volwassen man en hij kan met zijn leven doen wat hij wil. En dat heeft hij ook gedaan, ondanks onze waarschuwingen. Hij richt zich te gronde.'

'Hoeveel ouders hebben geen moeilijkheden met hun grote kinderen? Ik hoor er veel verhalen over.'

'Wij hebben twee kinderen. Met Emiel is het fout gegaan, met Wieneke gaat alles naar wens.'

'Ja, met de keuze van haar man heb jij geen moeite. Het is een jongen uit de gegoede kringen en dat is voor jou voldoende. Ik heb ook niets tegen Henri, het is Wienekes keus, maar ik heb totaal geen contact met die knaap. Hij denkt anders dan ik en hij heeft in het geheel geen zakelijk inzicht. Geen greintje! Maar het is zijn goed recht te zijn zoals hij is. Wieneke voelt de oppervlakkige gevoelens tussen hem en mij. En ze stuurt niet aan op meer contact. Jij dweept met die jongen, het is Henri voor en Henri na,' hij ging op een schreeuwerige toon verder, want hij was verdrietig en teleurgesteld, 'maar Henri staat te ver van jou af om daarnaar te luisteren en Wieneke denkt: wat slooft mijn moeder zich vreselijk uit om in zijn gunst te komen.'

'Je bent onmogelijk, Lodewijk van Rittervoorden!' viel ze woedend uit, 'jij vond die meid van Timmer ook geen goede keus van Emiel! We hebben samen tot het uiterste gestreden en we hebben verloren.

Tegen een zichzelf zo aanbiedende vrouw was Emiel niet bestand. En voor ons was ze daardoor geen partij om tegen te vechten. En vergeet de financiële achtergrond van Emiel niet! Meisje Timmer kon na het ja-woord van Emiel in weelde baden. We hebben de strijd verloren en dat moeten we aanvaarden. We hebben ons best gedaan.'

'Maar op een dag als vandaag voel ik me triest.'

Caroline haalde haar schouders op. 'Je moet je flinker gedragen. Je bent Lodewijk van Rittervoorden, je wilt altijd en overal naar voren komen als een krachtige, sterke persoonlijkheid. Dat lukt je prima als alles voor de wind gaat, maar als er een tegenslag nadert stort je in.' Ze lachte luid en honend. Het deed hem pijn.

'Je kunt niet tegen je verlies. Ik kan dat wel. Ik draag het fier, met opgeheven hoofd, want het is geen verlies. We hebben onze zoon steeds weer gewezen op de grote fout die hij dreigde te maken, maar hij wilde niet naar zijn ouders luisteren. Dat is geen fout van ons, dat is een fout van hem.'

'Voel jij het gemis van de kinderen dan niet? Emiel zien we nooit en Wieneke heel weinig.'

'Over Emiel zeg ik niets meer. Je weet hoe ik over de zaak denk. En Wieneke is een jonge, getrouwde vrouw met een man waarvan ze houdt, een baan die veel van haar eist, een huis dat schoongehouden moet worden. Ze is een zelfstandige vrouw die niet om de dag bij haar moeder aan tafel schuift. Gelukkig doet ze dat niet. En, nog wat anders' ze keek hem met een boze blik in haar ogen aan, 'ik hoorde van Martha dat je dinsdagmiddag thuis bent geweest. Ik was naar de schoonheids-specialiste en de kapper, ik heb alles in één middag afgehandeld, dat is efficiënt. Toen ik thuiskwam vertelde ze dat jij een paar uur thuis bent geweest. Ik kreeg de indruk dat ze zich versprak, dat je het voor mij verborgen wilde houden; wat is dat voor onzin?!' Haar stem schoot hoog uit. 'Wij hebben geen onderonsjes met iemand van het personeel, zeker niet als het iets tussen ons tweeën betreft. Dat is onaanvaardbaar, dat begrijp je wel. Martha heeft ook niet gezegd waaróm je thuis was. Ze vertelde wel dat je in de kamer hebt gezeten zonder ook maar iets te doen. Martha is niet achterlijk. Door wat rond gaat in het dorp en het feit dat de jongen niet meer thuiskomt weet ze van de geschiedenis met Emiel; één en ander is simpel te combineren. Als jij dan hier gaat zitten kniezen en piekeren zal snel het verhaal door het dorp gaan dat je er overspannen van bent of depressief of, hoe zal men het langs de dorpsstraat noemen: dat je het niet meer ziet zitten. Het is een kinderachtige oplossing van je, Lodewijk. En dat dat ook nog gebeurt op middagen waarop je weet dat ik niet thuis! Op andere middagen kan Martha denken dat je iets met mij wilt bespreken, nu denkt ze vast dat je me juist ontwijkt!'

Nu Caroline erover praatte zag ze helder hoe verkeerd dit van Lodewijk was geweest. Als ze het hem nu duidelijk voorlegde zou hij dat ook inzien en het zou niet meer gebeuren.

'En, ging ze verder, 'je weet zelf ook dat piekeren geen oplossing is. Dat heb je meer dan eens verkondigd aan vrienden en kennissen die zich niet happy voelden. Je moet nu de omstandigheden aanvaarden zoals ze zijn, want op deze manier maak je jezelf kapot. Je bent een Van Rittervoorden en een Van Rittervoorden overkomt dat niet. Bovendien moet je steeds in gedachten houden dat zo'n simpel dorpskind je hiertoe drijft. Zij bereikt wat ze wil als jij je hoofd buigt.'

Lodewijk antwoordde niet. Hij kon nu niet tegen de woordenstroom van Caroline op. Hij vroeg zich af of zij het er echt niet moeilijk mee had. Waarschijnlijk wel, maar ze berustte in de gang van zaken. Emiel wilde het zo en Emiel was, dat vertelde Wieneke, gelukkig. Ze had andere dingen aan haar hoofd, maar hij kwam het gemis van Emiel elke dag tegen.

'En Lodewijk,' klonk haar stem opeens schel, 'ik eis van je dat je je krachtiger opstelt! Op deze manier ondermijn je je gezondheid en je werkkracht. Je staat alleen aan de leiding, je moet je concentreren op de zaak. Die kinderachtige houding van thuis zitten kniezen moet afgelopen zijn!!'

Toen werd Lodewijk woedend. 'Jij leest me de les! Jij zegt me wat ik moet voelen, maar jij snapt niet wat ik doormaak! Ik verlang naar mijn zoon! Jij hebt hem met je gehannes over dat meisje de deur uitgejaagd!'

Het was onrechtvaardig dit te zeggen en hij wist dat. Hij was ook tegen het kind Timmer als hun schoondochter en het verbaasde hem niet dat Caroline weer losbarstte. Er volgden heftige verwijten over en weer tot Caroline de kamer uitbeende.

Lodewijk zakte terug in zijn stoel. Dit was de zoveelste heftige ruzie tussen hen. Er waren de laatste tijd meer strubbelingen en echt plezierig, zoals vroeger, was het tussen Caroline en hem niet meer. Hij had het al eerder geconstateerd en toen gedacht dat de prettige sfeer zou terugkeren als ze het drama beiden op hun eigen manier hadden verwerkt en weer troost en hartelijkheid bij elkaar vonden, maar dat lukte tot nu toe niet, hun wegen liepen steeds meer uiteen.

Het verschil was dat Caroline er nog steeds van overtuigd was goed te hebben gehandeld door meisje Timmer zo sterk af te wijzen. Zij was de wijze moeder, maar de zoon werd verleid door heerlijke avontuurtjes, heerlijke uurtjes in bed en daar was niets tegen in te brengen. Maar bij hem groeide de twijfel; was dat meisje Timmer écht zo verkeerd...

Hij zakte onderuit in de stoel. Hij ging nog niet naar bed, hij kon niet slapen met zoveel gedachten in zijn hoofd. Caroline zou niet in hun slaapkamer zijn, ze koos vanavond voor de logeerkamer. Daar had hij vrede mee. Meer aanvallen kon hij op dit moment niet gebruiken.

Wat ze opmerkte over zijn werk en zijn verantwoording voor het bedrijf was waar. Hij had altijd met plezier gewerkt. Het was druk, hij had veel aan zijn kop, maar hij kon het aan. Nu niet meer zo... Niet dat hij, zoals men dat noemde, dreigde in te storten, nee zeg, dat niet, maar het was hem bij vlagen de laatste tijd soms te veel.

Hij stond op en schonk zichzelf een glaasje jenever in en dronk het snel op; 'schielijk' noemde zijn vader dat.

Wat kon hij doen om een verandering ten goede te ontwikkelen? Met Emiel praten... Caroline zou razend zijn als hij dat opperde. En zonder dat ze het wist met de jongen een afspraak maken? Als ze dat aan de weet kwam was ze helemaal door het dolle heen. En het was nog maar de vraag of Emiel met hem wilde praten.

Hij dacht aan de avond waarop Emiel was weggegaan. Hij stond recht, groot en fier in de kamer, bij de vitrinekast met porselein en kristal en hij zei met luide stem, bijna schreeuwend: 'Jullie hebben me zo lang en zo gemeen gedwarsboomd omdat ik van Marianne hou, ik heb er genoeg van! Ik trouw met haar en ik zoek mijn weg in het leven zonder jullie! Wees gelukkig met je keurige vrienden en je zakenrelaties!'

En hij was weggegaan. De felle blik in de blauwe ogen, waarin haat lag, kon Lodewijk van Rittervoorden nu nog voor zich zien.

Hij nam nog een glaasje jenever. Contact zoeken met Emiel leidde niet tot een oplossing. Emiel had de sterke karaktertrek van de Van Rittervoordens, waarop ze heimelijk een beetje trots waren: onbuigzaamheid, nooit terugkomen op een eenmaal genomen besluit. Emiel had gebroken met zijn ouders en zou daar niet op terugkomen. Bovendien – het glaasje was weer leeg – zag hij, Lodewijk, een prettige omgang tussen Caroline en hem en Emiel met Marianne naast zich als onmogelijk. Het werd nooit meer wat. Zijn zoon had zich volledig van hem afgekeerd. En zijn dochter, Wieneke; als ze kwam met Henri voelde hij bijna lijfelijk hoe ver ze van hem afstond. Zijn kleine meisje van vroeger, ze wilde zo graag dollen en knuffelen met papa, op zijn schoot zitten als hij voorlas uit een prentenboek. En het meisje van later, dertien, veertien jaar: luister eens, papa, wil je me helpen, pap, mag ik met je mee? Toen was ze nog echt zijn kind, hij was belangrijk in haar leven, want hij was haar vader. Nu had ze Henri Victor. Het was een goede jongen, maar totaal niet zijn type.

In december werd de baby van Theo en Anneke geboren. Op een donderdagmiddag belde Theo. 'Marianne!!' zijn stem juichte in haar oor, 'we hebben een dochter! Ons kind is er!' Zijn stem sloeg over van nervositeit en blijdschap: 'Een meisje!'

'Jongen, Theo, wat heerlijk, gefeliciteerd! Is alles goed met Anneke en met de baby?'

'Ja, maar verdorie, meid, het was verschrikkelijk! Ik wist niet dat een bevalling zo'n vreselijke toestand was! Bloed en pijn en vechten...'

Dit is een beetje Wennebroek, dacht Marianne licht geamuseerd, zo praten over de bevalling van je vrouw. Caroline van Rittervoorden zou dit beslist niet goedkeuren, maar Theo was zo zichzelf met zijn gevoelens. 'Ik was erbij en ik vond het verschrikkelijk voor Anneke! Ze had het heel moeilijk. Maar je móet doorgaan om de moeder en om het kind.'

'Maar nu ligt jullie popje in de wieg,' onderbrak Marianne hem met een rustige stem.

'Ja. Ik kon me daar geen voorstelling van maken, Marian. Ik keek tot deze dag vaak even in het wiegje en dan dacht ik, een kindje van ons, in dit wiegje... Het leek me zo ver weg, onmogelijk bijna, maar nu ligt het er! Ze heeft een truitje aan en een warme luier om de kleine beentjes. Anneke is zo blij, we zijn allebei zo blij.'

'Hoe heet het kindje?'

'Anneke droomt al jaren lang over een naam die ze, als ze een dochter zou krijgen, het kindje wilde geven. En nu is het zover. Ons meisje heet Renate.'

'Een mooie, lieve naam, Theo.'

'Ja. Om je de waarheid te zeggen had ik liever vernoemd, naar mijn moeder of jullie moeder. Dat is traditie, de namen komen terug en blijven om je heen, daar houd ik van, maar ik vind dit ook goed. Renate is een mooie naam voor ons meisje. Maar nu hang ik op, ik moet nog meer mensen bellen. Komen jullie gauw? We willen ons hummeltje zo graag laten zien.'

'Morgenavond, Theo. Emiel heeft vanavond een bespreking die hij niet kan verzetten, maar morgenavond komen we.'

Vroeg in de avond reden ze naar Wennebroek. Edwin zat op de achterbank in het autostoeltje. Met één handje hield hij het grote pak naast zich vast, het mocht niet van de bank rollen. Het was zijn cadeau voor zijn nichtje, een kindje van tante Anneke en oom Theo. Mama had over haar verteld. Het kindje was nog heel klein, zoiets als beer Brommie. Brommie was een bruine beer. Deze beer, in het pak, was wit met een roze strik om zijn dikke nek.

Anneke zat rechtop in bed en straalde. De twee zussen begroetten elkaar hartelijk. Marianne feliciteerde haar zusje ontroerd. Emiel keek er glimlachend naar, twee zussen verenigd in een groot geluk.

Renate was een klein, blond poppetje. 'Alle Wennebroekse kinderen hebben ronde boerenkopjes,' had Caroline eens schamper opgemerkt. Dit was er dus één van. Maar het was een lieve, mooie baby.

Enige weken later, in de slaapkamer, lag Emiel stil naast haar. Marianne keek van opzij naar hem. Meestal babbelden ze nog even voor het slapengaan. Was er iets waarover hij piekerde? Meteen dacht zij aan 'de affaire de Ritter', zoals ze het in gedachten noemde. Had Emiel iemand gesproken die er meer van wist? Firma's van bouwmaterialen van zijn vader en de bedrijven die Glastra en Hollekamp nodig had voor de bouw kwamen elkaar vaak tegen. Of waren er problemen bij Glastra en Hollekamp?

'Waar denk je aan?', vroeg ze met toch wat ongerustheid in haar stem.

'Ik tel,' antwoordde Emiel ernstig.

'Je telt? Wat tel je? De telefoontjes van vandaag op kantoor, de koffiekopjes die je hebt leeggedronken...' Ze wilde het luchtig en speels houden. Als het iets ernstigs was kwam Emiel er beslist mee.

'Nee. Ik denk aan de leeftijd van Edwin.' Hij draaide zich op zijn zij naar haar toe. 'Lieveling, ik dagdroom de laatste dagen over nog een kindje voor ons. Een broertje of een zusje voor Edwin. Hij is nu anderhalf, als jij het ook wilt en je bent over twee maanden zwanger, zo telde ik, daar voeg je dan negen maanden bij en de leeftijd van Eddy nu, dan is hij twee en een half en dat is een prachtige leeftijd voor hem om een speelkameraadje te krijgen van zijn papa en mama.'

Marianne schudde lachend haar hoofd. Malle, maar lieve Emiel...

Emiel kuste haar.

'Ja, nog een kindje. Wij waren thuis met drie meiden en het was altijd gezellig en druk. Behalve tijdens kibbelpartijtjes en pesterijtjes, want die kwamen ook voor. Er was altijd iemand om mee te spelen. Met Anneke deelde ik dezelfde fantasie als het over het opvoeren van toneelstukjes ging en bij verkleedpartijtjes. We zijn ook bezig geweest met het schrijven van een boek.' Marianne lachte vrolijk. 'Esther was een geschikte partner voor spelletjes, monopoly, mens erger je niet.' Ze keek Emiel aan. 'Een broertje voor Edwin is misschien prettiger voor Edwin dan een zusje. Met een jochie kan hij hutten bouwen en rovertje spelen.' Ze knikte gespeeld ernstig. 'We kunnen eraan werken. Maar,' met een schalks lachje, 'we beginnen er over twee, drie maanden aan, want als het eerder lukt raakt jouw rekensommetje in de war...'

De volgende morgen was bij de post een dikke enveloppe en daaruit kwam een grote kaart van mooi, crèmekleurig, stevig, dun karton tevoorschijn met het briefhoofd, in zachtlila letters: DE SCHAKEL, organisatie van samenwerkende leveranciers van bouwmaterialen en aannemersbedrijven.

Ze las verder. Het bestuur van 'De Schakel' nodigt u hierbij uit om samen met hen en de leden van de organisatie het vijftigjarig bestaan te vieren.

Daarna in het kort een stukje over de werkzaamheden van de organisatie in de voorbije jaren. '... in dienst van de leden en tot hulp en nut van de leden...' Zo stond het kennelijk in de statuten omschreven.

Door het grote aantal aangeslotenen bij de organisatie, was besloten de feestelijkheden per rayon te vieren en op donderdag 16 februari stond het rayon Noord-Holland op het programma. Het bestuur stelt het bijzonder op prijs u beiden donderdagmiddag rond vier uur te verwelkomen in de grote zaal van hotel 'De Buitenhoeve'.

Het blad fladderde even in haar hand, toen legde ze het voor zich op de tafel. Ze wist van 'De Schakel'. Emiel had er meer dan eens over verteld. Hij kende ook mensen die nu in de leiding zaten. De naam Hans van Weelden schoot haar te binnen. De mannen die 'De Schakel' vijftig jaar geleden hadden opgericht, stelden zich ten doel oneerlijke concurrentie tussen de aan het vak verbonden bedrijven te voorkomen, of in elk geval te verminderen. 'Meer samenwerken dan elkaar beconcurreren' was het parool, want van concurrentie heeft alleen 'de lachende derde', de klant, voordeel. 'Dus,' zei Emiel, 'niet te klein denken. Niet elke klus willen binnenslepen voor de laagste prijs. Het afdingen en uitspelen van de opdrachtgever in de hand spelen, maar het groter zien.'

De Schakel werd kort na de tweede wereldoorlog opgericht. De eerste leden waren kleine handelaren en aannemers, die niet zo ruim in hun geld zaten en graag een klus wilden binnenhalen en het voor een lagere prijs, soms een té lage prijs van wat men toen de concurrent noemde, afpikte. Ze konden nog niet groot denken in zakendoen. 'De Schakel' moest oneerlijke concurrentie verminderen.

'"De Schakel" is een goede organisatie. Ze houdt de leden wakker met denkbeelden waaraan men zelf door de drukke bezigheden niet toe- komt.' Emiel kon genoeglijk relativerend over zijn werkzaamheden praten.

Het bedrijf Van Rittervoorden was lid van 'De Schakel' en ook Glastra en Hollekamp. Als Emiel en zij naar de happening gingen was de kans groot dat zij daar zijn ouders zouden ontmoeten. Nee, niet ontmoeten, tegen het lijf lopen, hen zouden zien na vijf jaar. Ze had er geen behoefte aan, ze wilde het niet. Het was vragen om moeilijkheden. Het leven was fijn voor hen zoals het nu was. Ze waren gelukkig, ze leefden vrolijk en opgewekt, elke dag was een feestdag. Nu en dan hadden ze een klein verschil van mening, een ruzietje, maar het ging steeds over kleine, te verwaarlozen dingen en het werd ook snel weer afgezoend. Af en toe viel er een opmerking over zijn ouders door een opkomende herinnering van Emiel: '...op "De Ritter" was het de gewoonte...' Of door een uitspraak van Wieneke over pa of ma – en dat verbaasde haar, Emiel kon er zo luchtig over doen.

Toen haar moeder vertelde dat het met Lodewijk van Rittervoorden niet goed ging, was er een stille angst in haar geslopen. Emiel zei toen dat zijn vader gekozen had voor de scheiding tussen hen en dat hij had gekozen voor vrouw en kind. Later herhaalde hij die woorden nog eens op een pathetische manier, alsof hij een uitspraak uit een slecht toneelstuk voordroeg. Zij had geprobeerd een kleine aarzeling in hem te ontdekken, maar tevergeefs. Maar toch... Het moest Emiel treffen zijn vader gade te slaan als hij er slecht uitzag. Ze moest Emiel ervan overtuigen dat het het beste was de uitnodiging niet aan te nemen, de confrontatie uit de weg gaan, de zekerste weg te kiezen. Was ze bang voor de gevolgen, vreesde ze dat Emiel de hand naar zijn vader zou uitsteken? Wieneke zei onlangs: mijn ouders zijn onwrikbaar, zij buigen niet. En Emiel zei: ze zullen mijn vrouw nooit vriendelijk tegemoet treden. Waar was ze dan bang voor?

Ze plaatste de enveloppe tegen het beeldje dat op de lage kast stond. De plek voor de post.

Emiel haalde de kaart uit de enveloppe en las hem. 'Ik weet ervan. Hans van Weelden vertelde het me. Straks, als Edwin lekker slaapt praten we erover. Maar ik wil eerst ravotten met mijn makkertje. Hij staat al in de starthouding. Een afgezakt sokje en zie je die wakkere oogjes en de pootjes een beetje uit elkaar; papa, kom op!'

's Avonds begon Emiel over het jubileum. 'Vorige week kwam Hans van Weelden op kantoor om, naast zakelijke dingen, te praten over de feestavond, want het moet een feestavond worden. Ik zie aan je gezicht dat je er heel erg tegenop ziet, maar, Marianne, ik wil er samen heengaan.'

'Ik ga liever niet. Denk je dat je ouders ook van de partij zijn?'

'Ja. Vader Van Rittervoorden laat geen mogelijkheid voorbijgaan zich met zijn charmante echtgenote te vertonen. Ze zijn er zeker en wij blijven om hen niet weg. Ik weet dat er wordt verteld dat hij er niet goed uitziet, maar als dat is ontstaan door de ruzie met mij, is dat zijn eigen schuld. De liefste vrouw van de wereld, de keuze van zijn zoon, afstoten is ook dom. En daarom, lieveling,' hij boog zich naar haar toe en ze zag lichtjes in de blauwe ogen, 'zullen we ze die avond laten zien wie Marianne van Rittervoorden, geboren Timmer is! En hoe goed jij je kunt bewegen in de betere kringen, zoals mijn moeder ze noemt. Wie zijn de mensen in de betere kringen? Mensen zoals jij en ik. Geschikte kerels om mee te praten en te lachen en leuke vrouwen, die gewoon zichzelf zijn, aardig en belangstellend. Wij gaan er heen en je doet zoals je altijd doet, zoals je bent. Je probeert niet anders te praten, want je praat uitstekend. Je lacht niet overdreven, zo van "kijk hoe vlot ik ben", nee, je lacht alleen als er iets gezegd of gedaan wordt wat je leuk vindt, zoals je nu ook altijd doet. Je koopt voor die dag iets nieuws, een leuke jurk of een pakje, iets wat je lekker zit en waarin je je prettig voelt. Niet een japon omdat hij zo chique is. We kopen meestal samen onze kleding en ik wil graag met je mee gaan, maar je laat je niet door mij beïnvloeden. Trek schoenen aan die je goed zitten.

Mogelijk zoeken mijn ouders een rustige hoek van de zaal uit en die hoek mijden wij, maar als ze in onze buurt komen zien ze het geluk dat wij uitstralen. En ik vraag me af, mijn Marianneke, of zij de uitstraling hebben van een al wat ouder, maar gelukkig echtpaar. Mijn moeder had in eerste instantie veel op jou tegen, ze praatte er met mijn vader over en hij was het helemaal met haar eens. Dat staat vast; ik heb er genoeg opmerkingen over te horen gekregen. Maar nu het tij zich tegen hem heeft gekeerd, nu hij moeite heeft met de breuk tussen hem en mij, emotioneel en zakelijk, is hij gemeen genoeg het mijn moeder te verwijten. Op zich is dat terecht, want zij is ermee begonnen,' hij lachte even maar Marianne begreep die lach niet. Emiel ging verder: 'Wij gaan samen naar de receptie van De Schakel. "Uitgeschakeld" is een woord wat daarvan is afgeleid. Wie wordt er uitgeschakeld?'

Marianne zocht een mooi, eenvoudig pakje uit. Het was rustig van kleur. Het stond haar, met het dikke, blonde haar en de blauwe ogen heel goed. Emiel knikte instemmend en bewonderend en Edwin brabbelde: 'Mama mooi...'

De avond van die donderdag kwamen Maaike en Kees Timmer Edwin halen. De jongeman ging een nachtje logeren in Wennebroek. Een grote tas met kleertjes en pampers stond ingepakt in de gang en natuurlijk mochten zijn knuffels ook mee.

Het was opeens erg stil in huis toen haar ouders met het kind waren weggereden en Marianne de voordeur had gesloten.

De volgende middag, even na vier uur – niet als eersten op de stoep staan, stelde Emiel – liepen ze het brede bordes op naar de wijd geopende deuren van hotel 'De Buitenhoeve'. Personeel van het hotel nam de jassen en mantels in ontvangst, de gasten liepen door naar de grote zaal waar het bestuur van 'De Schakel' stond opgesteld om de gelukwensen en mooie woorden in ontvangst te nemen.

Hans van Weelden kwam hen tegemoet en er volgde een hartelijke begroeting. Hij was een lange, magere man met grijze ogen achter brillenglazen. Hij nam Marianne met een vriendelijk lachje goed op. Ja, dacht Marianne, kijk maar naar me. Ik ben de vrouw die de soesa

145

Van Rittervoorden heeft veroorzaakt, maar de gedachte deerde haar niet. Hans nodigde hen aan de grote tafel waar al mensen, die Emiel kende, waren aangeschoven.

Het werd een heel gezellige avond met veel praten en lachen, luisteren naar leuke voordrachten waarin malle voorvallen uit de voorbije jaren van 'De Schakel' waren verwerkt en ze luisterden naar de muziek van jonge, enthousiaste mensen.

Emiels ouders waren aanwezig, maar ze zaten achterin de zaal. Ze konden ze alleen zien als ze in die richting keken, maar dat deden ze dan ook nauwelijks.

Heel laat in de nacht reden ze na een hartelijk afscheid terug naar huis. Er waren afspraken voor privé-bezoekjes aan Hans en Liza van Weelden en Kasper en Lianne Vredeling. 'Jongens, we moeten deze kennismaking vervolg geven; wanneer komen jullie bij ons?' vroeg Hans. 'Voor het weekend bel ik om een datum vast te zetten, dus agenda's bij de hand houden!'

'Ik zag er vreselijk tegenop, maar het was een gezellige avond', zei Marianne tevreden. Hans van Weelden is een aardige vent, echt ons type, ik kan me voorstellen dat je het goed met hem kunt vinden. En Liza is aardig. Ik heb leuk met haar en Lianne en Cobi Haringa gepraat.'

'En mijn ouders?'

'Toen we de grote zaal binnenkwamen zag ik in een flits aan welke tafel ze zaten, maar Hans wist dat al. Mogelijk heeft hij ze bij binnenkomst in die richting geloodst. Hij bracht ons naar een tafel op afstand en ik koos een stoel uit waarop ik afgewend van hun tafel kon zitten, met de rug naar hen toe. Ik hoefde niet naar moeder Caroline te kijken, maar ik heb haar lachje wel gehoord.'

'Ze was nerveus. Ik probeerde af en toe mijn vader in beeld te krijgen. Hij ziet er inderdaad niet goed uit, maar het meest trof me de onzekerheid, ik zou bijna zeggen, het vermoeide in zijn houding. Hij had niet meer zo sterk de fiere houding van: ik ben Lodewijk van Rittervoorden.'

Thuis praatten ze nog een poosje over de avond na. Toen zei Emiel:

'Zou ons jochie al rustig slapen? Of zit oma met hem op schoot in de kamer? Ons huis is vreemd nu Eddy er niet is.'

'Ja. En ik denk, ik heb een klein vermoedentje, dat we volgend jaar om deze tijd oppas voor twee kindertjes moeten zoeken als we een avondje uit willen...'

'Lieveling,' hij knelde haar in zijn armen. Door dit bericht was hij zijn ouders totaal vergeten. 'Marianne, wat een heerlijk bericht!'

'Ik wilde het je vanavond zeggen, maar het was goed eerst over het Schakelfeest na te praten. Ik weet dat de avond jou meer heeft gedaan dan je wilt toegeven. En ik begrijp dat. Het zijn tenslotte jouw ouders. Voor mij betekenen ze alleen spanning en narigheid.'

Na een iets te luidruchtig afscheid aan de tafel in de hoek – Han Korver riep 'dag schatje' naar Caroline op een iets te vrijpostige toon en dat zinde haar helemaal niet, ze trok een preuts mondje en gaf Lodewijk een duwtje in de rug zodat hij sneller naar de uitgang liep – reden ze aanvankelijk zwijgend terug naar Wennebroek. Caroline was nerveus en Lodewijk wist natuurlijk wat daar de oorzaak van was. Hij maakte geen neutrale opmerkingen over de avond zoals 'het was gezellig, een mooi feest, Robbert Jochema is een enige kerel, het zal "De Schakel" geld kosten, maar uiteindelijk betalen de leden dat.'

Halverwege de rit barstte Caroline los. 'Heb je het boerentrientje gezien? Ze zag er wat kleding betreft goed uit. Emiel is natuurlijk met haar naar een goede modezaak gegaan en Emiel heeft smaak, maar verder,' ze schudde haar hoofd, Lodewijk zag het zonder zich naar haar toe te keren, 'maar ja, we hebben het hem honderden keren gezegd, ze past er niet tussen.'

'Ik heb haar nu en dan gadegeslagen,' begon hij rustig, 'en ik kreeg de indruk dat het gezelschap aan die tafel zich uitstekend amuseerde. Ernest Hollekamp begroette haar als een goede bekende en praatte met haar en van Joop Glastra en zijn vrouw kreeg ik ook de indruk dat ze Marianne beter kennen dan alleen als de vrouw van hun medewerker Emiel van Rittervoorden. Op haar manieren was niets aan te merken. Ze babbelde met Hans van Weelden en Ted Brugman en hun dames.

En wie zat er nog meer bij, de man in het lichte pak, ik kan niet op zijn naam komen, maar ik heb hem eerder ontmoet. Hij heeft een flinke zaak in Bennekom...' Caroline even de tijd gevend zich te ergeren over zijn verborgen gejubel over Marianne, 'o ja, Battinger, Fred Battinger.' Caroline viel hem bits in de reden. 'In de eerste plaats nam Van Weelden haar in bescherming. Hij kent de situatie en hij wil Emiel tot vriend houden. En in de tweede plaats heb jij niet goed gekeken, want ik vond het gezelschap nu niet bepaald in stijl converseren.'

'Nou,' hij zei het lachend, maar hij bracht de klap toch toe, 'in elk geval beter dan aan onze tafel waar af en toe, als je het over stijl hebt, te luid werd gelachen.' Hij wilde eraan toevoegen: op de manier van 'wat vermaken wij ons toch!!, maar hij sprak de woorden niet uit. Caroline wist ook zonder haar naam uit te spreken dat hij op haar doelde.

Ze was woedend en zweeg, de lippen stijf op elkaar.

Lodewijk had verwarde gevoelens. Hij had Emiel en zijn vrouw gadegeslagen en hij herinnerde zich de woorden van enkele jaren geleden. 'Nou pa, dat zal wel meevallen, want Marianne is innemend en ze kan heel goed een prettig gesprek op poten zetten...' Zoiets had Emiel toen gezegd. En nu had hij Marianne in gezelschap gezien, een vriendelijk snoetje, leuk gekleed, niet te chic en niet te gewoon, luisterend en pratend.

'Je doelt op mij!' haalde Caroline hem op een nijdige toon uit zijn gedachten, 'maar ik heb een gezellige avond gehad ondanks dat stel op de achtergrond. Ze konden mijn feestje niet bederven. Met jou is de laatste tijd heel weinig te lachen, ik snakte naar zo'n avond.'

Ze zweeg weer en Lodewijk zweeg ook.

Hij reed de wagen het pad op, Caroline stapte uit en liep driftig naar de huisdeur. In de kamer barstte ze weer los. 'Je bent een smerige huichelaar, Lodewijk van Rittervoorden! Je was het destijds met me eens dat dat wicht niet in onze kring past, maar nu de gevolgen zwaarder uitkomen dan jij verwachtte geef je mij de schuld van alles! Je had verwacht dat Emiel naar ons zou luisteren, het uit zou maken met die meid en dan waren we van haar bevrijd. Nu dat niet is gebeurd draai je om als een blad aan een boom.'

'Dat is niet waar. Ik zeg alleen dat Marianne zich perfect gedroeg.'

'Perfect!!', ze schopte haar schoenen wild uit, 'en wat wil je daarmee zeggen? Dat wij ons vergist hebben in dat kind?'

'Min of meer: ja.'

'Kom nou toch!' Ze praatte luid. 'Een dochter van een schildersknecht en familie van de Botmannen uit Spierdijk, mijn hemel, Lodewijk, hoe diep buig jij je hoofd?'

'Ik buig mijn hoofd niet.'

Ze ging recht voor hem staan, heel dichtbij, hij zag de woede in haar ogen. 'Je hebt hier bedoelingen mee! Ik ken je zo goed, Lodewijk van Rittervoorden! Je wilt een weg terugzoeken naar Emiel, maar ik zeg je meteen: ik werk daar niet aan mee. Ik kan dat deerntje niet om me heen verdragen. En als je doorzet weet ik de gevolgen voor ons huwelijk. Ik neem dit niet! Ik vind het gemeen van je. Ik...'

'Caroline, ik heb nooit gezegd dat ik een weg terugzoek naar Emiel, jij komt daar nu mee aan en dat bewijst dat jij in die richting denkt; niet ik.'

'Ik niet!! O nee, ik weet dat ik nooit met haar in mijn buurt kan leven. Maar uitgaande van jouw tactiek...' en opeens rustiger vervolgde ze: 'Ik begrijp dat wel. Jij mist Emiel in de zaak. Dat is een belangrijk gemis. Maar het is gemeen van je de aanleiding van de ruzie van toen op mij af te schuiven. Je was het met me eens, je wist ook dat we haar niet bij ons thuis konden hebben. En dat kan nóg niet.'

Ze ging zitten. 'Ik weet niet welke plannen jij koestert, maar ik waarschuw je nu: ik stem met geen enkele verzoeningspoging in. Ook niet van hun kant, want het gegeven blijft hetzelfde, dat kind past niet bij ons.' Ze keek hem fel aan. 'Ik neem het niet. Begrijp je dat goed? Weet je wat je moet doen? Broersen als naaste medewerker van jou naar voren schuiven. Niet hem mede-directeur maken natuurlijk – jij bent en blijft de baas –, maar meer met hem bespreken en hem een hoger salaris geven. Hij zit al jarenlang op kantoor, hij kent het bedrijf goed en...'

'Ik heb dat al geprobeerd. Ik had hoge verwachtingen van hem, want ik dacht dat Broersen zakelijk inzicht had, maar het is en blijft een boekhouder. Hij leunt op mij, draaft achter me aan en komt nauwelijks met nieuwe visies.'

En zo kwam het gesprek tussen hen in rustiger vaarwater. Maar hij kende Carolines besluit nu. En wilde hij een verzoeningspoging wagen? Nee, hij, Lodewijk van Rittervoorden zou zijn hoofd niet buigen. En, als hij heel eerlijk was tegen zichzelf, omdat hij vrijwel zeker wist dat Emiel daar niet op zou ingaan. Om Marianne niet. Omdat hij wist dat zij bij hen niet welkom was.

De volgende avond laat hadden Lodewijk en Caroline alweer een fikse ruzie. Dit keer was niet Marianne het onderwerp van de herrie, maar het late tijdstip waarop Lodewijk de huiskamer binnenstapte.

'Het is half elf geweest! Je had geen vergadering, waar was je dan?! Martha heeft eerst nog de maaltijd warm gehouden, een half uur, maar toen alles dreigde te verpieteren, zoals ze dat noemt, heeft ze opgediend. Ik zat dus weer eens alleen aan tafel. En ík wist niet hoe laat je dacht thuis te komen. Je weet dat ik dat niet prettig vind. Je houdt totaal geen rekening met me! Voor jou ben ik alleen de vrouw des huizes die alles op "De Ritter" prima regelt, een werkneemster, maar dan zonder salaris te ontvangen.' Ze keek hem woedend aan en ging toen iets kalmer verder: 'Je weet dat ik vind dat zo lang werken per dag funest is. Dat houdt geen mens vol, ook jij niet. Je moet maatregelen treffen. Je kunt toch zo goed organiseren? Rond zeven uur in de morgen ben je al vertrokken en normaal gesproken kom je om zeven uur 's avonds thuis voor het diner. Daarna stap je vier van de vijf avonden van de week weer in de auto omdat je een vergadering hebt of nog noodzakelijk iets af moet maken. Het is te veel, de vermoeidheid straalt uit je ogen. Maar ik neem het niet langer: niet het gezeur over de schildersdochter en niet dat je me verwaarloost. Ik begrijp dat er in het bedrijf veel te doen is, daarvoor heb ik als echtgenote van een zakenman écht begrip, maar, Lodewijk... ik moet toch het belangrijkste zijn in jouw leven? Ik twijfel er de laatste tijd aan of dat wel zo is. Bestellingen van zand en grind zijn belangrijker dan ik, en gesprekken over cement en beton met mannetjes op kantoor zijn dat ook.'

Ze ging nog een poosje door op een steeds hogere, schellere toon en Lodewijk wist dat er een zweem van waarheid in haar woorden stak. Hij dacht ook, terwijl hij haar woorden over zich heen liet komen: Dit was niet voorgekomen als Emiel in de zaak was gebleven. Emiel achter het bureau tegenover hem, hij zag het beeld voor zich zoals het was geweest. De jongen kijkend naar het computerscherm, bellend met een relatie, af en toe een knikje naar hem met een lach op zijn jonge gezicht... Ieder zijn taak, waarmee de ander zich niet meer hoefde te bemoeien omdat het gewoon goed ging. Toen was er tijd voor een privé-leven thuis. Nu was dat er bijna niet. Want ook daar hield het werk hem in gedachten bezig en kwam de wetenschap dat hij dit niet kon volhouden steeds dichterbij.

Hij hoorde haar stem weer: 'Je luistert niet eens naar me!' Ze vloog overeind uit de stoel, stampvoette woedend op de vloer en liep naar de kamerdeur. 'Je maakt ons huwelijk kapot!!' schreeuwde ze.

De deur sloeg dreunend dicht. 'Zo, zo,' zei hij zacht. Hij hing meer in de stoel dan dat hij zat. Onderuitgezakt, heette dat en het was er een goed woord voor. Hij zou het ook 'ingezakt' kunnen noemen: leeg en moedeloos. Caroline riep: Je maakt ons huwelijk kapot; maar nee, hij schudde zijn hoofd, nee, dat zei ze in haar boosheid. Ze meende het niet echt, maar het was wel duidelijk dat ze ongelukkig was met de relatie zoals die nu tussen hen was. Dat was hij ook. Hij kon niet meer met haar praten en zij niet met hem. Bijna alle gesprekken over een echt onderwerp, niet 'heb je koffie?', liepen op geschetter uit. Het was niet meer zoals vroeger, toen ze nog met z'n viertjes waren, Caroline, hij en de kinderen. Het begon nadat Emiel het meisje Timmer als zijn meisje ging zien. Caroline wilde dat meisje van het begin af niet in hun familie. Hij hoorde haar opmerkingen aan, maar verdiepte zich er niet in of ze echt gelijk had in haar mening over dat meisje, want hij had belangrijker zaken aan zijn hoofd. Achteraf werd hem duidelijk dat die zaken niet belangrijker waren, want het had de verwijdering tussen Emiel en hem enerzijds en Caroline en hem anderzijds op gang gebracht. Pas toen Emiel bij hen was weggegaan, begon hij na te denken en te twijfelen aan Carolines grote antipathie en vroeg hij zich af of dat kind écht zo uit de boerenklei was getrokken als Caroline hem wilde laten geloven. Natuurlijk was dat niet zo. Het meisje kwam destijds met Wieneke mee en toen had Caroline geen problemen met haar. Ze vond Marianne een aardig vriendinnetje voor hun dochtertje. Af en toe was er wel eens wat, want Marianne vergat soms haar voeten goed te vegen, holde zomaar binnen, Marianne sprak niet altijd met twee woorden... Het kind had haar atheneumdiploma gehaald, zo dom was ze dus niet.

Hij stond op en schonk zichzelf een glaasje whisky in, maar hij moest vanavond niet te veel drinken. Hij moest helder blijven. Caroline had de woorden over hun huwelijk in woede geroepen, daaraan hoefde hij geen waarde te hechten. Ze wilde niet van hem scheiden, en ze wilde 'De Ritter' niet verlaten. Ze hield van hun huis. Nee, daarover hoefde hij niet echt te denken, ze wilde hem niet kwijt... En van zijn kant? Hij schrok van de gedachten, hij durfde bijna niet verder te denken, hij dronk het glaasje snel leeg en stelde zich weer de vraag: En hij? Ze waren destijds met veel pracht en praal getrouwd en hij had haar trouw beloofd en trouw was hij, want er bestond geen andere vrouw voor hem dan Caroline, maar de liefde die hij toen voor haar voelde, het mooie blonde meisje waarmee hij heerlijke gesprekken voerde over kunst en schoonheid, hoe anders was dat dan hij thuis gewend was. Haar aanhankelijkheid, de nachten met haar... Wat was er van overgebleven? Ze sliep de laatste maanden meer nachten per week in de logeerkamer dan in hun slaapkamer. Als hij laat thuiskwam hoorde hij vanuit dat vertrek muziek klinken, de klassieke muziekstukken waarvan Caroline hield. Hij liep dan door naar de grote slaapkamer. Hij lag alleen in het brede bed. Het laatste jaar, en misschien was het al langer, was er te weinig seksueel contact tussen hen geweest. En als het gebeurde was het omdat hij ernaar verlangde, Caroline werkte niet mee om het tot een heerlijk hoogtepunt te brengen. En hij had wel eens gedacht – een vreemde gedachte was het, en hij was er niet blij mee – dat het net zo goed een wildvreemde vrouw kon zijn waarmee hij dit deed, alleen om het te doen. Daarover dacht hij na.

Hij stond op en schonk het glaasje nog eens vol. Hij nam er vanavond niet meer dan twee. Want in zijn onderbewustzijn waren gedachten die hij nog niet kon vatten, maar hij wist dat ze er waren. Hij voelde het, het waren gevoelens die hem op een goed spoor konden brengen. Hij bleef stil zitten en liet ze naar boven komen. De klok in de huiskamer sloeg twee heldere slagen.

Dit gevoel had hij op de zaak ook af en toe. Bij problemen waarvoor hij geen oplossing wist, diep van binnen, als een verborgen tweede ik, wilde zijn onderbewustzijn hem helpen en vaak kwam opeens een gedachte naar boven die hij kon gebruiken.

Het draaide nu om Emiel. Hij wilde Emiel terug in zijn leven, maar Caroline zat daartussen. Hij wilde niet van haar scheiden. Ze waren de laatste jaren van elkaar vervreemd, maar hij kende de oorzaak en hij verwachtte dat Caroline ook problemen had nu ze haar zoon niet meer zag. Een scheiding zou ook financiële gevolgen hebben, hoewel het bedrijf geheel op zijn naam stond, Van Rittervoorden. Het huis was privé-bezit van hen beiden, alles was goed omschreven, maar daarom ging het niet. Het speelde geen rol. Hij wilde met Caroline leven in de harmonie van vijf, zes jaar geleden en hij wilde Emiel en zijn gezin in hun kring. En Emiel in het bedrijf.

Hij leunde achterover in de stoel. Het denken maakte hem moe, want was er een mogelijkheid? Ja, er moest een mogelijkheid zijn. Omdat hij dat wilde. Hij moest zoeken en vinden. Emiel vond de vewijdering tussen hen beslist ook niet prettig, maar voor Emiel was zijn huwelijk belangrijk. Hij koos voor vrouw en kind en hij had een goede baan met een prachtig inkomen bij Glastra en Hollekamp.

Het probleem was dus Caroline. Hij lachte bitter bij die gedachte. Caroline had het meisje Timmer afgewezen. Hij in het begin ook, eerlijk is eerlijk, maar was ze echt zo burgerlijk en tuttig? Nee, dat was ze beslist niet. De avond in de Buitenhoeve had hem tot die overtuiging gebracht. En bij het weggaan had hij iets opgevangen over de afspraken die Kasper en Hans maakten met Emiel en Marianne.

Als de ruzies en nare gesprekken tussen hen aanhielden kwam de dag waarop Caroline boos de beslissing zou nemen bij hem weg te gaan.

Misschien noemde ze het, die term had hij ruim een jaar geleden voor het eerst gehoord: een verkoelingsperiode. Dat woord bracht Alexander de Winter in hun huis. Hij en zijn vrouw Henriëtte gingen enige tijd uit elkaar om 'af te koelen'. Maar het pakte anders uit dan Alex zich had voorgesteld, want Henriëtte voelde zich prettig in haar vrijheid. Alex was een aardige en vlotte vent in gezelschap, maar thuis was hij overheersend en eigenwijs. Toen Henriëtte daarvan los kwam voelde ze zich zo heerlijk dat ze Alex de rug toedraaide. Caroline en hij hadden er heimelijk om gelachen. Henriëtte was een geëmancipeerde vrouw geworden!

Dat zou met Caroline niet gebeuren, want hij bemoeide zich thuis vrijwel nergens mee. Diep in hun harten hielden ze nog van elkaar en wisten ze waardoor het zover was gekomen.

Maar in deze richting, hij durfde er nu voorzichtig over te denken, kon misschien een oplossing gevonden worden... Caroline enige tijd weg uit 'De Ritter', de problemen tussen hen bereikten Emiel en Marianne, ze praatten erover, ze vonden het verschrikkelijk dat het zo moest gaan, dat was toch vreselijk... Emiel zou vaststellen dat zijn moeder de schuldige was, maar dit offer was te groot voor zijn ouders. Wat konden ze eraan doen?

Hij schudde zijn hoofd. Het was een mooi plot, maar zo simpel zou het niet gaan. Caroline mocht in elk geval niets weten of zelfs maar vermoeden van zijn heimelijke, snode plan. Het was een gemeen plan, maar het kon een verandering ten goede brengen als het op de juiste manier werd uitgewerkt en daar moest hij nog over nadenken.

Hoofdstuk acht

Ruim een week later rinkelde 's middags de telefoon in de woonkamer. Edwin dribbelde haastig op zijn kleine pootjes naar de bijkeuken, waar mama wasgoed in de machine stopte. Hij riep: 'Telefoon, mama, telefoon...'

Hij holde weer achter haar aan naar de kamer.

'Marianne,' klonk een lieve stem in haar oor, 'met opa Andreas. Meisjelief, hoe is het met jullie?'

'Dag opa,' groette ze hem blij, ze was erg gesteld op opa Andreas, 'alles is hier prima. Hoe is het met u?'

'Ook wel goed, kind, maar ja, ik word ouder. De ene dag voel ik me een flinke vent op oudere leeftijd, de andere dag weet ik dat dat toch niet zo is. Maar ik bel je om te vragen of jullie me één dezer dagen willen bezoeken. Bij je laatste bezoek beloofden jullie gauw weer te komen. Ik begrijp het wel, je hebt het allebei druk, maar ik wil je graag weer zien. En de kleine boy natuurlijk. Hoe is het met hem?'

'Het is een heerlijk jochie. Ik was in de bijkeuken bezig en hij kwam me vertellen dat de telefoon rinkelde.'

'Prachtig, prachtig.'

'Opa, ik kan nu niets afspreken, dat weet u wel. Emiel heeft een volle agenda. Maar ik overleg vanavond met hem en ik bel u morgenochtend. Is dat goed?'

'Dat is prima, kind.' Edwin riep nog in de hoorn 'dag, dag, dag,' toen werd de verbinding verbroken en Marianne keerde terug naar de wasmachine.

'Ja,' vond Emiel die avond ook, 'we moeten weer eens naar opa gaan. Hij zit heel vaak alleen in zijn kamer maar te staren naar de struiken en de bloemen in de tuin en die zijn mooi, maar zo langzamerhand kan hij ze uittekenen. Ik kan me zo'n leven niet voorstellen, maar misschien gebeurt mij dat in de toekomst ook nog wel. Dan hoop ik dat Edwin komt met een vrouw die wij hebben goedgekeurd, ha, ha; dat is gelukkig nog ver weg. Het wordt zaterdag of zondag. Zaterdagmiddag komt mij het beste uit, jou ook?'

Die zaterdagmiddag reden ze naar 'De Willemshoeve', parkeerden de wagen en liepen door de lange gangen. Edwins heldere stemmetje klonk luid op tegen de hoge muren. 'Papa, waar gaan we naar toe? Papa, waar gaan we nou naar toe?'

'Naar opa, manneke.'

Op dat moment zagen ze allebei de lange, rechte man die vanaf de andere kant in de gang stap voor stap naderbij kwam. Er was geen mogelijkheid hem te ontwijken met aan beide kanten gesloten deuren met witte bordjes waarop voor hen onbekende namen stonden. Edwin stapte parmantig voor hen uit en babbelde door over het voor hem onbekende doel. Hij zag de man, bleef even staan, tilde zijn kopje op en kirde: 'Nee, niet opa, nee' en stapte verder. Emiel knikte in het voorbijgaan heel even naar zijn vader, Marianne liep met een gebogen hoofd voorbij.

De eerste tellen zwegen ze allebei, Marianne voelde een wilde hartslag in haar keel. Emiel kwam dicht naast haar lopen. 'Snel,' fluisterde hij, 'als opa Edwin hoort opent hij de deur. We zeggen hem niet dat we mijn vader hebben gezien als opa er ook niet over begint.'

Ze knikte, ze begreep hem. En op datzelfde moment zagen ze de deur van opa's appartement opengaan. 'Daar zijn jullie, dag lief kereltje, dag Edwin...' Een stralend verheugde oude man omarmde Marianne, hield Emiels hand vast en legde een rimpelige hand op de blonde krullen van Edwin.

De koffie was klaar en verspreidde een heerlijke geur door de kamer. Kopjes stonden op het ruime aanrecht, een schaaltje koekjes ernaast. En een glaasje met een kleurig rietje naast een fles vruchtensap.

'Daarvoor zorgt Hanna,' zei opa Andreas goedkeurend.

Ze informeerden naar opa's gezondheid, maar, meende hij, 'daaraan moeten we niet te veel tijd verspillen. De ene dag voel ik me beter dan de andere dag, maar alle omstandigheden in aanmerking genomen, gaat het goed met me. Ik praat liever over jullie, hoe het met mij is weet ik wel!' Hij lachte naar Marianne en ze dacht: het is een echte Van Rittervoorden. Hij heeft in zijn lieve en vriendelijke lach soms, zoals nu, het opmerkzame wat Emiel ook heeft. En Edwin soms. Lief lachen naar mama maar ook iets van: vind je het wel goed dat ik dit doe?

Marianne schonk de koffie in en bracht de kopjes naar de tafel. Toen zei opa: 'Je vader belde vanmorgen. Hij belt vaak op zaterdagmorgen. Zo rond half twaalf kan ik een telefoontje van hem verwachten. Hij belt niet elke zaterdag, dat zou te mooi zijn, ha, ha, maar om de week toch wel.'

Emiel knikte. Opa keek hem recht aan. 'Hij is hier geweest. Hij wilde me opzoeken. We vinden het prettig met elkaar te praten, maar ik zei hem dat hij dan vroeg in de middag moest komen omdat ik meer visite verwachtte. Die zou na vier uur komen. Ik heb er niet bijgezegd dat jullie die visite zijn.'

'Dat is goed,' antwoordde Emiel rustig.

Opa Andreas verschoof in zijn brede leunstoel. 'Het gaat niet goed tussen je ouders, jongen.' Hij keek Emiel met een aarzelende blik aan, was het niet verkeerd dit te zeggen, werd de jongen boos omdat hij de kwestie tussen zijn vader en hem aanroerde, maar Emiel keek hem rustig aan. En Andreas ging verder: 'Ik vind dat jullie daarvan op de hoogte gesteld moeten worden. Er zijn dikwijls heftige ruzies tussen Lodewijk en Caroline. Ik weet natuurlijk niet waarover ze ruziën en jullie weten dat ook niet, we zijn er geen van drieën bij, maar ik ben ervan overtuigd dat de belangrijkste oorzaak de breuk tussen jou en je ouders is. Daar hebben ze het allebei moeilijk mee, ook al hebben ze de overtuiging het gelijk aan hun zijde te hebben. Die nare sfeer duurt al enkele jaren en dan kan elk klein, onbelangrijk voorval tot irritatie leiden. Lodewijk vertelde er vanmiddag over. Niet lang. En ik wist niet wat ik erop moest zeggen, maar hij zei dat de verwijdering tussen Caroline en hem tot een echtscheiding kan leiden. Dat is toch ver-schrikkelijk!'

'Het is hun keuze, opa.'

'Nou ja, jongen toch!! Met zo'n opmerking kun je je er niet vanaf maken.'

'Er is geen andere oplossing. Het is hun keuze. Zij wilden dit. Marianne en ik staan erbuiten. Ons leven is goed. We zijn gelukkig, we hebben Edwin en opa, het is nog heel pril en het is nog een geheim, maar u mag het weten,' hij wilde de man, die het zichtbaar moeilijk had met de bekentenis van zijn zoon, iets prettigs vertellen. Hij boog zich naar zijn grootvader toe, 'Marianne is weer in verwachting en we zijn daar ontzettend blij mee...'

'Marianne, Emiel, wat heerlijk! Mijn moeder zei vroeger dat men niet moest juichen voor de baby gezond en wel in het wiegje lag, maar als er geen zwangerschap is komt er ook geen kindje!'

Ze praatten door over kinderen en kleinkinderen en achterkleinkinderen – 'Straks heb ik er twee,' glunderde Andreas van Rittervoorden en de problemen in het huwelijk van Lodewijk en Caroline werden niet meer aangeroerd. Alleen bij het afscheid legde Andreas een hand op Emiels schouder. 'Denk erover na, mijn jongen, of jullie het huwelijk van je ouders kunnen redden.'

'Opa, dat kan niet. Marianne is mijn vrouw en ik houd van haar. Mijn ouders willen haar niet in hun leven opnemen.'

In de auto, op de drukke autoweg begon Emiel: 'Hoe lang bleef mijn vader in "De Willemshoeve" nadat hij bij opa was weggegaan? Opa Andreas heeft hem niet verteld dat wij de visite waren die hij verwachtte. Opa liegt niet. Als hij het wél aan mijn vader had verteld zou hij dat verzwijgen. Wij vroegen er niet naar. Mijn vader wilde weten wie bij zijn vader op bezoek kwam.' Emiel lachte even. 'Misschien een vent die hem met mooie praatjes geld wilde aftroggelen, opa Andreas is een vermogend oud baasje! Nee, dat is onzin. Ik geloof dat mijn vader op ons wachtte. Hij is in de recreatieruimte aan het einde van de gang gebleven. Hij maakte een praatje met iemand die daar zat, maar hij zocht wel een plekje waar vanuit hij in de gang kon kijken. Hij zag ons aankomen. Hij zag Edwin. En Edwin lijkt op mij vroeger. We hebben dat onlangs gezien toen we mijn volgeplakte fotoalbum doorbladerden. Het moet hem iets gedaan hebben.'

'Dat geloof ik ook.'

'Mijn vader, Marianne, is soms een sluwe man. Soms slim, op het gemene af. Het is een man die op een slinkse wijze kan veroveren wat hij wil bereiken. Toen we hem in de gang hadden gezien vroeg ik je daarover niets te zeggen, want ik dacht dat het opzet was, een samenzwering tussen mijn grootvader en vader, het zijn tenslotte allebei Van Rittervoordens. Maar als er van mijn vaders kant een plan is is dat een plan van hem alleen. Ik weet niet óf het zo is, maar ik ben waakzaam, alert.'

'Lieve jongen, Emiel, het kan toch gewoon toeval zijn? Hij ging bij zijn vader weg omdat die ander bezoek verwachtte waar opa hem niet bij wilde hebben, en meteen kwamen wij eraan! Wat toevallig!'

'Toeval bestaat niet. En hij was eerder weg uit die kamer.'

'Als dat zo is, wat bood het hem dan? Hij zag jou, dat was leuk en mij, dat was niet leuk en hij zag zijn kleinzoon, dat gaf hem misschien stille tranen.'

'Ik kan niet zeggen wat het is, maar we komen er wel achter.'

'Opa vertelde over de spanningen tussen je ouders. Je vader heeft gezegd dat het tot een echtscheiding tussen hen kan leiden.'

Emiel keek even naar haar, concentreerde zich dan weer snel op de drukke rijbaan. 'Ja. Uit de spanningen tussen hen kan veel narigheid voortkomen. Want prettig is de situatie voor hen natuurlijk niet, of ze daar nu schuldig aan zijn of niet.'

Marianne knikte. 'Je kunt veronderstellen dat je vader iets uitbroedt, maar je weet niets met zekerheid.'

'Nee, maar we lichten vanaf nu de gesprekken die ons bereiken door.'

Aan het einde van de derde maand van de zwangerschap ging Marianne naar dokter De Rover. Hij bevestigde, zoals verwacht, de zwangerschap. Hij maakte een praatje met haar, heerlijk dat alles in orde was. 'Ik zie u graag over twee maanden terug. En u weet het, mevrouw Van Rittervoorden, als er iets bijzonders is of als u zich ergens zorgen over maakt wat uw gezondheid betreft, moet u direct bij me komen.'

Marianne beloofde dat en met een warme handdruk namen ze afscheid. Zondagmorgen reden ze naar Wennebroek. Edwin zat in het autostoeltje. Hij had een simpel liedje bedacht. Hij bracht het, half zingend, half voordragend, als luisterliedje. Zijn hoge stemmetje vulde de auto. 'Naar opa toe, naar oma toe... we gaan naar opa en oma toe...' Dan was het even stil, daarna begon hij opnieuw: 'naar opa...'

'Onze zoon brengt niet veel variaties aan in zijn compositie,' merkte Emiel op, waaraan Marianne toevoegde: 'hij houdt het belangrijkste aan, naar opa en oma...'

Het werd een gezellige dag, zoals, dacht Emiel, vrijwel alle dagen die ze bij Mariannes ouders doorbrachten gezellig waren. De sfeer was gemoedelijk, er werden nu en dan wel eens minder leuke opmerkingen gemaakt, vooral tussen de meiden, en er waren kleine kibbelarijtjes, maar de mensen waren zichzelf, speelden geen toneel en, zei Maaike Timmer eens: 'We zijn blij met elkaar.' Dat straalden ze ook uit. Waren zijn ouders dan niet blij met elkaar en met hun kinderen? Vroeger? Ja, beslist wel. Maar daarnaast was er iets in hun houding wat hij nu 'toneelspel' noemde. En waarom was dat, als ze onder elkaar waren? Niemand zag ze. 'Het zit erin gebakken, vooral bij je moeder,' merkte Marianne daarover eens op, 'zelfs tegenover mij, een schoolkind nog, speelde ze de deftige dame. En het maakte indruk op me. Toen ik negen of tien jaar was speelde ik het thuis na. De trap oplopen was niet zo geschikt, maar eraf, hand licht op de leuning, kleine stapjes en tree voor tree, voeten recht. Dan was ik een prinses en ik trok, dat hoorde erbij, nét zo'n pruilmondje als je moeder. Ik kan het me nu nog herinneren. Dat hoor je.'

Ook deze morgen was prettig. Anneke en Theo kwamen met Renate en de baby werd bewonderd, een lief lachend kindje met mooie blauwe ogen.

Moeder Maaike had appeltaart gebakken. De koffie was lekker en pittig en verhalen over het dagelijkse leven werden uitgewisseld. Na de koffie kwamen de kleine glaasjes op tafel voor de mannen, voor de dames rode wijn en Edwin kreeg limonade.

Toen zei Theo: 'Er gaan nare berichten over "De Ritter" en het bedrijf van je vader door het dorp, Emiel.'

'Ik wil het liefst zeggen: dat interesseert me geen barst, maar zo is het natuurlijk niet. Ik heb me, met Marianne aan mijn zijde, losgemaakt van mijn familie en van het bedrijf en dat bevalt me uitstekend, maar ik blijf er toch mee verbonden. Het zijn mijn ouders en ik hoopte, toen ik de deur achter me dichtgooide, dat het goed met ze zou gaan. Daar zou ik blij mee zijn. Los van elkaar – omdat het niet anders kan – met ons leven verdergaan, maar intussen weten dat het met de anderen goed is. Dat is een rustig weten. Zij gelukkig in hun wereld, wij gelukkig in onze wereld. Zo zijn we allemaal gelukkig.' Hij lachte even. 'Maar zo is het niet, af en toe horen we akelig nieuws. Wat wordt er nu weer in het dorp verteld?'

'Onder andere,' mengde Anneke zich in het gesprek, 'dat Martha van Straten op staande voet is ontslagen. Van de ene op de andere dag heeft mevrouw haar op straat gezet. Beschuldigd van het naar buiten brengen van berichten over wat er in "De Ritter" gebeurt.' Haar stem klonk fel; ze voegde er milder aan toe: 'Of Martha dat ook echt gedaan heeft weet ik niet. Jij kent haar goed, het is een heel integere vrouw, ja toch? Maar het is mogelijk dat ze de vraag van iemand uit het dorp, die rechtstreeks vroeg of het goed gaat met de familie, met "nee" heeft beantwoord.

'Zo simpel kan het geweest zijn. Zo'n antwoord houdt de hele waarheid in.'

'Daarom,' knikte Anneke naar haar zwager.

'Het is verschrikkelijk voor Martha. Ze was zoveel jaren met "De Ritter" verbonden. Ze was er altijd voor mijn zus en voor mij. Als moeder niet thuis was, geen nood, Martha was er toch? En het lijkt me niet juist haar ervan te beschuldigen dat ze ook maar iets over de gebeurtenissen binnen de muren van "De Ritter" heeft verteld. Martha zal nooit zeggen,' Emiel boog zich in een samenzweerderige houding dicht naar Theo toe en fluisterde: 'Moet je horen wat ik vanmorgen heb gezien...' Hij kwam weer overeind. 'Maar als het hele dorp, misschien uitgezonderd Piet Maalder in zijn boerderijtje aan de Wannesloot, maar als het hele dorp weet dat het met de Van Rittervoordens niet goed gaat, kan Martha moeilijk zeggen dat dat niet zo is. Dat is geen roddel. Hoe oud is Martha ongeveer?'

Het gesprek kabbelde nog even voort over hoe Martha zich financieel zou moeten redden, tot Kees Timmer zei: 'Nu we toch het onderwerp Van Rittervoorden bij de kop hebben, Jaap Witteveen vertelde vorige week dat het op de werf ook niet echt lekker gaat. Niet echt slecht ook, het zou overdreven zijn dat te beweren. Van Rittervoorden is een uitstekend bedrijf, dat gaat niet zomaar over de kop. Maar vroeger had Lodewijk de touwtjes stevig in handen, in zoverre, dat Dirk de Wit ze als een verlengstuk van Lodewijk goed in handen hield omdat de werfbaas wist hoe Van Rittervoorden alles vanuit het kantoor in de gaten hield. En Dirk wilde geen woorden met de baas, want hij verdient een goed loon en het werk bevalt hem. Maar nu Lodewijk zijn aandacht laat verslappen, ja, hoe gaat dat, het is net als met jonge kinderen, als ze losser worden gelaten door de ouders nemen ze zelf ook een loopje met sommige dingen. En kort geleden is er weer een ongeluk gebeurd met een van de vrachtwagens. Daaraan heeft Van Rittervoorden geen schuld, maar de narigheid en de schade komen wel op zijn bordje.'

'Het is niet prettig te horen wat jullie vertellen, het zijn hoe dan ook mijn ouders, maar zoals ik al zei, ik heb het samenleven met hen losgelaten. En,' hij grijnsde even, 'als het werkelijk slecht gaat met Van Rittervoorden hoor ik dat van de collega's in onze branche, maar dan zal ik me om de erfenis niet druk maken. In die richting denken sommige mensen al voor me. Het is altijd prettig geld te erven, maar Marianne en ik kijken daar niet naar uit. Ik heb een prima baan, we redden ons met gemak.'

'Het ergste is het geharrewar tussen je ouders. En dat schijnt hoog op te lopen.'

Er werd nog over het onderwerp door gepraat, maar nieuwe gezichtspunten waren er niet meer te melden; het waren berichten die rondgingen langs de dorpsstraat. Mieneke Klaver zag de wagen van Caroline dikwijls veel te snel voorbij razen. Ze vermoedde: mevrouw zit boos achter het stuur. En Agnes Wendelaar zag Lodewijk in de tuin. Op donderdagmiddag. Dan klopte er toch iets niet?

Ze praatten over de zorgen van Toon Bartels van de kruidenierswinkel. Hij wilde uitbreiden. Anneke vond ook dat de winkel te klein was, maar vanuit het gemeentehuis wilde men geen toestemming geven om op de grond vlak naast het perceel van Bartels een stuk aan de winkel te bouwen. Maar als Toon de deuren moest sluiten omdat de omzet te laag was, hij moest meer artikelen kunnen verkopen, dan was er geen kruidenierswinkel meer in het dorp en dat zou men toch óók heel erg vinden! Toen kwamen de besluiten van de dorpsraad aan de beurt en men stelde vast dat daar veel mee mis was. Daar waren ze nog over bezig toen moeder Maaike de glaasjes en glazen van de tafel op een dienblad zette. Het tijdstip voor Theo om te zeggen: 'We stappen weer eens op, vrouw...'

Na de maaltijd bracht Marianne Edwin naar boven om een slaapje te doen in het bed waarin zijn mama had geslapen toen ze nog een klein meisje was.

Eenmaal terug in de kamer begon Maaike: 'Ik wil er toch met jullie over praten, kinderen. Theo en Anneke zijn nu weg. Ester is met Bart op pad; dit kleine kringetje is goed. Tenslotte gaat het alleen jullie aan. Je voelt het al aankomen, het gaat weer over je ouders, Emiel.' Ze keek hem recht in de ogen. 'Ik heb medelijden met die twee mensen. Er is onenigheid tussen hen en die onenigheid rolt als een sneeuwbal door: elke kleine irritatie of iets wat verkeerd gaat plakt eraan vast en rolt verder mee. Men raakt geïrriteerd, ziet in elk woord dat verkeerd wordt uitgesproken weer een aanval en het gaat van kwaad tot veel erger.'

Emiel knikte haar toe. 'Dat ben ik met u eens, maar ik kan er niets aan doen. We hebben daar al vaker over gesproken. De ruzie ontstond omdat mijn ouders mijn keuze van mijn vrouw niet konden accepteren, wat kan ik daaraan doen?'

'Denk je niet dat ze er spijt van hebben?'

Emiel lachte even. 'Als ik de berichten op een rij zet, nee. Mijn moeder niet omdat ze zich in het hoofd heeft gezet dat Marianne niet in de familie past en mijn vader niet omdat hij het toen met zijn vrouw eens was en als hij eenmaal een besluit heeft genomen blijft hij daarbij. De besliste, standvastige man.'

'Dus,' kwam Kees Timmer nu op een rustige toon: 'Vergeven en vergeten, zoals jullie allebei van dominee Spaargaren hebben geleerd en Marianne van ons...'

'Dat zal hier niet van toepassing zijn. Het is geen kwestie van vergeven. Marianne en ik zijn heel onheus behandeld, maar daar gaan we niet gebukt onder. Als mijn ouders inzien dat ze toen ongelijk hebben gehad, dan nemen wij dat excuus waarschijnlijk aan.' Hij keek even naar Marianne, ze knikte instemmend, en hij vervolgde: 'En we proberen voorzichtig opnieuw contact te leggen, hoewel dat heel moeilijk zal zijn, want er zijn wonden geslagen in onze harten die niet snel zullen helen, ook omdat het zo nodeloos was. De laatste keer dat ik met mijn moeder sprak ging het op een schreeuwerige manier over tafelmanieren. Over tafelmanieren nota bene! Hoe houd je een wijnglas vast en hoe drink je met héél kleine slokjes! Ik zei toen dat Marianne met mes en vork aan jullie tafel net zo keurig eet als wij met het zilveren bestek uit de ladekast. En dat Marianne niet iemand steeds in de rede valt – wat mijn ouders vaak doen – en dat Marianne kan luisteren, nou ja, dat er niets op haar aan te merken valt. Die middag, de middag waarop ik uit huis ben gegaan, daarom weet ik dit gesprek nog zo goed, heeft zich in mijn geheugen vastgezet als "zo kinderachtig!!" Maar ze schreeuwde door over haar onwijze ideeën van "een keurig mens", er was niets tegen in te brengen. Ik zie dus geen kans ze te kunnen vergeven, ze willen Marianne zelfs niet dulden, laat staan hartelijk tegemoet te treden, wat ik van mijn ouders voor mijn vrouw verlang.'

'Het is een verdrietige zaak. We spraken er vanmorgen over en het gaf jou misschien de indruk dat er in het dorp veel over wordt gekletst, maar dat is beslist niet waar. De familieleden van de Van Rittervoordens zijn dorpsbewoners zoals alle andere bewoners. En men groeit niet in tegenslagen van elkaar. En de feiten zijn waarheden. Het gaat lichamelijk niet goed met je vader en daar komt uit voort dat hij het werk niet meer zo goed aankan. Maar ja, misschien kunnen jullie er niets aan doen...'

Drie maanden gingen voorbij. Mariannes zwangerschap verliep naar wens. Ze droeg de wijde pakjes die ze ook tijdens het verwachten van Edwin had gedragen.

'Eigenlijk,' lachte Emiel, 'loopt dit kindje nu al in de kleren van zijn of haar broertje.'

'En daarmee is de baby dik tevreden,' lachte Marianne en streek even over de bolle buik.

Naast het kamertje van Edwin werd de kamer voor het komende kindje ingericht. Edwin werd er zoveel mogelijk bij betrokken, maar, meende Emiel, ik denk niet dat dat jaloezie in de toekomst kan voorkomen. Hij roept nu wel lief 'voor kindje!' als hij de wieg ziet staan en misschien heeft hij vaag een beeld van zijn Brommie in een bedje, maar waarschijnlijk is hij nog te klein om de werkelijkheid onder ogen te zien. En die werkelijkheid zal zijn dat niet al onze aandacht voor hem is. Dat moet hij leren aanvaarden. En daarmee zullen we hem als verstandige ouders helpen.

In die laatste maanden voor de geboorte van de baby gingen de schermutselingen rond 'De Ritter' een beetje aan Marianne voorbij. Ze hoorde de gesprekken erover aan, en als ze met Emiel samen was praatten ze er weinig over. De laatste maanden van de zwangerschap waren zwaar voor Marianne. 'Toen ik Edwin verwachtte kon ik, als ik moe was, op de bank gaan liggen, maar dat is er nu niet bij, want ik moet voortdurend op Edwin letten. Het ene moment speelt hij lief, het volgende moment kan hij proberen ergens op te klimmen of aan te gaan hangen.' Emiel stelde voor iemand te zoeken die haar met de huishoudelijke bezigheden zou helpen, maar dat wilde Marianne niet. 'Welnee, nog een paar maanden narigheid. Als de baby er is knap ik snel op. En,' ze lachte luid, 'mijn moeder zou me hoogst verbaasd aankijken als ik een, wat men in Wennebroek "een hulpje in huis" noemt, heb aangenomen. Ze zal roepen dat ik de kapsones van mevrouw Van Rittervoorden krijg! Nee, we houden het wel vol, maar, de laatste loodjes wegen het zwaarst.'

In oktober brak opnieuw een heftige ruzie uit tussen Lodewijk en Caroline. Caroline was de laatste maanden hypernerveus. Martha was weg, ze wist zich geen raad nu de verantwoording van zoveel bezigheden in het huis op haar schouders neerkwam.

Zo-even had Lodewijk geroepen: 'Ik begrijp niet hoe je zo dom kon zijn om Martha weg te sturen! Zij deed al het werk hier, jij tennist en vergadert over arme kindertjes in tehuizen in Hongarije, maar veel hulp geeft dat gebeuzel die stakkertjes niet...' Hij wilde nog meer opnoemen, er was genoeg om haar te beledigen, maar Caroline viel hem in de rede: 'Er wordt over ons gekletst in het dorp! En Martha weet wat hier aan narigheid is voorgevallen!'

'Je hebt geen bewijzen dat zij iets heeft gezegd en los daarvan, in ons dorp wonen pientere mensen die de strubbelingen van anderen snel in de gaten hebben.'

'Ja, en ze groeien daarin. Annie Bakker loert door het keukengordijntje en Teun de Wit ziet jouw auto vroeg in de middag voorbij rijden. Hij zat op de bank voor zijn huis en zag je...'

'Aan die informatie heeft Martha geen schuld.'

'Nee,' gaf Caroline toe, ze wilde de tranen die achter haar ogen opwelden terugdringen, niet buigen voor Lodewijk, sterk zijn, 'nee, maar het is wel waar dat het met het bedrijf de verkeerde kant op gaat! Jij weet het allemaal zo goed, speelt de grote zakenman, maar ík hoor andere berichten. Ik heb Nolda Zwagerman gesproken. Haar man is goed geïnformeerd! Nou, mij interesseert het totaal niet! Het bedrijf moest, voor we trouwden zo nodig op jouw naam gezet worden. Mijn ouders waren daartegen, want waar bleef het vertrouwen in elkaar? Als alles goed ging deelden we de rijkdom, als het fout ging deelden we de armoede. Maar jij wilde dat niet! En ik, jong en verliefd, wilde over dergelijke nuchtere dingen niet nadenken. Ik heb de karaktereigenschappen van mijn moeder geërfd. Ik geloofde in trouw en alle bezittingen samen delen. Mijn ouders wilden aandelen in de onderneming brengen, maar nee, alleen Van Rittervoordens in de zaak! En ik ben achteraf heel blij dat het zo is gelopen. Nu heb ik geld genoeg om van te leven als het niet meer gaat tussen óns. En Lodewijk van Rittervoorden,' opeens nam een vreemde rust bezit van haar, dit wilde ze hem allang zeggen en nu durfde ze het, dit was het moment, nu was het zover... 'Ik kan er niet meer tegenop. Bijna elke dag hebben we ruzie, je hebt geen goed woord voor me over, laat staan een vriendelijk woord. Zo gaat het niet langer. Ik ga vanaf nu mijn eigen leven leiden en jij zult dat ook moeten doen.'

Dit is het moment, wist Lodewijk, ze neemt dit besluit in een wanhopige poging te redden wat er te redden valt. Ze verwacht een andere

166

houding van me, ze verwacht dat ik zal zeggen dat ik geen scheiding wil, maar dat kan nu niet. Het moet verder gaan. Ze kent mijn plan niet en ik zal haar ook nooit vertellen dat het een plan was, een list; het is en blijft mijn geheim en ik alleen vier de triomf daarover. Maar over enige tijd zal ze weten dat op deze manier onze zoon naar ons is teruggekeerd en naar het bedrijf. Nu moest hij meespelen.

'Je hebt gelijk, het gaat niet langer tussen ons. Ik heb ook aan dit besluit gedacht. We kunnen doorgaan zoals het de laatste tijd is gegaan, maar het brengt ons allebei verdriet en narigheid. En ergernis. En woede. We maken elkaar helemaal gek.'

Hij zweeg even en keek haar aan, maar legde geen blik van medelijden of gevoel voor haar in zijn ogen. Rustig, op een bijna zakelijke toon ging hij verder: 'Ik neem aan dat je maatregelen hebt getroffen. Je bent verstandig genoeg om te weten dat je een andere plaats moet hebben om te wonen als je "De Ritter" verlaat.'

Caroline slikte. Ze praatte zichzelf steeds weer in dat ze op deze reactie van hem hoopte, toch goed uit elkaar te gaan... als 'vrienden' was overdreven... maar eigenlijk hoopte ze dat hij zijn verdriet bij haar zou neerleggen en haar zou vragen niet bij hem weg te gaan. Dit antwoord ontnam haar alle hoop.

'Ik red me wel. Ik ga naar Carina en zoek van daaruit een geschikte woning om te kopen of te huren.'

Voor de laatste dagen van de zwangerschap was Maaike Timmer naar Haarlem gekomen. Marianne vond het heerlijk haar moeder bij zich te hebben. Emiel vond het gezellig, hij kon goed met moeder Maaike opschieten. Het was vooral een geruststellende gedachte dat Marianne, nu er elk moment verandering in haar toestand kon komen, niet alleen met de kleine jongen in huis was.

'Vader en Esther redden zich prima met z'n tweetjes. Als het nodig is staat Kees zijn mannetje in de keuken en Esther kan haar handjes goed laten wapperen,' had Maaike gezegd om ze gerust te stellen, 'en ze zijn overdag allebei van huis, in de avonduren redden ze het wel met elkaar.'

In de loop van de middag van de derde dag kreeg Marianne heftige krampen, die, dat wisten moeder en dochter, de komende bevalling inluidden.

'Zal ik de dokter bellen?', stelde Marianne voor.

'Dat is een goed idee. Dan kan hij er rekening mee houden dat hij vanavond niet rustig naar de televisie kan kijken,' stemde moeder Maaike in, 'maar zo snel gaat het waarschijnlijk niet. Hoewel, het is je tweede kindje. Dat gaat meestal sneller dan de eerste.'

'En ik bel Eefje, Emiels secretaresse. Ze legt dan een kaartje met een korte tekst op zijn bureau. We hebben daar speciale kaartjes voor, zachtgeel van kleur, dat betekent: boodschap van Marianne. Die kaartjes schuift hij niet aan de kant. Soms is het berichtje: neem wat lekkers mee uit de stad,' ze lachte, 'Eefje en ik hebben vaak binnenpretjes als we aan Emiels gezicht denken bij het lezen van die boodschapjes, maar Emiel vindt het leuk. Nu geef ik op: geen paniek, maar de baby kondigt zich aan. Indien nodig volgt nader bericht.'

Ze toetste het bekende nummer in en Eefje meldde zich als de secretaresse van de heer Van Rittervoorden.

'Eefje, met Marianne. Is Emiel in de buurt?'

'Hij zit in de vergaderzaal. En het is belangrijk en spannend.'

'Mijn boodschap is ook spannend. Wil je een kaartje voor hem neerleggen?'

'Natuurlijk, geef de tekst maar op.'

En Marianne dicteerde...

'Zo, dat is zeker een belangrijk en spannend bericht.'

'Ja. Het zal nog wel even duren voor de baby er is, maar dan moet Emiel er ook zijn.'

'Het is goed dat je belt, want hij was van plan na de bespreking naar het project Hoge Landen te rijden.'

Marianne bedankte en Eefje zei: 'Heel veel sterkte, Marianne.'

Nog geen half uur later kwam Emiel thuis.

'Dolf Wiering vroeg welke interessante boodschap ik had ontvangen, hij dacht aan iets wat verband hield met de vergadering en ik zei plechtig: 'Ik lees het u voor' en toen waren ze het er allemaal over eens dat we snel een eind aan de besprekingen moesten maken. We pakken de draad volgende week weer op.'

Diep in de nacht, rond twee uur, werd het dochtertje van Marianne en Emiel geboren. Een klein meisje, dat met een schril stemmetje haar eerste kreetjes in de slaapkamer liet horen. Het klonk als muziek in de oren van haar papa en mama en beneden, in de huiskamer, bad moeder Maaike: 'lieve God, ik dank u, mijn grote dank voor dit wonder...'

Dokter De Rover zat naast het kraambed. Zuster Gertie en Maaike aan het tafeltje. Ze dronken de koffie die Maaike had gezet. Marianne lag schoon en fris in het bed. Ze huilde zacht. 'Tranen van spanning en geluk, maar die verschijnselen kent u wel.' Ze lachte door de tranen heen naar de mensen die haar zo goed hadden bijgestaan.

Emiel zat aan de andere kant van het bed. 'Lieveling, mijn Marianne, we wilden graag nog een kindje, maar het was een zware strijd voor je.'

'Ja, maar die strijd was het waard. Een meisje voor ons, Emiel, een dochtertje, onze Lotte. Een zusje voor Edwin.'

De volgende dagen waren heerlijk. Eén groot feest rondom kleine Lotte, die rustig en rozig in haar wiegje lag te slapen. Edwin vond alles prachtig. De baby in de wieg, daar had hij niet veel aan, maar hij mocht naast mama in het grote bed zitten en haar helpen met het uitpakken van de cadeautjes die familie en vrienden meenamen voor zijn kleine zusje. En veel visite had ook voor hem een klein pakje meegebracht.

Maaike bleef nog een paar dagen in Haarlem. Thuis ging alles goed. 'We redden het best zonder jou,' zei Kees Timmer lachend toen hij de tweede avond na de geboorte met Anneke, Theo en Esther op bezoek kwam om Lotte te bewonderen en iedereen te feliciteren. 'En je kunt hier nuttig werk doen.' Dat was ook zo. Met Edwin spelen, de visite ontvangen, koffie en thee zetten en het bezoek naar de kraamkamer brengen.

De derde dag kwamen Wieneke en Henri. Wieneke was verrukt van het kleine meisje. 'Marianne, wat een schattig kindje! Edwin was als baby een plaatje en het is nog een heerlijk kereltje, maar dit is een schilderijtje! Zo'n mooi, fijn kopje.' Henri hoorde haar woorden met een lachje aan. Die Wieneke toch, zo enthousiast...

Na een poosje aan het grote bed te hebben gezeten, ging het tweetal met Emiel naar beneden naar de huiskamer. 'Rust jij maar even uit, kraamvrouwtje, het is eigenlijk te druk voor je geweest...'

In de huiskamer zei Wieneke: 'Weet je, Emiel, dat mama in een flat in de wijk "blonde duinen" gaat wonen?'

'Nee, dat weet ik niet. Marianne en ik hadden de laatste weken andere dingen aan ons hoofd. Moeder is nu dus nog bij Henriët? Dat nieuws is wel tot ons doorgedrongen.'

'Ja, daar is ze nog.'

'Zo, zo.' Wat moest hij erop zeggen? Hij wist dat Wieneke er meer over wilde zeggen. Ze wilde over de geschiedenis met thuis praten, maar hij had er geen zin in. Zijn gedachten waren daar in deze dagen totaal niet mee bezig. De zware bevalling, de strijd die Marianne moest voeren, de geboorte van hun dochter, de aandacht die Edwin nodig had... Het was het beste er even rustig over te praten. Hij vroeg: 'Is het een mooie flat? Dat zal wel, want moeder kruipt niet in een uitgewoonde woning.' Dat klonk een beetje raar, maar hij wist zo gauw niets anders te zeggen. Het was verschrikkelijk dat dit tussen hun ouders gebeurde en Wieneke wilde dat hij er ook zo over dacht. En dat deed hij, maar hij had er niets mee te maken. Zijn ouders maakten ruzie, zijn moeder was uit 'De Ritter' weggegaan.

'Het is verschrikkelijk,' begon Wieneke nu op een heftige toon, 'dat dit tussen onze ouders gebeurt!!' Zie je, daar had je het al. 'Ik zeg niet dat het jouw schuld is, want ik ben het met je zienswijze eens, maar het is verschrikkelijk! Papa is nu alleen in "De Ritter". Alleen Hanneke komt nog elke dag poetsen en zuigen, maar tegen vier uur gaat ze naar haar eigen huis. Vader eet in kleine eetgelegenheden, vlug een hapje, omdat hij geen zin heeft in zijn eentje lang te tafelen. De avonden brengt hij alleen door in de woonkamer. Ik bel hem bijna elke avond. Het is moeilijk met hem een gesprek te beginnen over wat gebeurd is. Ik heb het gevoel dat het nog niet goed tot hem is doorgedrongen dat mama bij hem is weggegaan. Henri ziet het anders. Hij zegt dat papa het gewoon aanvaardt. Het één is het gevolg van het ander. Maar zo gemakkelijk kan dat toch niet gaan? Ze zijn bijna dertig jaar getrouwd!'

'Misschien denkt hij dat ze in een boze bui is vertrokken en verwacht hij dat ze terugkeert als de bui is overgedreven en ze beseft wat ze heeft achtergelaten.'

Hij dacht bij zichzelf en dan neemt hij haar genadig terug en verwacht dat ze onderdaniger is en zijn woorden 'ja-knikkend' aanhoort. Ze heeft haar lesje geleerd.

'Die indruk kreeg ik niet van mama. Ik heb haar deze week opgezocht. Ze maakte op mij niet de indruk van een geestelijk gebroken vrouw en dat had ik eigenlijk wel verwacht. Misschien speelt de invloed van Carina een woordje mee. Carina is heel zelfstandig. Dat is ze altijd al geweest. In haar jonge jaren had ze nu en dan een vriend, want ze was leuk om te zien en een aardige meid, maar ze wilde beslist geen vaste relatie. Ze had geen hekel aan mannen en dat heeft ze nog niet, maar ze wil haar eigen koers varen, haar eigen beslissingen nemen in grote en kleine dingen. Niet overleggen, niet toegeven omdat hij toch ook een stem in het kapittel moet hebben. Ze heeft een goede baan, een mooi huis, vrienden en kennissen en ze leeft zoals zij wil. Maar ik ben ervan overtuigd dat ze mama niet zal zeggen dat zo'n leven toch veel heerlijker is dan altijd rekening moeten houden met een man. Carina begrijpt dat papa deel uitmaakt van mama's leven, hij is de vader van haar kinderen, ze waren vijfentwintig jaar tevreden met elkaar.'

Emiel knikte. Het was allemaal waar wat ze zei, maar hij wist dit al. Hij had het ook kunnen zeggen.

Wieneke ging verder: 'Ik begrijp de houding van mama niet. Ze is beslist in een heel boze bui, zoals jij al opperde, tierend van woede het huis uitgegaan. Daarna was ze nog drie of vier dagen nijdig, maar toen moet de bui gezakt zijn en moet ze tot het besef zijn gekomen dat ze dit eigenlijk niet wil. Dat verwachtte ik. Maar ze praat over nieuwe meubelen voor de flat en welke woninginrichter ze zal benaderen voor gordijnen en vloerbedekking. Ze vroeg welke ik de beste vond in Leiden; dat soort vragen. Alsof het weggaan bij papa een definitieve beslissing is.'

171

'Wieneke, ik weet het ook niet. Vader alleen in "De Ritter"; hij kan Martha vragen bij hem terug te komen nu de nare mevrouw Van Rittervoorden is vertrokken. Dan wordt hij in elk geval weer goed verzorgd en moeder, ik ben ervan overtuigd dat zij zich wel zal redden.'

Wieneke haalde teleurgesteld over het gesprek met haar broer haar schouders op. Ze was ook een beetje boos. 'Het gaat ónze ouders aan, Emiel.'

'Onze ouders hebben dit zelf aangehaald,' antwoordde hij.

Op dat moment klonken stemmen en voetstappen op de trap; Edwin en oma Maaike kwamen naar beneden.

In de volgende weken kregen de dagen in huize Van Rittervoorden weer een normaal tintje. Marianne voelde zich langzaamaan sterker worden na de moeilijke bevalling en in de avonduren stak Emiel de handen uit de mouwen. Hij sorteerde met de kennis van een ervaren wasvrouw het wasgoed dat in de grote manden klaarstond, stopte het in de machine en haalde het er weer uit. Een deel verdween in de droogtrommel, de rest hing hij op aan de lijnen die in de ruime bijkeuken waren gespannen. Hij zette zingend koffie, schonk de kopjes vol en bracht ze naar de kamer, zodat Marianne rustig kon zitten, want daar kwam overdag niet veel van. Om de drie uur moest Lotte gevoed worden en Edwin deed geen middagslaapje meer. Hij vroeg veel aandacht. 'Dat komt door de baby,' wist Marianne, 'hij ziet mijn aandacht voor haar en eist zijn deel van mijn aandacht op.'

Emiel knikte gespeeld ernstig. 'Dat is opgenomen in het door ons opgestelde draaiboek "hoe begeleiden wij als verstandige ouders onze peuters"; het klopt precies. Nu gaan we dat ten uitvoer brengen. Tot op zekere hoogte, maar weet jij nog welke hoogte? – krijgt Edwin zijn zin, maar er is een limiet vastgesteld.'

Marianne trok een grimas. Ja, dat was gemakkelijk praten, het uitvoeren gaf soms kleine problemen, want Edwin was nog te klein om het te begrijpen.

Hoofdstuk negen

Drie weken later belde Caroline van Rittervoorden haar dochter.
'Wieneke, ik ben hier nu helemaal geïnstalleerd. Alles staat op zijn plaats en het staat prachtig. Ik heb de juiste keuzes gemaakt wat kleuren en materialen betreft, maar het is vreemd om hier te wonen, dat begrijp je wel.'
'Ja, dat begrijp ik. Heb je al iets van papa gehoord?'
'Helemaal niets,' antwoordde Caroline een beetje bits.
'Dat is toch onbegrijpelijk!'
'Lieve kind, daarover wil ik met je praten. En over nog iets wat me bezighoudt. Wil je vanavond of morgenavond bij me op bezoek komen? En het liefst alleen. Henri is een schat van een man, dat weet jij ook wel,' lachte Caroline, 'ik mag hem graag, maar ik wil alleen met jou praten. Moeder en dochter.' Zo intiem, dacht Wieneke, zijn we eigenlijk niet met elkaar, maar ze zei niet wat ze dacht. 'Dat is goed. Henri zal meekomen als ik het hem vraag, maar als ik zeg dat je het prettiger vindt met mij alleen te zijn heeft hij daar alle begrip voor.'
Diezelfde avond reed Wieneke in haar wagentje naar het prachtige, nieuwe flatgebouw in de wijk 'blonde duinen'.
Caroline had thee gezet en een schaaltje, gevuld met chocolaatjes, stond op de lage salontafel.
'Ik heb veel tijd en ik neem veel tijd om over alles wat er is gebeurd na te denken,' begon Caroline. 'Ik ben vaak alleen. Ik heb geen zin ergens heen te gaan of mensen te ontvangen. De gebeurtenissen van de laatste jaren zitten me nog te heftig op de hielen. Ik heb alles steeds maar weer op een rij gezet en ik wil dat met jou bespreken. Je kent mij, je kent je vader en je kent je broer. Er komen in mijn verhaal beslist dingen voor waarvan je denkt "dat weet ik allang", maar ik vraag je alleen naar me te luisteren, daarna praten we erover. Want ik moet een uitweg vinden, Wieneke.' Ze keek haar dochter aan. Aan moeders gezicht zag Wieneke hoe vermoeid ze was en ook hoe gespannen en onzeker welke weg te kiezen.

'Ik begin bij wat voor mij het begin is geweest. Zal ik een kopje thee inschenken?' Ze nam de pot in de handen en schonk de kopjes vol.

'Ik heb met mijn schoonmoeder, oma Christine, nooit een fijn contact gehad. Ze was erg gesloten, in elk geval tegen mij, maar één keer heeft ze vertrouwelijk met me gepraat. Dat is al vele jaren geleden. Het was op een donkere avond in november. Het was slecht, ruw weer. Het stormde en hevige buien kletterden tegen de ramen. Het lijkt het begin van een spannend, dramatisch verhaal,' moeder glimlachte even, 'maar het was die avond gewoon slecht weer. Maar dat bracht mijn schoonmoeder juist tot het gesprek. Ze was ongerust, ze was bang. Vader Andreas en Lodewijk waren in de middag met de auto naar Brabant vertrokken en rond de tijd waarop wij dat gesprek voerden waren ze op de terugweg over donkere, gladde en drukke wegen. Aanvankelijk praatten we over algemene, onbelangrijke onderwerpjes, maar al snel kwamen we bij het bedrijf. Ze stuurde het daarop aan. Ze vertelde dat ze trots was op het bedrijf. Ze vertelde over het prille begin, over de vader van opa Andreas, Emilius Andreas van Rittervoorden, die in het begin van deze eeuw een klein handeltje opzette in de materialen die ze nu nóg voeren. Het was heel hard werken en een zuinig, moeizaam bestaan voor hem en zijn vrouw. Ze moesten geld lenen als in hemelsnaam de rente en aflossing maar betaald konden worden.

Hun zoon, de man van oma Christine, waarmee ik die avond praatte, begon na zes jaren lagere school als dertienjarige in het bedrijf van zijn vader. In de avonduren ging hij naar de avondschool om meer kennis op te doen.

Opa Andreas en oma Christine trouwden in de crisistijd. Dat was rond 1937 – 1938. Daarna volgde de tweede wereldoorlog. Er waren geen materialen, de handel lag vrijwel stil, er was alleen narigheid en zorg. Pas enige tijd na de oorlog kwam het bedrijf goed op gang en toen blies een ferme wind van welvaart in de zeilen. Er was veel te bouwen en veel te herstellen en het bedrijf groeide snel.

Hun zoon, Lodewijk, werd geboren. Die Lodewijk is dus mijn man en jouw vader.' Caroline lachte even naar Wieneke en zei: 'Je moet niet verdwalen in de Van Rittervoordens!' Daarop vervolgde ze: 'Oma Christine vertelde mij die avond dat het een lieve jongen was en dat ze heel blij met hem waren. Haar man, opa Andreas, vertelde graag over vroeger. Hij zat vol sterke verhalen, slimme streken die uitgehaald werden, over het geldgebrek en het harde werken. Toen Lodewijk een jongen was van twaalf, dertien jaar vond hij die verhalen prachtig. Hij lachte erom en hij wilde ze steeds weer horen. Maar toen ging hij naar de middelbare school en kreeg contacten met jongens en meisjes uit de "betere kringen". Wat de financiën betrof hoorde hij daar wel bij, want het ging hen goed, maar opeens wilde hij die verhalen van Andreas niet meer horen. Hij schaamde zich voor het verleden van het bedrijf. Oma Christine zei daar op die avond over: "Andreas en ik vonden dat niet prettig en ook niet juist, want het bedrijf is met eerlijk, hard werken opgebouwd en daar hoeft niemand zich voor te schamen. Ook niet voor armoede. Het feit dat er geen geld in de familie was, daaraan heb je toch geen schuld? Maar, Lodewijk wilde het zo en wij legden ons bij zijn wens neer. De familie Van Rittervoorden was geen familie van rijkdom van jaren her. Sommige mensen noemden mensen zoals wij toen 'de nieuwe rijken'. Aan die titel ergerde Lodewijk zich." Moeder Caroline zweeg even. Toen ging ze verder met haar eigen verhaal: 'Toen hij verder studeerde en ik in zijn leven kwam, mijn familie had wél een goede financiële achtergrond, eiste Lodewijk – en dat was echt eisen – dat met geen woord over het verleden van de Van Rittervoordens werd gesproken, in elk geval niet in mijn aanwezigheid.'

Caroline keek haar dochter aan, maar Wieneke kon niet zien welke emoties door haar heen woedden. Moeder vertelt het verhaal, dacht ze, maar ze denkt nu al aan het vervolg. Waar ligt de oplossing...

'Mijn schoonmoeder vertelde dat haar man het in de loop van de tijd als onbelangrijk ging beschouwen. Het was voorbij, maar het heeft haar altijd dwars gezeten. Ze vond het geen goede karaktereigenschap van haar zoon.

Ik was in onze verlovingstijd onwetend van dit verleden. Lodewijk praatte niet over vroeger en het interesseerde mij ook niet.

Het gesprek met mijn schoonmoeder vond plaats toen Lodewijk en ik nog niet zo lang getrouwd waren. Ik vond het wel juist dat mijn schoonmoeder er zo over dacht; geen mens hoeft zich ervoor te schamen dat zijn ouders geen geld hebben en er was met hard werken veel bereikt, maar ik hield van Lodewijk en ik begreep het wel van hem. De naam Van Rittervoorden was vrij hoog gestegen en hij wilde voor "vol" worden aangezien.'

Caroline zweeg even. Wieneke zweeg ook, zoals was afgesproken, ze wilde haar moeder niet uit de concentratie halen.

'Lodewijk en ik leefden in kringen waarin ik me lekker voelde, maar ik was ervan overtuigd dat het voor Lodewijk belangrijk was in die kringen te verkeren. De mensen die bij ons over de vloer kwamen, de diners op "De Ritter" en in de villa's van onze vrienden, de contacten met zakenrelaties, alles voor ons gevoel op een goed niveau.

Toen kwam Marianne Timmer in ons leven, het meisje waarop Emiel verliefd was geworden. Als we die verliefdheid niet in de kiem zouden smoren kon het gebeuren dat dat meisje een plaats in onze familie ging innemen. De dochter van eenvoudige mensen: een schildersknecht en de dochter van een werkman van een herenboer uit Spierdijk. Dat kind kon zich natuurlijk niet aanpassen aan onze leefwijze, daar was Lodewijk van overtuigd en ik was het volkomen met hem eens.'

Caroline keek Wieneke aan. 'Als jouw vriendinnetje was ze verlegen. Ze zei vrijwel geen woord tegen mij en het was duidelijk dat ze zich niet op haar gemak voelde in ons huis. Wel met jou samen in jouw kamer. Of in de tuin.'

Wieneke zei niets.

'Je geeft geen commentaar?'

'Nee. Ik luister naar je.'

'Goed. Je vader en ik waren het erover eens dat we Emiel ervan moesten overtuigen dat dat kind geen geschikte vrouw voor hem kon zijn. Lodewijk wist zeker dat dat zou lukken. Emiel zou inzien dat we gelijk hadden. Maar zo ging het niet. Emiel koos voor dat meisje en ging weg uit "De Ritter". En langzaamaan begon je vader de schuld van alles wat gebeurd was op mij af te schuiven. Hij had zich nooit

176

echt in dat kind verdiept, het drukke werk hè, altijd hetzelfde smoesje, altijd goed voor een excuus. Hij had naar mij geluisterd, maar hij moest nu toch concluderen dat ik het verkeerd had beoordeeld. Dit gemene gedoe, want het was gewoon gemeen om het die wending te geven, begon aarzelend, op een redelijke toon, niet zoals later, fel en tegen mij gericht. Ik zocht in het begin verzachtende omstandigheden voor Lodewijk. Hij had het er erg moeilijk mee dat Emiel niet meer met hem werkte; maar de uithalen naar mij werden steeds heftiger. Op een dag zei hij dat ik het kind Timmer had kunnen veranderen, de manieren bijbrengen die in ons gezin gangbaar zijn. Dat had ík moeten doen. Maar ik had het niet gedaan, want ík wilde dat kind niet in de familie... We stonden tegenover elkaar in een strijd die steeds feller werd. Jij hield je erbuiten.'

'Ja. Marianne is een fijne vriendin en ik stond tussen jullie en haar in. Ik wilde neutraal blijven, maar ik was het beslist niet met jullie oordeel eens. Marianne is een lieve meid; voor jullie telde dat totaal niet. Mariannes ouders hebben geen dikke bankrekening, maar het zijn fijne mensen en ze hebben hun dochters een goede opvoeding gegeven. Als kind voelde Marianne zich onzeker in ons grote huis, écht vriendelijk waren jullie niet tegen haar, maar de manieren van Marianne zijn heus niet minder dan die van jullie.'

Caroline knikte. Wieneke vroeg zich af waar dit gesprek toe leidde. Haar moeder, tot voor kort zo fel in haar oordeel over Marianne; het leek erop dat haar ogen waren opengegaan en dat ze nu de waarheid zag...

'Op een avond kwam het gesprek met oma Christine in mijn herinnering terug, haar woorden over Lodewijk. Ze zei dat het verkeerd van hem was zich verheven te voelen boven mensen die het financieel minder hebben. Ik ging hem vanaf dat moment met andere ogen zien. Zijn arrogantie, zijn eigenwijsheid, het pedante in hem: de eigenaar van het bedrijf Van Rittervoorden, maar wie bouwden het voor hem op? Zijn vader en grootvader. En zijn moeder en grootmoeder draaiden ieder dubbeltje om voor ze het uitgaven. Grootvaders naam mocht wel genoemd worden, hoewel, liever niet, maar over zijn harde ploeteren mocht al helemaal niets gezegd worden. Oma Christine had stil verdriet over deze karaktereigenschap van haar zoon.

Ik wil je vader niet zwart maken, Wieneke, want hij heeft ook goede kanten. Ik heb van hem gehouden en misschien houd ik nog van hem, maar ik voel geen warmte als ik aan hem denk. Ik zie hem nu zoals hij werkelijk is: een man die vooral verlangt naar geld en macht. En ik zie mezelf zoals ik ben. Ik voer als excuus aan dat ik in zijn kielzog ben meegegaan om zoveel waarde te hechten aan "onze vriendenkring". Ik vond het óók belangrijk. Wat wist ik en weet ik van Marianne? Ik heb hard over haar geoordeeld, maar ik kende haar niet.'

Caroline zweeg. Wieneke zei alleen, heel zacht, bijna fluisterend: 'Ja, dat is zo...'

Haar hart klopte snel bij deze bekentenis van haar moeder. Het was de bekentenis van de trotse vrouw die haar moeder was. Ze kon het haast niet geloven.

Ze zaten stil tegenover elkaar.

'Ik heb er spijt van, Wieneke. Ik heb er de laatste tijd in "De Ritter" over gedacht en het is sinds ik hier ben niet uit mijn gedachten geweest. Ik heb er spijt van. Door deze verkeerde ideeën zijn we onze zoon kwijtgeraakt. We hadden geen begrip voor Emiels liefde voor haar. Hij heeft bewezen hoe groot zijn liefde was door het offer te brengen, want het moet een offer voor hem zijn geweest uit "De Ritter" weg te gaan en ook zijn werk in het familiebedrijf achter zich te laten, maar hij wilde zijn leven met haar delen.'

'Ik vind het moedig van je dit toe te geven.'

Caroline glimlachte, maar het was een pijnlijk lachje. 'Het eerste ontdekken was bijna zelfkastijding, daarna kon ik het toegeven. Ik ben fout geweest. Ik heb heel veel kapot gemaakt. Wat kan ik nu doen? Marianne is jouw schoonzusje en ze is je vriendin, jij kunt er met haar over praten.'

'Dat doe ik beslist niet. Als je Marianne wilt zeggen dat je er spijt van hebt, dat je haar verkeerd hebt beoordeeld, moet je dat zélf doen.'

Ze begreep dat dit heel moeilijk, zo niet onmogelijk voor haar moeder zou zijn. Op haar knieën gaan voor de vrouw die ze met 'een boerenmeid' als scheldwoord uit haar leven had verbannen.

'Het zal me zwaar vallen.'

'Mam, je moet het niet als een vernedering zien. Het is een grote overwinning op jezelf dat je hebt ingezien hoe fout je bent geweest. Je haalt de woorden van oma Christine over papa erbij. Het was en is niet goed van hem zich te schamen over de armoede van zijn grootouders. En,' Wieneke lachte even, 'de Timmers leven beslist niet in armoede! Ik weet dat er durf voor nodig is hierover met Marianne te praten, maar ik zeg het nog een keer, de overwinning zal veel voor je betekenen.'

'Je gelooft dat Marianne me zal willen aanhoren...'

'Ja. Ze voelt geen wrok tegen je. Ze vindt het kortzichtig van jullie allebei dat je zo hebt gereageerd en aan de liefde tussen Emiel en haar voorbij bent gegaan. Het is zo'n fijn stel, mam, het is goed en zuiver tussen hen. En de kinderen; Edwin is een heruitgave van Emiel. Hij heeft blauwe ogen, blonde krullen, een helder stemmetje en is soms een tikkeltje ondeugend. Lotte is een lieve, vriendelijke baby. Ik ken Marianne goed, ik weet bijna zeker dat ze je zal aanhoren en je zal vergeven.'

Vergeven worden door het dorpse kind. Het viel Caroline van Rittervoorden heel zwaar daaraan te denken. En Wieneke dacht: ik moet haar de moed geven om deze stap te zetten.

Op weg naar huis was er in Wieneke nog steeds verbazing over de verandering in haar moeder. Hoe was het mogelijk... Ze dacht ook aan Marianne; hoe zou zij reageren? En ze vroeg zich af of ze over het gesprek van deze avond met Emiel en Marianne moest praten om hen voor te bereiden.

Thuis vertelde ze erover aan Henri.

'Ja, ja,' zei hij op een licht sarcastische toon, 'je moeder en spijt... Dat zijn twee tegenpolen die elkaar geraakt zouden hebben.' Hij stond op uit zijn stoel en liep op kousenvoeten door de kamer, heen en weer van het grote voorraam tot de tuindeuren. 'Ze heeft veel over zich heen gekregen.'

Hij ging zitten en keek Wieneke aan, zij was bij de boekenkast blijven staan. 'De ruzies van de laatste maanden hebben haar behoorlijk

179

aangepakt. En, dat is voor haar het ergste, haar gedachten en gevoelens over Lodewijk van Rittervoorden zijn radicaal veranderd. Neem dat van mij aan, want het is zo. Ze is woedend bij je vader weggegaan, maar ze wist dat het geen boosheid was die zomaar voorbij zou trekken. Als dat zo was had ze rustig afgewacht in het huis van Carina, maar nee, ze ging er onmiddellijk toe over een flat te huren en geld uit te geven voor een complete inrichting. Niet op een kampeerstoel zitten wachten tot Lodewijk zou bellen... Ze heeft de beslissing genomen niet naar hem terug te keren, Wieneke, want anders doe je zoiets toch niet?' Wieneke knikte alleen. Was dat zo? Wilde moeder niet verder met vader, was er meer wat haar in hem hinderde? Henri's stem ging verder: 'Daarna kwam de tijd waarin de geschiedenis werd teruggedraaid. In gedachten zag je moeder de beelden weer en hoorde ze de woorden die erover gezegd werden. Naarmate het langer duurde kreeg ze een duidelijk beeld van de waarheid van de storm, die verwoestend over "De Ritter" was getrokken en veel schade had aangericht. De naam van de storm: Marianne.

Haar huwelijk met Lodewijk was kapot door nare verwijten, haar zoon al jarenlang uit haar leven door dat meisje. En wáárom door dat meisje? Omdat ze ervan overtuigd was dat het kind zich niet kon aanpassen aan hun leven. Alleen in de flat begon ze erover na te denken of dat wel écht zo was. Emiel zei dat Marianne zich heus goed kon redden en jij zei dat ook, maar ze wilde niet luisteren. Lodewijk aanvankelijk ook niet, een eenvoudig dorpsmeisje was geen schoondochter om mee te pronken. Misschien had hij de dochter van een zakenrelatie op het oog. Hij had toch ook een meisje uit een gegoede familie in hun leven gehaald? Maar je moeder heeft ons verteld dat hij, toen de ramp zich eenmaal had voltrokken, haar de schuld gaf van alles en dat heeft stukje bij beetje, geleidelijk aan een grote haat tegen hem in haar teweeggebracht.'

Henri zweeg, Wieneke liep naar de stoel tegenover hem. Ze ging zitten en legde haar handen in haar schoot.

'Ik wil van je aannemen dat je moeder spijt heeft van wat ze heeft aangericht. We moeten iemand die zegt spijt te hebben, geloven.'

'Mijn moeder heeft spijt. Ze wil dat tegen Marianne zeggen, vooral tegen Marianne, maar het is moeilijk voor haar. Ik heb gezegd dat ze het zelf moet doen. Er is veel moed voor nodig en ik ben niet van plan om haar te helpen.'

Ze praatten er nog lang over door. De wijzers van de klok wezen aan dat het al één uur was geweest, morgenochtend liep de wekker om zeven uur af. Henri stond op, hij rechtte zijn rug, deed een paar stappen in de richting van de schemerlamp om het licht uit te doen. 'Het is misschien goed om Emiel en Marianne van het gesprek tussen jou en je moeder op de hoogte te stellen. We willen er toch aan meewerken dat de band tussen moeder en Emiel hersteld wordt en dat er langzaam een plekje voor Marianne groeit in het hart van je moeder, en omge-keerd. Als Marianne niet is voorbereid op een gesprek zal het ijskoud op haar dak vallen als je moeder belt en zegt dat ze wil komen praten. Misschien reageert ze van schrik heel afwijzend. Wanneer jij, of wij samen, vertellen wat er te gebeuren staat als Caroline alle moed bij elkaar heeft geraapt kunnen Emiel en Marianne besluiten wat ze ermee willen doen.'

'Dat wil ik. Het is een goed idee. Ik heb moeder gezegd dat ik haar niet wil helpen en misschien help ik haar juist niet door dit te vertellen, omdat Emiel en Marianne dan een doordachte beslissing nemen. Maar, Marianne kennende, zal ze echt gemeende woorden van spijt willen aanhoren en er een heel klein beetje om moeten lachen. Emiels moeder voor haar op de knieën, maar er toch, zoals moeder Maaike het zo leuk kan zeggen: het goede mee doen.'

Twee dagen later stapte Emiel van Rittervoorden ontspannen zijn ruime kantoor in het gebouw van Glastra en Hollekamp binnen. Hij had een goed gevoel. Hij was bij een relatie geweest en de onderhan-delingen verliepen in een zakelijke, maar ook prettige sfeer. Er allebei beter van worden is het beste dacht Emiel in dergelijke gevallen en daar probeerde hij naartoe te werken. Het was vanmiddag zeker gelukt. Hij legde de dikke tas vol met papieren, folders en het getekende contract op zijn bureau.

Eefje, in de kantoorruimte ernaast, had hem binnen horen komen. 'Hallo,' begroette ze hem, 'alles naar wens gegaan?'

'Uitstekend. De handtekening van Willemsen in de knip.'

'Er belde vanmiddag een man die je wilde spreken. Ik zei dat je niet op kantoor was. Toen vroeg hij of ik aan je wilde doorgeven dat hij om vijf uur weer zou bellen. Ik vroeg zijn naam, Emiel, omdat ik meende iets in zijn stem te herkennen. Hij wilde die aanvankelijk niet noemen en toen zei ik dat meneer Van Rittervoorden over het algemeen niet reageert op anonieme telefoontjes en toen zei hij: Van Rittervoorden.'

Emiel schrok; Van Rittervoorden, opa Andreas misschien, maar opa belde nooit naar het kantoor, altijd naar hun huis. Wie dan, maar hij hoefde het zich helemaal niet af te vragen, hij wist het: zijn vader. Hij voelde boosheid bovenkomen, dus toch... Hij had erover gepraat met Marianne, maar ze geloofde hem niet, welnee, zó gemeen... Maar vader was ertoe in staat. Hij zocht een weg die hem naar zijn doel bracht. Er waren in dit geval weinig wegen. Het doel was hém terug te krijgen in het bedrijf. Dat was belangrijk, ook als zijn opvolger, het voortbestaan van Van Rittervoorden was in gevaar... Als Caroline weg was uit 'De Ritter', zij was de schuldige, dat wist Emiel toch, kon de vader proberen zijn zoon terug te winnen.

'Zal ik koffie voor je halen?'

'Ja, Eefje, lekker. En als er iets te eten is, graag, want ik voel me helemaal leeg van binnen.'

Hij keek op de klok. Half vijf. Een half uur om zich voor te bereiden. Langer niet. Vader was punctueel, vijf uur was vijf uur. Geen tijd van een ander stelen. Tijd is geld.

Eefje bracht koffie en een stevige koek en ging terug naar haar kantoor. Vader, zoals hij de laatste tijd met tussenpozen aan hem had gedacht en hem voor zich had gezien. Een rijzige, knappe man. Zijn vader vroeger, toen Wieneke en hij klein waren. Hij speelde met hen, met z'n viertjes naar een pretpark, vakanties in Italië, varen met de rubberboot op het Comomeer. Vader de laatste jaren. Een man die leefde voor het grote bedrijf. Emiel had daar oog voor. Voor hem was zijn baan bij Glastra en Hollekamp ook heel belangrijk. En het was niet alleen het goede salaris, ook de mensen om hem heen, de kick die het zakendoen hem gaf. Dat speelde voor zijn vader een belangrijke rol en daarnaast telde voor vader de zorg om het eigen bedrijf. Zijn geld zat erin en dat was een enorm bedrag. Vader thuis... Hij was weinig thuis. Vóór in de vroege morgen het werk op 'de werf' begon wilde hij er zijn en 's avonds was er dikwijls nóg veel te doen. Een leven met moeder was er eigenlijk niet. Over 'de zaak' kon hij met haar niet praten, daar begreep ze niets van en echte belangstelling voor andere dingen had hij niet. Meegaan naar concerten, dat betekende 'gezien worden' en dat was belangrijk en het betekende een avondje uitrusten. Moeder wist dat de verhalen, die op het terras van de tennisclub werden verteld, hem niet interesseerden. Ze bouwde haar eigen wereld op. Vriendinnen waarmee ze winkelde en theedronk in 'De Koningskroon' en ze zat in besturen van verenigingen. Op den duur voelde ze zich er wel prettig bij, maar ze miste het contact wat er in een goed huwelijk vanzelfsprekend is. Er was weinig echt contact tussen zijn ouders, vooral de laatste jaren, toen Wieneke en hij hun eigen levenspad hadden gekozen. Moeder was bij vader weggegaan na alle ruzies en vader had geen poging gedaan de breuk tussen hen te herstellen omdat hij besefte dat het een opening naar hém toe kon worden. Het was bitter het te denken, ongetwijfeld ging het hem niet in de eerste plaats om zijn zoon, maar om zijn werkkring in het bedrijf.

De koffiekom was leeg, de koek was op. Het was een paar minuten na vijf uur. In het kantoor van Eefje rinkelde de telefoon en even later op zijn bureau.

Haar stem die zei: een gesprek voor u...

'Van Rittervoorden,' zei hij kort.

'Emiel, met je vader. Ik begrijp dat je het druk hebt. Ik houd het daarom kort. Ik wil met je praten.' En voor Emiel daarop kon reageren ging de stem al verder: 'je hebt waarschijnlijk vernomen dat je moeder bij me weg is. Zij was de oorzaak van de hetze tegen Marianne, dat weet je. Ik zie nu de weg tussen jou en mij weer open.'

'Ik weet hoeveel ook u aan de hetze schuldig bent. De nare woorden staan in mijn herinnering gegrift en ik zal ze nooit vergeten. Ik heb geen behoefte aan een gesprek.'

Op veel minder arrogante toon, bijna smekend, hoe liet de man zich kennen, zei vader nu: 'Emiel, doe niet zo dom! Luister naar me. Je moeder...'

'Mijn ouders hebben beiden over mijn vrouw heel lelijke dingen gedacht en gezegd. Ik heb geen belangstelling voor een gesprek met u. Goede middag.' En hij legde de hoorn trillend van emotie op de haak.

Hij liet zich achterover zakken in de brede bureaustoel. Dit gesprek, met zijn vader... Hij voelde afkeer van de man. Hij had er een voorgevoel van gehad dat dit zou gebeuren. Dit was het verraad van zijn vader aan zijn moeder. Smerig en gemeen verraad. Hij had haar, daar was Emiel van overtuigd, met verwijten en daarop volgende scheldpartijen tot wanhoop gebracht zodat ze tenslotte uit 'De Ritter' is weggegaan. En als alles naar zijn zin was opgelost en hij haar terugwilde zette hij een ander proces in werking. Caroline weer voor zich winnen. Lodewijk was ervan overtuigd dat dat hem zou lukken met cadeautjes, lieve woorden, beloften.

Emiel bleef tien minuten stilzitten met een hoofd vol vragen waarop hij geen antwoord wist. Hij stapelde de papieren op het bureau op elkaar en schoof ze aan de kant. Hij draaide de dop op zijn vulpen en stak hem in het jasje van zijn kostuum. Hij stond op en liep naar Eefjes vertrek.

'Het was mijn vader.' Eefje kende de geschiedenis. 'Ik verwacht dat hij weer belt. Waarschuw me dan. Kondig hem aan met, langzaam... de heer Van Rittervoorden voor u...'

'Zal ik hem zeggen dat je er niet bent?'

'Nee, dan belt hij de volgende dag toch weer. Ik wil hem nog één keer te woord staan. Ik ga naar huis. Tot morgen.'

'Sterkte,' wenste ze hem toe. Ze wist hoe het hem bezighield.

Hij reed langzaam naar de stad. Toen hij de laan inreed zag hij Edwin, die op de stoel in de erker was geklommen en uitbundig naar hem zwaaide. Het jochie liet zich snel op de grond glijden en toen hij de voordeur openmaakte sprong het kind hem tegemoet. Hij ving hem op in zijn armen en drukte hem tegen zich aan. Vader en zoon. Hij de vader, dit kleine jongetje de zoon. Zo was het ook eens geweest tussen zijn vader en hem. Het was voorbij. Hij zou ervoor waken het nooit tot zo'n breuk te laten komen tussen Edwin en hem.

'Papa, mama en ik hebben ons huis nagebouwd van lego!! Kom mee, kom mee!! Het is zo mooi! Er branden ook lampjes in!'

Marianne kwam hem lachend tegemoet. 'Dag lieverd,' ze kuste hem, 'er zit niets anders op, je zult het pronkstuk moeten bewonderen. Hij wacht al een halfuur op je.'

Het was een prachtig huis geworden, goed van maten en verhoudingen. Hij bewonderde het jubelend en Edwin vertelde uitgebreid over de details. Toen klonk Lottes stemmetje vanuit de box waarin ze op een dik, zachtroze kleed lag. Ze keek rond en speelde met haar handjes, ze maakte zachte pruttelgeluidjes en vanuit de keuken zei Marianne: 'Wieneke en Henri komen vanavond. Ik wil op tijd aan tafel zodat we de kinderen in bed hebben voor ze arriveren, want je weet hoe het gaat met Wieneke over de vloer. Liedjes zingen, spelen en dollen en daar kan Edwin zich moeilijk van losmaken als het bedtijd is. Dat snap ik ook wel van het kereltje.'

Emiel knikte. Hij nam Lotte op de arm en liep met haar door de kamer. Het blonde kopje tegen zijn schouder, de zachte geluidjes nu in zijn oor. Voor zijn verhaal was geen tijd, hij bewaarde het voor later in de avond.

'We hebben jullie iets te vertellen.' Henri stapte parmantig de kamer binnen. Hij was een lange man, hij boog zijn hoofd iets bij de deurpost, meer uit gewoonte dan dat het hier nodig was, 'of beter gezegd, Wieneke heeft jullie iets te vertellen.'

'Ik brand van nieuwsgierigheid,' lachte Emiel, 'jullie gaan emigreren naar Timboektoe, Wieneke is zwanger, jullie willen geld van ons lenen, maar helaas...'

'Nee, dat is het allemaal niet,' nam Wieneke het over. Ze was in een diepe stoel neergezakt. 'En ik vraag jullie – ik lijk wel een ambtenaar van de burgerlijke stand – ik vraag jullie naar me te luisteren. En het ernstig op te nemen.'

Emiel en Marianne keken elkaar met een snelle blik aan. Wat had Wieneke te vertellen en in welke kant ging het op? Had ze met opa Andreas gesproken, of, dacht Emiel, wilde vader haar nu voor zijn karretje spannen?

Wieneke begon met rustige stem. Ze had er in de voorbije dagen over nagedacht hoe ze één en ander wilde vertellen. Ze was bang voor de reactie, vooral de reactie van Emiel. Ze wilde broer en schoonzus overtuigen van mama's oprechtheid. 'In het begin van de week belde mama me...'

Emiel en Marianne hoorden haar met steeds stijgende verbazing aan. In Emiel zoemden gedachten: moeder, die inziet dat ze fout is geweest en dat toegeeft, dat is ongelooflijk. Moeder, die spijt heeft en dat tegen ons en vooral tegen Marianne wil zeggen... Was dit soms een spel van zijn ouders samen, maar daar wilde hij nu niet over nadenken. Hij moest luisteren en elk woord van Wieneke in zich opnemen.

Marianne voelde grote onrust in zich opkomen. Mevrouw Van Rittervoorden was uit hun leven verdwenen. Zij was daar blij mee en nu dit... Mevrouw Van Rittervoorden die haar de laatste tijd die ze af en toe in 'De Ritter' doorbracht heel neerbuigend, zonder meer beledigend had behandeld. Wat moest ze met dit bericht en hoe reageerde Emiel?

'Ik begrijp jullie gevoelens heel goed.' Wieneke schoof naar voren in de stoel, spanning was zichtbaar op haar gezicht, de wangen toonden een verhit rood en haar mond trilde een beetje, maar ze ging door: 'Jullie hebben geleden onder alles wat moeder je heeft aangedaan. Hoewel ik hier direct aan toevoeg dat zij het niet alleen was die veel op Marianne had aan te merken. Vader deed daar behoorlijk aan mee. Dat weet ik, want ik was in die tijd dikwijls thuis en hoorde het aan. Ik kan begrijpen dat jullie in een eerste opwelling zeggen: we hebben het rustig zonder haar over de vloer, laten we het maar zo houden. Maar ik vraag jullie erover te denken en te praten. En ik ben ervan overtuigd dat ze alles wat ze mij heeft gezegd oprecht meent.'

Emiel zei er aanvankelijk niets op. Marianne mengde zich niet in het gesprek. Haar keel leek dichtgeknepen, ze had geen woord kunnen uitbrengen – als ze dat al gewild had. Langzaam kwam het gesprek weer op gang, Henri zei iets omdat hij voelde hoe moeilijk dit was, en Emiel bromde: 'Erover denken en er samen over praten.'

Marianne hoorde het gepraat van het drietal aan, maar nieuwe gezichtspunten zaten er niet in. Ze wist alleen haar waarheid: dit niet, dit alsjeblieft niet, niet moeder Van Rittervoorden over de vloer...

Toen Henri en Wieneke waren uitgezwaaid sloot Emiel de voordeur. Marianne was al doorgelopen naar de kamer. Daar wachtte ze op hem. 'Emiel,' ze riep de woorden, 'ik wil dit niet! En ik kan dit niet! Ze komt zeggen dat ze spijt heeft en ze vindt dat wij dat moeten aanvaarden, maar wat heeft ze ons aangedaan! Jou ook! Ruzie met je ouders, weg de samenwerking met je vader in het bedrijf dat waarschijnlijk eens van jou zou zijn; je voelde je heerlijk in je werk! Maar ze maakte het kapot. Het is allemaal haar schuld! Ik wil niet naar haar luisteren en met haar praten. Dat kan ik niet! Ze walst over me heen, ik ben bang voor haar! Ik wil het niet. Nadat ze in blinde woede bij je vader is weggegaan beseft ze dat alles haar schuld is geweest en dat geloof ik wel, want dat is ook zo. Ze zoekt een weg terug en zeggen dat ze er spijt van heeft is de enige mogelijkheid. Dat zal ze dus doen: dat domme wicht van Timmer haar excuses aanbieden. En dat boerentrientje kan niet anders dan trillend van emotie zeggen: ja, dat is goed, want ze beseft wie voor haar staat: mevrouw Van Rittervoorden in vol ornaat! Ze kan niet aanbellen, binnenstappen en zeggen: ik kom bij jullie over de vloer en daarbij geen motief aanvoeren, dat gaat zelfs haar te ver!! Dus dan maar een spijtbetuiging. Hoe zegt ze het kort: "Het spijt me en ik zal het nooit meer doen.' Maar ik wil het niet."

Ze huilde met wilde snikken. Emiel sloeg zijn armen om haar heen en leidde haar naar de bank.

'Kom heel dicht naast me zitten, lieveling, je bent geschrokken. Ik ben ook geschrokken. Tier maar, dat lucht op en ik heb er alle begrip voor. Ik wil er ook over schreeuwen, maar dan wordt het zo'n kabaal in huis. Nee, ik probeer er geen grapje over te maken, daar is de zaak te ernstig voor.'

Marianne kroop dicht tegen hem aan, haar hoofd tegen zijn borst, zijn arm om haar heen. Ze huilde zachtjes. Emiels hand streelde haar haar. Ze zaten ze heel stil tot Marianne zich oprichtte, met een hand over haar ogen streek en zei: 'We moeten erover praten, maar na mijn uitbarsting weet je hoe ik erover denk.' Ze glimlachte moeilijk, maar het was tóch een glimlach. Emiel moest weten dat ze erover kon praten. Dat deden ze. Ze geloofden Wieneke, die ervan overtuigd was dat haar moeders spijt oprecht was. Ze dachten aan de woorden die Mariannes vader soms uitsprak '...zoals ook wij vergeven...' Moeder zei het anders. 'Elk mens kan verkeerde en domme dingen doen, in woede of in wanhoop, maar als men daar spijt van heeft moet voor die spijt begrip zijn.'

'Als mijn moeder écht de moed heeft om te komen praten en ik geloof dat ze de moed, die ervoor nodig is momenteel bij elkaar raapt, ga jij dat gesprek niet alléén met haar aan. Ik wil en zal erbij zijn. Het gaat ons allebei aan. Als ze komt om te zeggen dat ze jou verkeerd heeft beoordeeld wil ik dat ook horen. Heel graag zelfs.'

'Als ze op een middag aan de deur belt...'

'Dan laat je haar op het stoepje staan en je zegt dat je haar niet wilt ontvangen. Dat ze terug mag komen als we allebei thuis zijn. Je denkt nu dat je dat niet durft te zeggen omdat je het als een belediging voelt haar weg te sturen, maar na alles wat ze je heeft aangedaan valt dat daarbij in het niet.'

'En ik wil niet met haar alleen zijn. Ik kan me niet verweren. Ik zal stijf staan van nervositeit als ze voor me staat.'

'Je zult niet alleen met haar zijn, mijn meisje, ik sta naast je, ik ben bij je.'

Ze praatten er nog lang over na en Emiel vond nog geen geschikt moment om over het telefoontje van zijn vader te beginnen. Maar later, in bed, weer dicht naast elkaar begon hij erover, want Marianne moest het weten.

'Er is nog iets gebeurd. Weet je nog dat ik, toen we mijn vader tegenkwamen in de gang van "De Willemshoeve" tegen je zei dat ik bang was dat er meer achter zat? Dat hij een plannetje uitbroedde? Een gemeen, slim plan.'

'Ja. Ik vond het heel ver gezocht.'

'Ik ken hem zo goed. Vanmiddag belde hij me.'

'Emiel, nee!!'

'Niet nee, maar ja! Waarvan ik hem toen verdacht heb komt uit. Hij wilde een afspraak maken. Nu moeder weg is uit "De Ritter"... en ik wist toch wel dat zij de schuldige is... Ik gaf hem meteen lik op stuk. Ik heb destijds genoeg narigheid uit zijn mond gehoord. Ik maakte meteen een einde aan het gesprek. Hij moet verbaasd naar het tuut-tuut-geluid hebben geluisterd.'

Marianne maakte zich los uit zijn armen en ging rechtop in bed zitten.

'Maar Emiel, hij werkte zijn vrouw toch niet de deur uit om jou terug te winnen? Dat gaat toch wel heel ver! Er waren de laatste jaren veel ruzies tussen hen, daar wordt de sfeer niet vrolijker van, maar hij hield toch van haar?'

'Mijn vader zit behoorlijk in de problemen. Hij heeft teveel privé-moeilijkheden om zich volledig aan zijn werk te kunnen geven. Hij kan het niet meer aan. Hij probeerde een naaste medewerker te vinden, een echte "rechterhand", maar dat lukte niet. De man had te weinig inzicht, te weinig opleiding en vader is bepaald geen gemakkelijke man om mee te werken. Hij is ervan overtuigd dat ik de enige ben die hem kan helpen en om dat te bereiken zijn alle middelen gerechtvaardigd, want er staat veel op het spel. Misschien wel het hele bedrijf. Het is een groot bedrijf en het kan wel tegen een stootje, maar als het eenmaal bergafwaarts gaat, gaat het hard.

Ik geloof ook dat hij moeder niet echt wil missen. Hij is ervan overtuigd dat hij haar terug kan winnen. Ook de aantrekkingskracht van "De Ritter" zal daar een rol bij spelen, want moeder is erg aan het huis gehecht. En aan haar plaats in de kring van mensen waarmee ze omgaan. Als hij bloemen stuurt en haar belt en bij haar op bezoek gaat, nou ja, je kunt je wel een voorstelling maken van zijn overwinnings-fratsen. Hij vertrouwt erop dat ze bij hem terug zal komen.'

'Ik weet niet of dat echt zal gebeuren. Ze heeft zich volgens Wieneke keurig geïnstalleerd in die flat.'

'De hele inboedel verkoopt ze voor een zacht prijsje aan de volgende bewoner als ze terug wil naar "De Ritter". Maar daarover horen we mogelijk als ze bij ons komt praten.'

Opeens gleed een lach over Mariannes gezicht. 'Emiel, ze willen ons allebei terug in hun leven.'

'Ja. Maar ik voel er niets voor naar mijn vader terug te keren. Ik heb er nog niet serieus over gedacht, het telefoontje kwam vanmiddag, maar met hem samenwerken zal de twee Van Rittervoorden-families te dicht bij elkaar brengen. En ons leven nu, de vrijheid, bevalt ons allebei heel goed.'

'En het bedrijf?'

'Het is een mooi bedrijf en er zit veel geld van de Van Rittervoordens in. Maar als ik terugga en samenwerk met mijn vader komen er ongetwijfeld wrijvingen, want hij is de baas en hij blijft nog jarenlang de baas ook al zegt hij dat ik inspraak mag hebben. Twee voorstellen, een van hem en een van mij, maar dat van hem is beter en dus doen we dat. Hij heeft een heel eigen kijk op zakendoen en manier van werken. Het verleden heeft bewezen dat dat goed was, want zijn bedrijf groeide en groeide. Ik zie het soms anders, ik wil op een andere manier werken en zoals het nu gaat bij Glastra en Hollekamp is helemaal mijn stijl. Ik voel me er als een vis in het water. Ik ben er niet de baas, ook geen mede-eigenaar, maar de samenwerking met Joop en Ernest is perfect. We begrijpen elkaar en als er iets is waarover we meningsver-schillen hebben – en dat komt meer dan eens voor – praten we daarover met alle drie in ons achterhoofd dat het om het belang van de zaak gaat. Een afwijzing van een voorstel is niet gericht op een van ons drieën persoonlijk. We kiezen de beste oplossing en niemand voelt zich gepasseerd omdat dat zijn oplossing niet is. Het grote belang telt. Begrijp je wat ik bedoel? Vader voelt zich altijd de baas, hij is gauw beledigd en wijkt moeilijk af van zijn plannen. En voor mij, Marianne, is het leven met jou en onze kinderen het allerbelangrijkste. Ik wil een hechte band met ze opbouwen, vanaf dat ze kleine kinderen zijn tot later. Als ze in de puberteit komen hoop ik dat wij de vriend en de vriendin zijn die hen kunnen helpen. Ik wil dat ze ons vertrouwen en blij met ons zijn. Ik wil dat we deel uitmaken van hun leven en weet je van wie ik heb geleerd dat dat bestaat en hoe heerlijk dat is: van jouw ouders.'

'Ja, wij kunnen alle drie – en ook onze mannen – altijd rekenen op papa en mama.'

Alleen al zoals zij over ze praat, dacht Emiel, is heerlijk. Ik hoop dat onze kinderen het later ook zo over ons doen...

Hij vervolgde: 'In dat leven speelt de zaak niet mee. Ik ben er los van, hoe vreemd dat misschien ook klinkt. Ik wil er niet jarenlang tegen mijn zin werken omdat het "ons bedrijf" is en wachten tot vader zich oud en moe voelt en zich terugtrekt zodat ik dan eindelijk aan de beurt ben, na jarenlange strubbelingen met de man. Hij is op het ogenblik mijn beste vriend niet! Ik verdien genoeg om het leven te leiden wat we willen leiden. Het geluk is nu met me, ik verraad het niet en ik laat het niet ontglippen voor het kapitaal van de Van Rittervoordens. En bovendien,' nu klonk een bijna jongensachtige lach door de slaapkamer, 'als papa alles weer op het goede spoor weet te zetten wacht de erfenis in de toekomst toch op ons!'

Het viel Marianne op dat Emiel nu 'papa' zei, terwijl hij sinds zijn vertrek uit 'De Ritter' steeds over 'mijn vader', of 'vader' had gesproken.

'Ik ben weer tot rust gekomen,' ze liet zich wegglijden onder het dekbed met het mooie, zachte, in tere bloemmotieven gedrukte overtrek, 'als jij naast me staat ben ik niet bang. We zien wel hoe het verdergaat.'

De volgende morgen schreef ze op een memovelletje uit het doosje dat naast de telefoon stond: alleen in de avond. Emiel ook aanwezig.

Ze kon die twee dingen wel onthouden als ze in paniek zou raken bij het horen van de stem van mevrouw Van Rittervoorden, maar ze zou direct weer bij haar positieven komen als ze het briefje zag.

In de loop van de maandagmiddag belde mevrouw Van Helderen, tante Anne, vanuit Vlissingen. Er volgde een gezellig gesprek. 'Nee, lieve kind, er is niets bijzonders,' maar tante was alleen in huis, het regende pijpenstelen in Vlissingen en tante dacht aan haar zuster en aan Helene en aan het gezinnetje Van Rittervoorden en ze besloot even te bellen.

'De mensen lopen gehaast onder hun paraplu's over de boulevard en ze houden die dingen schuin om de volle wind uit zee op te vangen. De rijbaan is kleddernat en het strand, het is eb, ziet er donker uit.'

Daarna vertelde Marianne één en ander. Over Edwin bijvoorbeeld, die bezig was een rijweg aan te leggen rond het legohuis dat ze gisteren hadden gebouwd. 'En Lotte ligt op haar buikje in de box en gluurt door de spijltjes een beetje verbaasd naar me. Vreemd toch, mama praat tegen iemand, maar er is niemand te zien.' Tante Anne lachte erom.

De volgende dag rinkelde in de middag de telefoon. Edwin was juist begonnen aan het liedje dat Wieneke hem had geleerd: tikke, takke, tonen, varkentje in de bonen...'

'Met Marianne van Rittervoorden,' zei ze in de hoorn.

'Met Mevrouw Van Rittervoorden,' klonk een nerveuze stem aan de andere kant van de lijn. Marianne trok het notitieblaadje naar zich toe. Had mevrouw Van Rittervoorden ook een spiekbriefje naast zich? Nee, zeker niet.

'Ik wil met je praten. Er is veel gebeurd wat niet had mogen gebeuren.'

Tussen die woorden door zong Edwin luid met zijn heldere stemmetje:

'... koetje in de klaver...'

Juist nu dit gejubel, Marianne zei in de hoorn: 'Een ogenblikje.' Ze keerde zich naar het jochie, 'Edwin, even stil zijn. Mama belt.'

'Liedje zo uit.....,' en hij ging zacht verder: 'Paardje in de haver...'

'Ik wil met je praten.'

Geen vragen stellen nu. Ze zei: 'Dat kan.' Ze begreep niet hoe haar stem zo rustig kon klinken. Het kwam beslist door de voorbereiding. 'In de avonduren als de kinderen slapen en Emiel thuis is.' Een combinatie van de twee notities.

'Noem jij de dag.'

'Vrijdagavond.'

'Ik ben om acht uur bij jullie. Of is dat te vroeg?'

'Nee, dat is goed.'

De middag jengelde langzaam voorbij. Marianne kon haar gedachten niet losmaken van het komende gesprek. Hoe zou het verlopen... Ze las Edwin de versjes voor die bij de plaatjes in zijn grote boek stonden, speelde met Lotte en zorgde voor de avondmaaltijd.

Eindelijk kwam Emiel thuis. Na de begroeting zei ze: 'Je moeder heeft gebeld. Ik heb voor vrijdagavond afgesproken.'

'Een ontspannen begin van het weekend zal het dus niet worden. En vanmiddag belde mijn vader weer. Ik verwachtte het, want hij geeft niet gauw op. Echt een doorzetter, hè?' Emiel lachte even. 'Daar is hij trots op. Eefje waarschuwde me dat hij aan de lijn was. Ik herinner me de woorden nog precies, kort maar krachtig: 'Met je vader. Het gaat niet goed met het bedrijf. Je moet me helpen. Er moeten beslissingen genomen worden over de aanschaf van grote en dure kranen op de terreinen en in de loodsen en ik kan het alleen niet aan. Het gaat om het bedrijf Van Rittervoorden.' Ik antwoordde: 'Ik werk bij Glastra en Hollekamp. U moet uw problemen zelf oplossen.'

'Nadat ik de hoorn had neergelegd, bleef ik nog minstens tien minuten stilzitten, want ik trilde van woede.' En met stemverheffing ging Emiel verder: 'Hij noemde mijn naam niet eens, Emiel, mijn zoon, ik verlang naar je... Nee, het ging hem alleen om de hulp die hij bij zijn werk nodig heeft! Ik verwachtte dat hij direct daarna weer zou bellen, de volhouder, maar dat deed hij niet.'

'Papa,' kwam Edwin naar hem toe, 'papa, de rails wil niet in elkaar, de trein hobbelt eraf...'

Een lach gleed over Emiels gezicht. Hij tilde het kind op en drukte hem tegen zich aan. 'Mijn jongetje, mijn lieveling, papa helpt je.' Edwin keek hem even met een twinkeling in de blauwe ogen aan. Toen zei hij: 'Ik vind jou ook lief, papa.'

Zo moest het zijn tussen ouder en kind, wist Marianne, dat is wat Emiel bedoelt, maar soms is dat moeilijk vol te houden als die zoon een totaal verkeerde vrouw kiest. Ze glimlachte even en schudde met haar hoofd.

Hoofdstuk tien

Vrijdagavond.

'Moeder zal een inleiding hebben die we waarschijnlijk woord voor woord zelf hadden kunnen verzinnen, maar we laten haar uitpraten. Het brengt haar wat rust en ons misschien ook.'

Caroline van Rittervoorden parkeerde haar wagen precies om acht uur voor het huis. Emiel opende de deur. Een ogenblik verwachtte hij dat ze hem zou omarmen, maar dat deed ze niet. Ze stak een hand naar hem uit en met een zachte stem fluisterde ze: 'Dag Emiel.'

'Dag moeder. Komt u binnen.'

Hij nam haar jasje aan en hing het op een hanger aan de kapstok. 'Gaat u verder.'

Hij loodste haar de kamer binnen. Marianne stond op. De vrouwen gaven elkaar een hand, Emiel wees zijn moeder een stoel, maar ze zei: 'Nee. Bij wat ik te zeggen heb blijf ik staan. Ik zal jullie zeggen waarvoor ik ben gekomen. Ik ben hier om jullie mijn excuses aan te bieden voor wat ik fout heb gedaan. Ik heb veel spijt, Marianne.' Ze keek Marianne recht aan, 'omdat ik over jou hard heb geoordeeld terwijl ik je niet goed kende. Ik wil je dat zeggen.' Ze nam Mariannes handen in haar handen. Ze zei duidelijk: 'Het spijt me, Marianne.'

Dit is, flitste het door Marianne heen, wat Emiel noemde: alle moed en durf bijeen rapen. De handen om haar handen waren koud.

'Het is goed,' antwoordde Marianne zacht. Zo wilden haar ouders het. 'Leer te vergeven, kind en mok er niet over na.' Dat deed ze ook niet. Ze voelde zich er heel rustig bij.

Ze zaten rond de lage tafel. Er stond een kristallen vaasje met kleine, gele roosjes op, een waxinelichtje in een koperen houdertje, een schaaltje met een suikerpot en melkkan van het mooie servies. Alles wachtte op de dingen die komen gingen. Want hoe moesten ze nu verder...

Ze zit naast me, dacht Emiel en ze is mijn moeder, maar ze is me bijna vreemd, ze staat ver van me af. Caroline van Rittervoorden dacht: ik heb het gezegd. Het moeilijkste is voorbij. Marianne wist: ze heeft de woorden 'spijt' en 'berouw' uitgesproken en ze meent het oprecht.

Ze stond op. 'Ik schenk koffie in.' Ze keek Emiels moeder aan. Die knikte en zei: 'Ja, graag.'

Marianne liep naar de keuken en kwam terug met een blad waarop gevulde kopjes stonden.

'Ik wil jullie, na de koffie, over mijn leven met Lodewijk van Rittervoorden vertellen. Ik ben bij hem weggegaan. Dat heeft een verklaring nodig. Ik hoop dat jullie naar me willen luisteren.'

Ze knikten, alles was beter dan een geladen stilte. En Emiel noch Marianne was van plan iets over de verwijdering van de voorbije jaren te zeggen.

Na de koffie begon Caroline te praten. 'Ik groeide op in een keurig en beschermd gezin. Ik volgde een goede opleiding wat cijfers en letters betrof, maar toen ik zeventien, achttien jaar oud was, was ik nog een wereldvreemd meisje. Veel lachen en giechelen met mijn vriendinnen, ik kletste over jongens, droomde niet echt over de prins op het witte paard, maar mijn dagdromen gingen wel in die richting: de ideale en volmaakte man. Ik was een naïef meisje in het lichaam van een jonge vrouw. Ik ontmoette Lodewijk toen ik negentien was en ik was meteen verliefd op hem. Hij was knap om te zien, flink van postuur, hij praatte verstandig en gezellig, hij had veel aandacht voor me en hij paste in ons milieu. Lodewijk was verliefd op mij, want ik voldeed aan het beeld dat hij voor ogen had van de vrouw waarmee hij wilde trouwen. Ik was leuk om te zien, mijn vader zat in bank- en geldzaken – dat was in de toekomst voor advies-achter-de-hand aanlokkelijk –, mijn moeder was in die tijd een gewaardeerde kunstenares en de familie Steggerda stamde uit een oude, zeer gegoede familie. Dat was belangrijk voor Lodewijk.

Lodewijk kon in die begintijd minachtend en grof praten over arbeiders en over mensen die in een dorp woonden. Mogelijk vond hij dat stoer. Ja, zijn ouders woonden ook in een dorp. Zijn vader had in Wennebroek "De Ritter" laten bouwen en het was er goed wonen: rust en stilte en een wijd uitzicht vanuit de grote vensters van het huis en met zijn snelle wagen was de afstand van de woning naar het bedrijf in korte tijd te overbruggen. Mijn moeder en ik temperden Lodewijk meer dan eens in zijn uitlatingen over "de boertjes van buten" en "de dronken kermisklanten". Zo noemde hij alle dorpelingen omdat in Wennebroek en omliggende dorpen het bier tijdens de kermis heel rijkelijk vloeide. Maar mijn vader verdedigde Lodewijk door op te merken dat het werken in een bedrijf als dat van Van Rittervoorden het grof praten in de hand werkte. De arbeiders op de terreinen waren grove kerels, de mannen die schepen met zand en andere materialen aanvoerden waren bepaald geen kamerheertjes en ook de chauffeurs op de vrachtwagens en betonmixers die de goederen naar de klanten brachten, gebruikten andere taal dan de vriendinnen van mijn moeder aan de theetafel. Dat begreep ik wel, maar ik vond het niet prettig dat Lodewijk het in ons huis bezigde. En daarom "kuiste hij", zoals mijn moeder het noemde, zijn uitspraken. Af en toe maakte ik er een opmerking over zoals "niet zo grof, Lodewijk" en geleidelijk ging het helemaal over.

Ik zag ons als twee jonge mensen die in dezelfde omstandigheden en hetzelfde milieu waren opgegroeid, min of meer in rijkdom en met goede manieren. Andere jonge mensen groeiden op in saaie woonwijken, hun ouders hadden weinig geld, maar zo was het nu eenmaal verdeeld in de wereld. Ik aanvaardde dat gewoon. Want wat was eraan te doen? Die verschillen zullen er altijd blijven.

We trouwden en gingen wonen in "De Ritter". Mijn schoonouders verhuisden naar een prachtige bungalow in Bloemendaal.'

Caroline van Rittervoorden keek naar de opgeheven gezichten. Ze luisterden allebei. En knikten aandachtig.

Caroline ging verder met het vertellen over het gesprek met haar schoonmoeder, dat ze ook aan Wieneke had verteld.

'Ik vond het in normen van "goed en kwaad" wijs dat mijn schoonmoeder er zo over dacht, maar ik wilde achter Lodewijk staan. Onze plaats tussen vrienden en zakenrelaties met grote villa's en uitbundige feesten was belangrijk. Gepraat over de bittere armoede van grootouders en overgrootouders hoorde daar niet bij. Ik meende dat ik goed aanvoelde dat Lodewijk daar geen woord over wilde horen. Dat paste niet in zijn leven. Niet in óns leven.

Toen de kinderen klein waren maakte Lodewijk in de weekenden tijd voor het gezin. Vader Andreas werkte nog in het bedrijf en alles verliep naar wens. Toen Emiel en Wieneke groter werden en met vriendjes en vriendinnetjes op pad gingen was Lodewijk de hele zaterdag in Schageveld. In die tijd trok zijn vader zich steeds meer terug uit het bedrijf en kreeg Lodewijk het drukker. Op hem drukte uiteindelijk de hele verantwoording van het bedrijf. En daar had ik begrip voor. Ik ontmoette intussen vrouwen die in hetzelfde schuitje zaten als ik. Hun echtgenoten waren druk bezig met geld verdienen, zij probeerden elk voor zich het voor zichzelf zo plezierig mogelijk te maken. We moesten zelf invulling geven aan onze dagen. En ik moet zeggen dat ik er een plezierige tijd aan beleefde. We lachten veel met elkaar en we voelden ons belangrijk door onze inzet voor projecten voor hulpbehoevende kinderen en dat soort dingen. Daarnaast had ik de zorg voor de partijen en bijeenkomsten met de relaties van wat Lodewijk "onze kring" noemde.

Tot die dag, de dag dat het mis ging. Op die dag ging het mis. Toen is de ommekeer in mijn leven gekomen, in ons leven, in onze verhouding tot elkaar.

Voor die avond stond een ontvangst in "De Ritter" op het programma. Dat betekende ongeveer zestien, zeventien mensen over de vloer die we voor het drankje en hapje vooraf uitnodigden en daarna lieten aanschuiven aan het diner. Daarvoor zorgde Martha samen met Claus Haverman, een heel goede kok uit Alkmaar. Voor de bediening hadden we Jannie van den Berg, ons meisje van toen en ze nam haar zusje mee om te helpen. Alles was goed voorbereid, we hadden dit tenslotte al meerdere malen bij de hand gehad. Er lag schitterend tafellinnen over de tafels, het prachtige, dure servies was uit de kast gehaald, mooie servetten en glazen, kaarsen stonden in zilveren kandelaars; het was voorbeeldig.

Lodewijk en ik waren in onze slaapkamer. Er was nog tijd genoeg. Ik droeg een japon die me bijzonder goed stond. Ik had die middag een extra bezoek aan de kapsalon gebracht, mijn make-up was in orde. Ik draaide voor de spiegel en ik vertrouwde op een goedkeurend woord van Lodewijk voor mij, zijn vrouw. Hij keek met een keurende blik naar me. Echt een keurende blik, zoals een man kijkt naar een auto die hij wil kopen, of een boer, het klinkt grof, maar zo voelde ik het op dat moment, kijkt naar een koe die hij wil kopen. Het was geen liefdevolle blik, zeker niet. Ik stelde het in een flits vast en registreerde het. Hij knikte en zei: "Goed. Je bent de juiste ambassadrice van de firma Van Rittervoorden. En je kent het klappen van de zweep, niet te luid praten en niet te luid lachen en oppervlakkige gesprekken voeren."

Heel duidelijk drong de ernst en diepere betekenis van zijn woorden tot me door, ik was de ambassadrice van het bedrijf, de reclamepop van Lodewijk van Rittervoorden. Hij gaf me op zakelijke toon instructie hoe te handelen. Ik schrok ervan en werd boos: "Je ambassadrice, ik ben je vrouw!"

"Ja, ja," lachte hij, "je bent ook mijn vrouw. Je mag in mijn bed slapen en ook daar heb je je kwaliteiten."

Hij deed alsof het een goede grap was, maar het was een wrede grap, ik hoorde het aan zijn stem. Hij meende elk woord wat hij zei: dít betekende ik voor hem. Ik besefte dat er een Lodewijk van Rittervoorden naar voren trad die ik tot dan toe niet in hem had herkend: een harde man, voor wie alleen het bedrijf belangrijk was. En zijn kinderen. Zijn zoon vooral als een uitstekende naaste medewerker en als opvolger in de toekomst, zijn dochter als het aanhankelijke meisje. De kinderen hadden zijn bloed in de aderen. Ik was de vrouw die hij met verstand had gekozen. Een representatieve verschijning, zo beschreef hij sommige dames in onze kennissenkring meer dan eens, met goede manieren. Bovendien had ik de naam Steggerda achter me, een bekende naam in de geldwereld. Die naam sprak zijn relaties aan. In onze jonge jaren had hij wel gevoelens voor me, hij verlangde naar mij en was verliefd. Ik trok hem lichamelijk aan. In die tijd was samen naar bed gaan nog een riskante onderneming, maar het verlangen van een gezonde jonge vent liet hem wel warm worden als hij me zag.

Vanaf die dag, de dag van het diner, veranderde mijn leven. Voor Lodewijk niet. Hij was de woorden van die avond allang vergeten en ik wilde er niet over nadenken. Ik wilde ons huwelijk behouden, ik wilde alles doen om het te redden, maar we raakten steeds meer van elkaar verwijderd. Ik sprak hem er soms over aan. Dan zei hij dat hij het begreep, maar het werk, het werk en nog eens het werk! Gesprekken, beslissingen, telefoontjes, brieven, opdrachten en van alles wat niet kon wachten. Ik kon wel wachten.

Het ging niet goed tussen ons ook al wilde ik dat niet, maar het feit lag er en ik kon er niets aan veranderen.

Toen kwam de dag waarop hij ontdekte dat Emiel aandacht had voor jou, Marianne. Je liep met je fiets aan de hand over het pad om naar huis te gaan en zoals gewoonlijk liep Wieneke met je mee tot aan de poort. Maar Emiel liep ook mee. Hij lachte naar je en keek naar je en hij legde zijn hand op jouw arm. En Lodewijk brulde, het was echt brullen, in de huiskamer tegen mij: "Zie je dat, hij ziet wat in die meid, mijn hemel, het zal toch niet waar zijn?! Hier moeten we onmiddellijk een stokje voor steken! Dat kind is niets voor hem! Een boerendeern, een simpel arbeiderskind..."

Ik vond zijn woorden hard en overdreven, maar ik vond toen ook dat jij geen geschikte partij voor onze zoon zou zijn. Ik kende je als een bedeesd meisje, hoe moest je je begeven tussen de mensen waarmee wij omgingen... Een relatie met Emiel zou ook voor jou op een teleurstelling uitdraaien.

En zo begon de ellende. Ik heb later bedacht dat voor mij meespeelde dat ik Lodewijk wilde helpen, achter hem wilde staan, dat bracht ons misschien dichter bij elkaar. Hierin streden we samen...'

Caroline zweeg. Ze keek van Emiel naar Marianne, twee opgeheven gezichten waarop verbazing was af te lezen. Zo zat het dus tussen vader en moeder Van Rittervoorden.

'Emiel weet hoe er in ons huis ruzie werd gemaakt over zijn relatie. En Lodewijk bleef mij inprenten dat we moesten volhouden; Emiel zou zwichten, Emiel bleef denken aan zijn toekomst in het bedrijf. Wij zouden tenslotte overwinnen.

Nadat Emiel "De Ritter" én de zaak had verlaten kon Lodewijk zijn teleurstelling niet verkroppen. Het feit dat zijn zoon niet meer met hem samenwerkte maakte hem bijna dol. Vanaf dat moment was het allemaal mijn schuld. Ik zei er aanvankelijk niet te veel over, want ik begreep hoe gedesillusioneerd hij zich voelde. Voor mij was het vreselijk mijn zoon te zien verdwijnen, voor Lodewijk was het, dat vond ik, veel erger. Het leven in "De Ritter" werd ondraaglijk. Lodewijk mopperde op me, schold op me; ik kon geen goed meer doen. Hij dronk te veel en hij zat halve nachten in de kamer omdat hij toch niet kon slapen. Hij raakte overspannen. Hij zag op tegen het werk dat in Schageveld op hem wachtte, maar als ik heel voorzichtig over al die zorgen probeerde te praten snauwde hij me af. En daarom besloot ik mijn eigen leven te gaan leiden. Dit huwelijk was voorbij. Lodewijk had daar weinig moeite mee, het leven in Wennebroek was voor mij één en al narigheid.

Tot ik deze beslissing nam heb ik veel nagedacht over wat er is gebeurd en ik wist dat ik een heel verkeerde en nare rol had gespeeld, vooral tegenover Marianne. Ondanks mijn excuus om achter Lodewijk te willen staan heb ik er veel spijt van. Ik heb dat al gezegd.'

Ze zweeg. Marianne hoorde de lichte zucht die Caroline moeizaam ontsnapte.

'Moeder toch,' zei Emiel hoofdschuddend.

'Ja jongen, zó kan het fout gaan in het leven. Ik vertel jullie dit alles om je te laten weten dat ons huwelijk al vóór de drukte over Marianne wankelde met, naar mijn idee, als voornaamste reden het drukke leven van je vader. Hij stond er in die tijd alleen voor. Daar had ik begrip voor. Zijn vader bleef dikwijls in Bloemendaal en verloor het contact met het bedrijf meer en meer. En jij was nog niet afgestudeerd. Het was zwaar voor hem. Toen jij in de zaak kwam dacht hij dat alles voor elkaar zou komen. Jullie begrepen elkaar, tenminste op zakelijk terrein en jullie hadden dezelfde belangen in Van Rittervoorden. Maar nadat jij huis en werk vaarwel had gezegd knapte hij af.

En ik stond er machteloos naar te kijken. Ik telde niet voor hem, hij praatte niet meer met me. Alleen over een schoon overhemd in de kast en kaas op zijn boterham, bij wijze van spreken. En Lodewijk was en is zo verschrikkelijk eigenwijs. Hij wilde met niemand over zijn moeilijkheden praten, niemand om raad of steun vragen, ook de voordien zo hooggewaardeerde vrienden niet. Hij wilde alleen verder ploeteren en ik telde totaal niet meer voor hem. Ik heb hem losgelaten. Er is voor mij geen plaats meer in zijn leven.' Ze keek Emiel aan. 'Het zal me niet verbazen als hij jou benadert om hem te helpen. Je kunt daarop uit medelijden en uit zorg voor het bedrijf Van Rittervoorden handelen, maar ik waarschuw je daar goed over na te denken, jongen. Je hebt gekozen voor je liefde, gekozen voor Marianne. Jullie hebben twee kinderen. Denk er alsjeblieft goed over na wat het belangrijkste is in je leven en laat niet over je heen walsen door een man die nu, hoe zal ik het zeggen, zielig is. Dat is het juiste woord. Lodewijk van Rittervoorden is zielig, maar hij heeft het zichzelf aangedaan.'

Weer viel er een stilte in de kamer. Hiermee, begreep Marianne, legde zijn moeder een zware beslissing in Emiels handen. Zijn vader had het moeilijk en ondanks dat Emiel niet bepaald vriendelijke gedachten voor de man koesterde, zou hij wel begrip hebben voor diens moeilijke situatie. En als het bedrijf van de Van Rittervoordens, zijn familie, nog meer afgleed omdat zijn vader, die het alleen moest leiden, daartoe niet in staat was, hoe reageerde Emiel dan? Welke richting ging het uit? Ze voelde hoe nerveus dit idee haar maakte. Mocht en kon ze Emiel tegenhouden als hij zijn vader wilde helpen...?

'Ik breng de kopjes naar de keuken,' ze stond meteen op, 'en ik haal iets anders te drinken. Zal ik een licht wijntje voor u inschenken?' Ze keek haar schoonmoeder, ja, deze vrouw was haar schoonmoeder, vragend aan.

'Nee, liever niet, Marianne. Dit was een moeilijk gesprek voor me. Ik wil graag een glaasje frisdrank.'

Emiel had intussen een ander onderwerp aangesneden. Hij vroeg naar de flat in 'blonde duinen'. Dat was toch een heel nieuw gebouw? En Caroline voelde de hint goed aan, Emiel wilde een onschuldig onderwerp, dat was nu het beste. Ze vertelde over de indeling van de flat, de ruime kamer, de praktische keuken, de mooie slaapkamer met het grote balkon en zo heerlijk, alles gelijkvloers. Ze dacht er vaak aan hoeveel malen per dag ze de brede trap in de hal van 'De Ritter' was opgegaan en afgedaald...

De rest van de avond verliep rustig. Toen Caroline aankondigde naar huis te gaan vroeg ze: 'Mag ik terugkomen? En mag ik dan de kinderen zien?'

Marianne zei hartelijk, opeens voelde ze medelijden met deze vrouw, de vraag klonk zo zielig en onzeker: 'Ja. Het zijn uw kleinkinderen.'

Emiel liep met zijn moeder mee naar de voordeur. Marianne kon het niet opbrengen ook mee te lopen en het bezoek van die avond uit te zwaaien, zoals ze gewoonlijk deed.

Terug in de kamer zei Emiel: 'Een heel merkwaardige avond...'

'Ja,' zuchtte Marianne. Ze was op weg naar de keuken en bleef even staan met het blad met de lege glazen. 'Ik heb het gevoel dat het ons meer onrust gaat brengen dan plezier omdat ze heeft erkend dat ik toch niet zo'n onhandig boerentrientje ben als ze altijd heeft verkondigd. Het doet een mens – en mij ook – goed in ere hersteld te worden, maar ik kan niet zeggen dat ik na alles van vanavond juichend in de gloria ben!'

Ze liep door naar de keuken. Eerst de vuile spullen maar weg zetten; eerder kon ze toch niet met Emiel praten.

'Nee. Ik ook niet. Het is al laat, maar het is toch het beste er meteen maar over te praten. Dan weten we van elkaar hoe we erover denken. Ik wil daar wel mee beginnen.' Hij keek haar vragend aan en ze knikte instemmend.

'Wat mijn moeder over mijn vader vertelde was niet nieuw voor me. Ik had al langer een beeld van de man en deze avond heeft duidelijk gemaakt dat ik me een juist beeld van hem had gevormd.

Hij heeft zélf de problemen in zijn leven gebracht. Moeder zei wel dat hij zich vóór hij haar ten huwelijk vroeg een nuchter beeld van zijn toekomstige vrouw had geschetst en zij paste in dat plaatje, dus koos hij haar uit, maar dat is niet helemaal waar, want hij hield beslist van haar. Toen Wieneke en ik nog kinderen waren was het goed tussen hen. Overal breekt af en toe een donderbuitje los, dat gebeurt hier ook, maar dat tast de liefde niet aan.

Mijn vader is in de fout gegaan toen hij te veel waarde hechtte aan zijn rol van directeur-eigenaar van het bedrijf Van Rittervoorden. Al dat geklets over het belang van veel vrienden en kennissen om je heen omdat die klanten naar je toebrengen, ik geloof daar helemaal niet in. Vrienden moeten alleen mensen zijn waarmee je graag omgaat en zij met jou. Zakelijke belangen behoren daarin niet mee te spelen, maar vader vond het nodig feestavondjes te organiseren en naar de avondjes van anderen te gaan, die dat ook belangrijk vonden. Dan kan hij zich als de grote zakenman laten zien. Het waren gezellige avonden en er stak ook geen kwaad in, maar het had zakelijk weinig nut. Moeder toonde zich die avonden van haar beste kant. Het lag haar ook wel gezien en bewonderd te worden, maar niet als de ambassadrice, ha, ha, hoe kwám hij op dat woord, maar als zijn vrouw! Ik geloof niet dat hij het zo bedoelde als zij het toen opvatte en het ons vanavond vertelde. Maar, hoe dan ook, door allerlei kleine en grote gebeurtenissen raakte het echtpaar van elkaar vervreemd.

Toen kwam de dwaasheid zo neer te kijken op het meisje waarvan ik hield. "Goede ouders," sprak ik, "ik houd van haar en ik trouw met haar." Nee, nee, dat mocht niet en dat kon niet! Vader verwachtte dat voor mij het bedrijf heel belangrijk zou zijn. Ik werkte er korte tijd en het beviel me goed. Ik was de toekomstige eigenaar. Ik wist van de groeiende bankrekening om Wieneke in de toekomst haar erfdeel te kunnen betalen. Ik zou buigen, daarvan was hij overtuigd, maar dat gebeurde niet.

Het was de eerste grote en zware tegenslag in het leven van Lodewijk van Rittervoorden. Tot dan toe liep alles naar wens, maar dit was te veel en dat kwam omdat het niet alleen zakelijk een harde klap was – de toekomst van Van Rittervoorden wankelde op zijn grondvesten – maar in zijn privé-leven dreunde het zwaar mee. Dit maakte alles kapot. Tussen hem en zijn vrouw en zijn zoon en het schepte afstand met zijn dochter, die het niet met hem eens was.'

Emiel reikte naar het glas frisdrank dat Marianne voor hem had neergezet. Nu geen bier of wijn, het was laat in de avond en het onderwerp was ernstig.

Hij keek haar met een lachje in de blauwe ogen aan en ging verder:

'Toen alles voor de wind ging was mijn vader een uitstekend organisator. Hij kon waardevolle lezingen houden voor aankomende zakenmensen. Hij zei dan: "Je moet je als een spin in een web opstellen en sterke draden spinnen naar alle onderdelen van je bedrijf. Aan de uiteinden van die draden zorg je voor capabele, betrouwbare mensen die goed werk leveren. De administratie, de verkoop, de terreinwerkzaamheden, de reclame." Zo heeft hij het zelf ook gedaan en hij hield alle touwtjes stevig in handen. Hij controleerde alles. Zo werkte hij jarenlang, opgeleid in de leerschool van zijn vader, daarna op eigen kracht met het besef dat hij het behaalde succes zou kunnen doorspelen aan de Van Rittervoorden van de toekomst. Maar ja,' Emiel lachte, 'die domme jongen met zijn krullenkuif en blauwe ogen van de Van Rittervoordens volgde de stem van zijn hart, de roep van de liefde... En die jongen laat dat geluk niet los om zijn vader te helpen, omdat hij ervan overtuigd is dat zijn vader, als hij hersteld is van de inzinking, de touwtjes opnieuw in handen zal nemen, want Lodewijk van Rittervoorden is een vechter. Dan zoekt mijn vader wegen om wat hij kwijtraakte in zijn privé-leven en in zijn werk, terug te winnen. Hij is daar al mee begonnen, want hij heeft mij twee keer gebeld. Moeder kan wel even wachten. Die zal, als de eenzaamheid in de flat haar gaat benauwen, terugdenken aan "De Ritter".'

Marianne lachte. 'Het is een heel ernstige zaak en je vertelt het wel met een komische noot om het minder ernstig te laten klinken, maar ik vraag je nu wat je wilt doen.'

'Ik doe alles in overleg met jou, ik neem geen enkele beslissing zonder jou. Maar ik zeg je hoe ik erover denk. Ik werk met plezier bij Glastra en Hollekamp. Ik heb daar veel vrijheid en ik ondervind er meer waardering dan ik ooit bij mijn vader zal krijgen. De man heeft andere gedachten over zakendoen en hij hecht minder dan ik aan een fijn huwelijk met liefde voor elkaar. Ik weet hoe gelukkig ik daarmee ben, dat wil ik niet verliezen. Voor mij is het belangrijkste het leven met jou en met onze kinderen. Wij zijn eigen baas.

Ik wil wel contact met mijn vader en moeder, maar ik houd het het liefste bij een oppervlakkige verstandhouding en wat mijn vader betreft, geen zakelijke verbintenis. Dus Marianne, mijn vrouwtje, mijn lieveling, ik blijf bij Glastra en Hollekamp. Als jij het daarmee eens bent is onze beslissing genomen en dan zien we wel wat de toekomst brengt.'

Marianne liep naar hem toe, Emiel stond op uit de stoel en sloot haar in zijn armen.

'Emiel, ik ben zo blij... Ik was bang dat je je vader wilde helpen. Ik zou daar begrip voor hebben, want hij heeft het moeilijk.'

'Het is zijn leven, lieveling en hij heeft schuld aan de problemen. Ik mag mijn eigen leven leiden en met jou samen onze beslissingen nemen en zoals ik je vertelde is het voor mij en voor ons vieren zo het beste.'

Heel laat in de nacht lagen ze in bed, allebei doodmoe, maar met een gevoel van rust. De spijtbetuiging van Emiels moeder gaf hen een blij gevoel, het gesprek tussen hen tweetjes en de genomen beslissingen maakten hen blij.

'Waaraan denkt mijn vrouwtje?' vroeg Emiel.

'Dat raad je nooit. Ik dacht aan de zee. De zee, zoals ik die zag toen ik in Vlissingen was. Daar is de zee zo dichtbij. En, wat duizenden dichters en dromers al hebben gezegd: altijd in beweging. Hoeveel jaren vóór deze dag en hoeveel jaren na deze dag zal het water nog deinen en aanrollen? Grote woeste golven met schuimkoppen, soms angstaanjagend om de kracht die erin verborgen is en op andere dagen zo rustig en kalm dat je denkt dat je met een roeibootje naar Engeland kunt varen.

Het huis van tante Anne staat prachtig aan de boulevard, je weet het, je hebt het gezien. De kamer waar ik sliep. Het balkon, waarop ik verscheidene keren heb gestaan, met verschrikkelijk veel gedachten. Ik wilde niet dat je brak met je ouders. Het was voor mij onvoorstelbaar dat ik in ruzie met mijn ouders zou leven en ik verwachtte dat jij dat ook niet zou kunnen. Ik wilde het niet op mijn geweten hebben. Ik maakte wandelingen langs de boulevard, om alle muizenissen uit mijn hoofd te laten waaien, maar het waren de woorden van tante Anne die me stilletjes hoop gaven op een goede afloop. Een al wat oudere vrouw met levenservaring die zei: "Liefde is het belangrijkste in het leven. Geloof daarin, meisje en vertrouw daarop." Dat was fantastisch.'

Emiel kuste haar. 'Lieve tante Anne.'

'Ze belde me maandagmiddag, een dag voor je moeder zich meldde. We hebben een gezellig gesprekje gevoerd. Ze vroeg wanneer we weer naar Vlissingen komen. De zee wacht op je, zei ze, maar nu, in de winter is het misschien niet de beste tijd.'

'Och, waarom niet? In het huis van tante kunnen alle kamers heerlijk verwarmd worden en tijdens een winterstorm zal de zee fantastisch zijn. Misschien kunnen we een paar dagen gaan om de spanning van de laatste dagen van ons af te laten waaien. Als we langs de boulevard willen lopen kan Edwin met ons meegaan. Hij heeft een winterwarm pak en stevige stappertjes. Maar als hij liever met zijn autootjes speelt kunnen we hem met een gerust hart bij tante achterlaten. En Lotte, onze lieve, zoete baby, blijft dan ook thuis.'

Tijdens Mariannes praten over tante Anne kwam dit zomaar in hem op, de gedachte met Marianne naar Vlissingen te gaan, even weg van alles hier...

'Emiel, als dat kan, het zou heerlijk zijn! En zoals je zegt, even weg na alles.'

'Het was een spontaan plannetje, maar het lijkt me heerlijk, lieveling. Ik zal proberen het voor elkaar te krijgen. Donderdag wegrijden bijvoorbeeld en zondagmiddag of maandagmorgen terugkeren.'

'Als het kan... Met jou in het lekkere, zachte, brede bed, de balkondeuren op een flinke kier, de zee briesend en brullend dichtbij, maar wij liggen veilig en warm binnen...' Ze streek met haar hand over zijn blote rug.

Emiel lachte. 'Maar nu, mijn wijffie – dat woord ruikt naar Wennebroeks, maar mijn moeder is vergevensgezind, ik mag het zeggen –, maar nu moeten we proberen in slaap te komen. Het is al laat en als het werkschema van onze zoon morgen volgens plan verloopt tettert hij om zes uur de reveille met de luide woorden: ikke ben wakker!! Dus, nu alle gedachten loslaten...'

'Het zal moeilijk zijn. Ik denk nog even met lichte voldoening aan je

moeder. Ze is me meegevallen, maar het blijft een parmantige dame.'
'En dat is ze,' gaf Emiel toe.

Ze kusten elkaar welterusten. Emiel draaide zich op zijn zij. Marianne bleef op haar rug liggen, haar hoofd in het zachte kussen. Wat een vreemde avond... Emiels moeder... Ze was oprecht geweest in haar spijtbetuiging, daar was Marianne van overtuigd, maar erg blij was ze er toch niet mee. Het was rustig zonder Emiels ouders in hun leven, ze glimlachte in het duister, maar dat was natuurlijk geen reden hen buiten te sluiten. En heerlijk dat Emiel bij Glastra en Hollekamp bleef en niet terugging naar Schageveld...

Maandagmorgen was er een bespreking gepland in het directiekantoor van Glastra en Hollekamp. Ernest Hollekamp legde de plannen op tafel over het bouwproject van het niet zo grote, maar wel heel mooie winkelcentrum dat onder hun supervisie in een naburig dorp gebouwd zou worden.

Het gesprek verliep rustig en, op een enkele opmerking van Glastra na in de richting van een van de medewerkers, naar ieders tevredenheid. Wildeberg, Nauta en Van Dok verlieten daarop het grote kantoor, Joop Glastra, Ernest Hollekamp en Emiel bleven nog even zitten.

'We drinken nog een kopje koffie,' stelde Ernest voor, hij belde al naar zijn assistente, 'dan gaan we er weer tegenaan.'

Het gesprek ging nog even over de zojuist behandelde onderwerpen. Toen vroeg Joop Glastra: 'Hoe is het nou met de Van Rittervoorden-perikelen, Emiel?'

De beide mannen waren op de hoogte van de problemen in de familie. Emiel vond het niet nodig daarover geheimzinnig tegen hen te doen; ze mochten er alles van weten.

Emiel vertelde over het bezoek van zijn moeder. Zo, zo, dat moet voor haar toch een moeilijke gang zijn geweest, veronderstelden zijn toehoorders. Ja, dat geloofde Emiel ook. En, ging hij verder: mijn vader heeft tweemaal gebeld. Daarna vertelde hij hen over het gesprek met Marianne, waarin hij heel duidelijk zijn beslissing had toegelicht op zijn besluit bij Glastra en Hollekamp te blijven werken.

Ernest knikte. 'We willen je graag hier houden, dat weet je wel. We vinden het allebei ook een wijs besluit. Wat ik er wel over wil zeggen: ... je vader zal nu poeslief zijn, maar jongen, een vos verliest wel zijn haren maar niet zijn streken.'

Emiel knikte. Zo was het. 'Ik verwacht eerlijk gezegd dat hij vandaag of morgen weer zal bellen. In het kader van driemaal is scheepsrecht.'

Daarna bracht Emiel zijn plannetje naar voren om, als het wat het werk betrof mogelijk was natuurlijk, een paar dagen met Marianne en de kinderen een plaats op te zoeken waar ze hun gedachten een beetje konden verzetten. Zaterdag en zondag waren vrije dagen, maar was er voor donderdag en vrijdag een oplossing te vinden? Ja, dat zou wel lukken. Ernest kon het controlebezoek aan Klaverman van hem overnemen en Joost Wildeberg kon vrijdag naar Schiedam rijden voor de klus daar...

Emiel dronk het koffiekopje leeg en liep met een volle map papieren in de hand naar zijn kantoor.

Hij was verdiept in het rapport Hakkesteyn toen plotseling de deur werd geopend. Hij schrok van het geluid, zonder kloppen binnenstappen kwam vrijwel niet voor. Zelfs Joop en Ernest tikten altijd even op de deur. Emiel keek verbaasd op. Hij zag zijn vader, die de deur achter zich sloot en langzaam op zijn schrijftafel toeliep. Groot en breed in een keurig donkergrijs pak bleef hij daar staan. Zijn gezicht was verhit en rood en in zijn ogen glansden felle lichtjes. Emiel probeerde zo kalm mogelijk te lijken, maar hij trilde inwendig van boosheid over dit brutale binnenkomen en er was een lichte ongerustheid over deze confrontatie.

'Ik kom in het hol van de jonge leeuw,' zei zijn vader luid, 'omdat het niet anders kan! Je wilt me via de telefoon niet te woord staan, maar ik laat me niet uit het veld sturen! Je moet naar me luisteren omdat het belangrijk is! Het bedrijf gaat naar de verdommenis, begrijp je dat wel, dringt dat wel tot je door?! Ik kan het alleen niet meer op poten krijgen. Het is voor één man te veel en te zwaar en de enige die het aankan ben jij! En dat is je plicht! Je bent een Van Rittervoorden, ik heb alle kosten van je opleiding betaald, die breng je hier niet in de praktijk, begrijp je dat goed? Je zit aan ons bedrijf vast.'

Emiel stond op. Zijn vader schreeuwde intussen door.

Emiel schoof een stoel aan aan de andere kant van het grote bureau.

'Gaat u zitten. En praat rustig en minder luid. De medewerkers van dit bedrijf hebben er geen behoefte aan u te horen.'

Lodewijk van Rittervoorden ging zitten. Hij was even stil, haalde toen hoorbaar adem en vervolgde: 'Je moet beseffen wat er op het spel staat. Het is een familiebedrijf, er zit veel geld in, het bedrijfskapitaal. Nu is het geld nog van mij, maar over enige tijd is het bedrijf van jou en van je zuster, daar weet je van. We hebben er eerder over gesproken. We zitten nu in een diep dal, waar we uit moeten zien te komen.'

Emiel registreerde dat de man 'wij' zei, maar vader, zo is het niet. Zijn gezicht toonde geen emotie.

De zware stem dreunde verder: 'Dat kan nog steeds, er is nog niets verloren! Maar er moet snel iets gebeuren! De flauwekul over je vrouw moeten we als onbelangrijk terzijde schuiven, alleen het werk is belangrijk. We hoeven daarnaast geen contact te hebben. Jij kroelt maar met haar zoals je dat wilt! Ik vind het jammer dat je niet meer op "De Ritter" komt, je bent tenslotte mijn zoon, maar de kwestie tussen haar en mij lossen we later op, dat komt wel goed. Eerst het werk, eerst ons bedrijf!' Hij liet zich even tegen de rugleuning van de stoel zakken.

'Moeder is bij u weggegaan.' Emiel realiseerde zich dat hij zijn vader met 'u' aansprak – thuis en in de zaak was het altijd 'je' geweest, maar hij wilde opzettelijk afstand van deze man creëren.

'Ja, ze is weg. Ik geloof ook wel,' Lodewijk praatte nu zachter, 'dat ik de laatste jaren niet echt een gezellige man was om mee te leven. Je moeder is gewend aan knusse gesprekjes met dametjes over de oprichting van een kinderclubje en de vraag hoe ze aan geld kunnen komen om knuffelberen naar patiëntjes in een ziekenhuis in Tokio te sturen. Voor mijn zware taak in het bedrijf heeft ze totaal geen aandacht, maar maak je over haar geen zorgen, ze redt zich wel. Ze heeft genoeg geld, Steggerda-geld en ze komt terug als de hele zaak in Schageveld weer op de rol staat.'

'Ik twijfel daaraan. Ze woont in een ruime flat, ze heeft het naar haar zin. Ze is bij ons geweest.'

Hij bleef zijn vader over het bureau heen strak aankijken. 'Ze heeft haar excuses aangeboden over haar minderwaardige houding tegenover mijn vrouw.'

'Caroline is bij jullie geweest... Wat schijnheilig...'

'Nee. Ze heeft oprecht spijt van wat ze toen verkeerd heeft gedaan. Ze vertelde hoe moeilijk het leven met u was. Daarom is ze bij u weggegaan. En ook daarom, want ik ken u zo langzamerhand heel goed, heb ik het besluit genomen bij Glastra en Hollekamp te blijven werken. Het bevalt me hier uitstekend. De werksfeer is prettig. Ik wijk niet van mijn plan af, ik blijf hier werken. Maar ik heb wel een goede raad voor u. U bent krachtig en sterk genoeg om de leiding van uw bedrijf weer in handen te nemen. U heeft mij meer dan eens over uw theorieën verteld: de spin in het web, die naar alle kanten zijn werklijnen heeft uitgezet. De spin in het midden trekt al die draden naar zich toe en heeft het heft in handen. Daar was u trots op. En terecht, alles liep goed in Schageveld. Maar door uw idee, het was vooral úw idee, dat mijn vrouw niet geschikt zou zijn om in de Van Rittervoorden-kringen te verkeren, is alles in het honderd gelopen. Door uw gevoelens van hóogmoed.' Het was niet helemaal eerlijk dit te zeggen, Emiel besefte het, zijn moeder had ook schuld, maar hij zei het nu. En zijn vader luisterde zonder dat de woorden echt tot hem doordrongen. Hij aasde op een andere beslissing, maar die zou er niet komen, dat voelde de man tegenover hem al aankomen.

'U, de directeur en eigenaar van een flink bedrijf kon geen schoondochter gebruiken van mindere afkomst. En u wilde niet denken aan hoe het bedrijf was begonnen met ploeteren van de grootouders. Het is nu niet belangrijk meer, het is voorbij, maar het toont uw aard en ik heb geen zin met u samen te werken, de sfeer tussen ons als vader en zoon is volkomen verpest. Ik verzoek u dit kantoor te verlaten. Ik heb veel werk te doen.'

'Je bent een onmogelijk vent, Emiel en het dringt niet tot je door wat er op het spel staat.... het hele bedrijf... En de toekomst, eerst voor jou en dan voor je zoon! De volgende generatie Van Rittervoorden! Hoe groot en welvarend kan het bedrijf dan zijn!'

'Misschien is mijn zoon geen zakenman en heeft hij de kwaliteiten om een geslaagd kunstschilder te worden; ik ga in elk geval niet jarenlang tegen mijn zin werken voor een toekomst waarin hij geduwd wordt zoals ik erin geduwd werd. Het bedrijf interesseert me niet. Ik hecht aan een goed huwelijksleven met mijn vrouw en ik ben dolgelukkig met onze kinderen. Dat is mijn leven. En dat leven wil ik. Daar kies ik voor. Ik wil geen drukte en herrie met wie dan ook. Ook niet met u.'

Lodewijk van Rittervoorden schoof iets naar voren in de stoel, zijn ogen schoten vuur, Emiel voelde even een vreemde angst. Wat zou deze man in zijn woede kunnen aanrichten, want het was een driftkikker. Hij wist het knopje aan de bovenste la. Als hij daarop drukte zou Eefje alarm slaan. Hij had vreselijk gelachen toen dit geïnstalleerd werd. Zoiets zou hij nooit nodig hebben, maar Glastra zei: 'Je weet maar nooit.' En nu... Maar waarschijnlijk had Eefje vanuit haar kantoor gezien dat er iemand bij hem was binnengekomen en ze hoorde de luide stem.

Lodewijk van Rittervoorden zei, bijna fluisterend en met een hese stem: 'Je maakt me kapot. En je moeder maakt me kapot.'

'U heeft zichzelf kapot gemaakt. Door te handelen zoals u handelde. Met Marianne, met mij, met mijn moeder. Denk over alles na en begin opnieuw. U bent er nog jong genoeg voor, maar laat mij buiten uw leven.'

Als een gebroken man strompelde zijn vader het kantoor uit. Emiel voelde medelijden met hem, maar het kon niet anders.

De rest van de dag werkte hij niet prettig, maar door de afwisseling in de bezigheden en de noodzaak om zijn gedachten bij het werk te houden gingen de uren toch voorbij.

Hij reed naar huis, met zijn gedachten bij het gebeurde van die morgen. Thuis wachtte Edwin al op zijn komst en begroette hem juichend. 'Papa, papa', vol verhalen over de dingen die het jochie bezighielden. Lotte lachte vanuit de box naar hem en strekte haar handjes naar hem uit. 'Ja, ukkepuk, je weet het al, jij mag uit de box als papa thuiskomt...' Marianne kwam uit de keuken en kuste hem.

'Je moeder is hier vanmiddag geweest,' ze had een houten lepel in de hand waarmee kennelijk in een pannetje geroerd moest worden, hij vond het zo huiselijk, zo bij hun leven passend, 'ze was verrukt van de kinderen. Ze wist niet goed wat te zeggen toen ze Edwin zag. Zoals iedereen die jullie kent, jou van vroeger en hem van nu, zegt: 'Precies zijn vader van toen...' En Edwin, je kent hem, voelde helemaal geen verlegenheid tegenover haar. Hij stelde meteen vast: dit is iemand die zich met me wil bemoeien, dus hij droeg al zijn schatten aan om ze haar te laten zien. En ik liet het toe, ik zag hoe deze ontmoeting haar aangreep. En daarna Lotte natuurlijk. Die lieve schat wachtte geduldig op haar beurt. Ze kon ook niet anders! Ze kon niet uit de box klimmen en naar deze nieuwe oma toelopen. Maar je moeder hield haar in haar armen en vertroetelde haar. Ja, het was echt emotioneel. En, Emiel, ik ben er blij mee.'

Aan tafel zei Emiel: 'We hebben contact met mijn ouders en het gaat er nogal heftig aan toe. Jij kreeg vanmiddag mijn moeder op visite, bij mij stapte mijn vader het kantoor binnen. Het is een man van: ik laat me niet afschepen, ik stap er op af, nou, dat deed hij dan ook.'

'Emiel, de brutaliteit, zo het kantoorgebouw van Glastra en Hollekamp binnenlopen...'

'Iedereen kan er binnenlopen, hij ook. En hij wist dat hij mij daar waarschijnlijk zou vinden.'

'En toen?', Marianne vroeg het met angst in haar hart.

'Het werd een heel heftig gesprek. Nee, Edwin, niet zo rondprakken in je bordje. Dat hoort niet jochie, dat zijn geen goede tafelmanieren.' Marianne grijnsde even.

'Ik vertel je er vanavond verder over, maar ik moet je er al iets over vertellen, want het ging er heftig aan toe. Hij houdt vol dat hij het bedrijf niet alleen aan kan, maar dat is niet waar. Hij heeft het jarenlang alleen gedaan, want opa Andreas liet allang verstek gaan... Paul Janssen zou een goede rechterhand voor hem zijn. De man is minder zakelijk dan vader, maar hij let goed op de cijfers en hij weet wat er in het bedrijf omgaat, maar mijn vader wil niet met hem samenwerken, hij wil dat ik terugkom. Dat is zijn doel, daar is hij helemaal op gefixeerd.

Ik heb hem gezegd dat dat niet zal lukken, want ik heb mijn beslissing genomen en na deze middag staat die beslissing nog meer vast. Ik kán gewoon niet met hem samenwerken. Maar ik vertel er vanavond, als het rustig is, verder over. Er komen geen nieuwe gezichtspunten bij, maar je weet dat ik alles wat me bezighoudt aan jou wil vertellen. Jij bent mijn klankbord.'

De rit naar Vlissingen, die donderdag, was lang, ruim driehonderd kilometer. In elk geval lang voor de twee kinderen. Lotte lag in de reiswieg, die goed was vastgesnoerd op de achterbank. Aanvankelijk klonken lieve geluidjes van haar door de wagen, maar na enige tijd viel ze, door de warmte in de auto en het zachte geschommel, in slaap. Het was het beste wat ze kon doen, vond Marianne.

Edwin babbelde de eerste vijftig kilometers vanuit zijn stoeltje. Hij noemde op wat hij door het zijraampje voorbij zag flitsen. Veel auto's natuurlijk, maar die trokken zo snel langs, daarnaar wilde hij niet meer kijken. Een trein in de verte. 'Mama, zie je die trein?'

'Ja, Edwin, dat is een gele trein.' De kleuren waren soms nog moeilijk voor hem. Waarom heet geel nou geel en rood rood? Ook een molen was interessant en een heel grote vrachtwagen die hem passeerde. Maar na vijftig kilometer gaf hij de moed op. Mama had gezegd dat het lang zou duren voor ze bij oma Anne waren. Hij sloot zijn oogjes en dommelde lekker in.

'Het is zonde een stop te maken,' meende Emiel, 'het is heerlijk rustig op de achterbank, maar we kunnen niet in één stuk doorrijden. Ik zet de wagen in Meerkerk bij het wegrestaurant van Albert Heijn op de parkeerplaats. Als we stilstaan worden ze waarschijnlijk wakker. Dan gaan we er even uit, de benen strekken, naar het toilet en een kopje koffie drinken. Lotte moet misschien een nieuwe pamper en we kunnen daar haar fles wel opwarmen. En Edwin wil ook wat drinken en hij lust zeker een lekkere, dikke koek.'

Marianne knikte. 'Het is een goed voorstel en het wordt met één echte en twee stille stemmetjes aangenomen.'

De verdere rit verliep voorspoedig en tegen vijf uur parkeerde Emiel de wagen voor het huis van tante Anne. Ze zat achter het grote raam op hen te wachten. Edwin en Lotte waren intussen, na toch weer een dutje na de stop, wakker en goed uitgerust. De begroeting was hartelijk.

'Lieve kinderen, Marianne, ik ben blij dat ik je weer zie en Emiel, grote kerel, heerlijk dat jullie hier nu samen met je kinderen zijn. Edwin, mijn jongetje, ken je me nog?'

'Je foto staat op de kast,' vertelde Edwin.

'Mijn foto bij jullie op de kast, dat is wel heel bijzonder! Dat is een ereplaats!'

'Alleen gisteren stond hij daar en de dag voor die dag en de dag daarvoor ook al. Mama zei dat ik dan weer zou weten hoe je eruit ziet. En dat is ook zo. Ik ken je nog wel. Je was toen bij ons met Helene.'

Ze gingen koffiedrinken en snoepen van het heerlijke gebak dat tante Anne in huis had gehaald.

Later in de avond, de kinderen hadden elk een eigen kamer in het grote huis en sliepen weer, vertelden Emiel en Marianne over de gebeurtenissen van de laatste tijd.

'Het brengt veel veranderingen in jullie leven, tenminste wat je moeder aangaat,' stelde tante Anne vast, 'en ik hoop voor haar dat ze de omgang met jou, Marianne, op de juiste manier aanvoelt.'

Emiel antwoordde daarop. 'Mijn moeder heeft veel geleerd de laatste jaren, daarvan ben ik overtuigd. Ze is gelukkig haar zoon weer in haar leven te hebben en ze heeft, zo voelen wij het allebei, Marianne ook in haar hart gesloten. En dan de kleintjes natuurlijk, die maken veel goed.'

'En je vader?'

'Dat is ook voor ons een trieste zaak. De man heeft het heel moeilijk met zichzelf en mede daardoor met zijn bedrijf. Voor hem zijn zijn privé-leven en zijn werk moeilijk te scheiden. Maar het is een doorzetter en ik ben ervan overtuigd dat hij het bedrijf weer op poten zal krijgen. Hij wil beslist niet ten onder gaan in de ogen van zijn voor hem zo belangrijke zakenrelaties. Als hij in de gaten krijgt dat ze laatdunkend over hem praten schuift hij zijn vrouw, zijn zoon en alles opzij en zet hij zich er volledig voor in weer fier aan het hoofd van de zaak te staan.'

214

De volgende middag deed Lotte haar middagslaapje. Edwin speelde met de autootjes die oma Anne voor hem had gekocht. Emiel en Marianne liepen langs de boulevard.

Er stond een stevige wind, de grauwe golven rolden met witte schuim-koppen op het strand, het was vloed. Het zoute water rook sterk. 'Ik ruik haring,' zei Emiel.

Ze liepen met de armen om elkaar heen, dicht naast elkaar. Niet praten, alleen gelukkig zijn. De zee heeft veel melodieën voor de mensen die langs het water lopen, dacht Marianne. Zoete klanken voor verliefde mensen, dan is de zee rustig, de golven zijn klein en kabbelen zoetjes, verliefde mensen lopen hand in hand langs de vloedlijn, met de blote voeten in het water.

En de zee heeft wilde composities voor onrustige harten, die niet weten wat ze moeten doen, hoe te zullen handelen, hoe een oplossing te vinden, welke keuzes te maken.

Voor mij klonk hier eens het lied van de onrust, de angst voor de toekomst. Ik wilde kiezen voor een toekomst zonder Emiel. Dat leek me verstandig, want ik dacht aan zijn moeder, die hem niet kwijt wilde en aan zijn vader, die hem niet uit zijn leven kon laten gaan en ik dacht dat Emiel niet zonder hen kon leven, maar Emiel kon niet zonder mij leven.

'Alles om je heen loslaten,' bulderde de zee me toen toe, 'en doe wat je liefde je ingeeft om te doen! Dat is het belangrijkste in het leven, de liefde...'